COLLECTION « BEST-SELLERS »

DU MÊME AUTEUR

Ne pleure plus, Fixot, 1996
Vies éclatées, Robert Laffont, 1998
Ne compte pas les heures, Robert Laffont, 2002
Grande Avenue, Robert Laffont, 2003

JOY FIELDING

Nov. 2011

JARDIN SECRET

roman

traduit de l'américain par Christine Bouchareine

10/10 Très bon

ROBERT LAFFONT

Cet ouvrage a paru sous le titre *Intrusions* aux éditions France Loisirs.

Titre original : WHISPERS AND LIES

ISBN 2-221-09914-1
(édition originale : ISBN 0-7434-4625-9 Atria Books, New York)

À Shannon,
ma fille, mon assistante, mon amie.

1.

Elle me dit qu'elle s'appelait Alison Simms.

Le nom lui coula lentement des lèvres, comme du miel gouttant de la lame d'un couteau. Elle avait une voix douce, timide, presque enfantine, alors que sa poignée de main était ferme, son regard planté droit dans le mien. Ça m'a plu. Elle m'a plu. Sur-le-champ. Mais je dois avouer que mon jugement des individus laisse souvent à désirer. Quoi qu'il en soit, cette grande jeune femme aux longs cheveux blond vénitien me fit une excellente impression. Et l'on reste toujours marqué par sa première impression, disait ma mère.

— Quelle jolie maison ! s'exclama-t-elle en embrassant d'un regard appréciateur le canapé confortable, les deux petits fauteuils de style, les cantonnières aux fenêtres et le grand tapis étalé sur le parquet aux teintes claires. J'adore le rose avec le mauve. C'est mon association de couleurs préférée. (Elle me décocha alors un sourire si éclatant et si candide que j'eus aussitôt envie de le lui retourner.) J'ai toujours rêvé de me marier en rose et mauve, ajouta-t-elle.

Je ne pus m'empêcher de rire. Quelle chose à la fois stupéfiante et merveilleuse à confier à quelqu'un que vous venez de rencontrer ! Elle pouffa à son tour et je l'invitai d'un geste à s'asseoir sur le canapé. Elle se laissa tomber dans les épais coussins de plume et sa robe bleue disparut presque sous le tissu à fleurs rose et mauve. Puis elle croisa ses longues jambes minces et se pencha vers moi. Je m'assis du bout des fesses sur le fauteuil en face d'elle, trouvant qu'elle ressemblait à un joli flamant rose, un vrai, pas une de ces affreuses imitations en plastique que les gens plantent sur la pelouse devant chez eux.

— Vous êtes très grande, remarquai-je bêtement.

Elle avait dû entendre cette réflexion des centaines de fois.

— Un mètre soixante-dix-huit. Mais je fais plus.

— C'est vrai. (Avec mon mètre soixante-deux, tout le monde me paraissait immense.) Puis-je vous demander votre âge ?

— Vingt-huit ans. (Une légère rougeur lui monta aux joues.) On me donne moins.

— Oui. Vous avez de la chance. J'ai toujours paru le mien.

— Et quel âge avez-vous ? Enfin, si ça n'est pas indiscret…

— Devinez…

La soudaine intensité de son regard me prit au dépourvu. Elle me scrutait comme si j'étais un spécimen rare, coincé entre deux plaques de verre, sous un microscope invisible. Ses yeux vert clair sondèrent mes yeux bruns, scrutèrent mon visage, examinant la moindre ride révélatrice, jaugeant le passage du temps. Je n'avais guère d'illusions. Je me voyais telle que j'étais : relativement séduisante avec de hautes pommettes, une forte poitrine et une vilaine coupe de cheveux.

— Je ne sais pas. Quarante ans ?

— Exactement ! Qu'est-ce que je vous disais ?

Nous restâmes silencieuses, glacées dans la chaleur du soleil de cette fin d'après-midi braqué sur nous comme un projecteur, et qui illuminait les particules de poussière en suspension entre nous. Elle sourit, croisa les mains sur ses genoux, se tripota les doigts. Elle ne portait ni bijou ni vernis, mais ses ongles étaient longs et soignés. Je la sentais nerveuse, soucieuse de me plaire.

— Vous n'avez pas eu de mal à trouver la maison ?

— Non. Vos indications étaient parfaites. En revanche, ça roulait mal. Je ne savais pas que Delray était une ville aussi animée.

— Eh bien, nous sommes en novembre. Les oiseaux migrateurs reviennent.

— Les oiseaux migrateurs ?

— Les touristes. Apparemment, vous êtes nouvelle en Floride.

Elle baissa les yeux vers ses pieds chaussés de sandales.

— J'adore votre tapis. Vous avez du courage de mettre du blanc dans un salon.

— Pas vraiment. Je ne reçois pas beaucoup.

— Votre travail doit vous accaparer énormément. Le métier d'infirmière m'a toujours fascinée. Ça doit être passionnant.

J'éclatai de rire.

— Ce n'est pas exactement l'adjectif que j'emploierais.

— Et lequel choisiriez-vous ?

Je fus touchée par cette curiosité sincère qui me fit vraiment chaud au cœur. Il y avait si longtemps que personne ne s'était intéressé à moi que je dus me sentir flattée. Mais sa question révélait aussi une telle naïveté que j'eus envie d'aller m'asseoir à côté d'elle, de la serrer dans mes bras et de lui dire de ne pas s'inquiéter, d'arrêter les frais, que je lui louais le petit pavillon derrière chez moi, que j'avais pris ma décision dès qu'elle était apparue sur le seuil de ma porte.

— Quel terme emploierais-je pour décrire mon métier ? (Je réfléchis.) Exténuant. C'est ça. Astreignant et ingrat !

— Jolis mots.

Je ris une fois de plus. La joie venait d'entrer chez moi dans son sillage. Quel plaisir de vivre près de quelqu'un d'aussi gai ! ai-je alors pensé.

— Dans quoi travaillez-vous ?

Alison se leva, s'approcha de la fenêtre et contempla la rue bordée de palmiers. Bettye McCoy, troisième épouse de Richard McCoy, et de trente ans sa cadette, cas assez fréquent dans le Sud de la Floride, passa, remorquée par ses deux petits chiens blancs. Vêtue en Armani beige de la tête aux pieds, son sac de crottes à la main, elle était d'un ridicule qui semblait totalement lui échapper.

— Oh, quels amours ! Vous ne les trouvez pas adorables ? Qu'est-ce que c'est, des caniches ?

— Non, des bichons. Les bimbos de la race canine, ajoutai-je en me plaçant derrière elle, le haut de ma tête au niveau de son menton.

Ce fut à son tour d'éclater de rire. Un rire cristallin qui résonna dans la pièce et dansa entre nous comme la poussière dans la lumière.

— Ils sont vraiment craquants, non ?

— Ce n'est pas exactement le terme que j'emploierais, répondis-je, reprenant volontairement la phrase que j'avais déjà utilisée.

— Et comment les décririez-vous ? me demanda-t-elle avec une mine de conspirateur.

— Voyons... Bruyants. Diaboliques. Nuisibles.

— Nuisibles ! Comment ces amours pourraient-ils faire le moindre mal ?

— Il y a quelques mois, l'un de ces cabots a déterré tous mes hibiscus. Et figurez-vous qu'il ne m'a pas paru craquant du tout, conclus-je en m'éloignant de la fenêtre. (C'est à ce moment-là que je vis la silhouette d'un homme debout, dans l'ombre, de l'autre côté de la rue.) On vous attend ?

— Moi ? Non. Pourquoi ?

Je m'approchai pour mieux voir, mais l'inconnu, s'il avait existé, avait disparu. Je fouillai la rue du regard. Personne.

— J'ai cru apercevoir quelqu'un sous les arbres, en face.

— Je ne vois personne.

— J'ai dû me tromper. Voulez-vous un café ?

— Avec grand plaisir.

Elle me suivit à travers la petite salle à manger contiguë au salon, jusqu'à la cuisine toute blanche, sur l'arrière de la maison.

— Oh, quelles splendeurs ! s'exclama-t-elle en tendant les bras vers les soixante-cinq têtes de porcelaine qui nous dévisageaient du haut des étagères, au-dessus du petit coin repas. Qu'est-ce que c'est ? D'où ça vient ?

— Ce sont des vases têtes de femme. Ma mère les adorait. Ils datent des années cinquante, la plupart ont été fabriqués au Japon. À l'époque, ils ne coûtaient que quelques dollars.

— Et maintenant ?

— Ils auraient une certaine valeur. Je crois même avoir entendu dire que c'étaient des pièces de collection.

— Et vous, de quel nom les qualifieriez-vous ?

Elle attendit ma réponse avec un sourire coquin.

Je n'eus pas besoin de réfléchir.

— De vieilleries, rétorquai-je, laconique.

— Moi, je les trouve magnifiques ! Regardez les cils de celle-là. Et ces boucles d'oreilles. Et ce minuscule collier de perles. Oh, et celle-là ! Vous n'aimez pas son expression ?

Elle prit une tête d'une quinzaine de centimètres, avec des sourcils arqués, soulignés au crayon, des lèvres rouges pincées, un turban rose et blanc d'où s'échappaient des boucles châtaines, une rose sur sa gorge.

— Elle est moins décorée que les autres, mais elle a un air tellement hautain, on dirait une vraie dame patronnesse qui nous écrase de son mépris.

— En fait, elle ressemble à ma mère.

Elle faillit la laisser tomber.

— Oh, mon Dieu ! fit-elle en la reposant précipitamment à sa place sur l'étagère, entre deux femmes aux yeux de biche et à la coiffure enrubannée. Pardonnez-moi ! Ce n'est pas ce que je voulais dire…

Je ris.

— C'est curieux que vous ayez repéré juste celle-ci. C'était sa préférée. Comment prenez-vous votre café ?

— Avec de la crème et trois sucres… me répondit-elle d'un ton presque interrogateur, comme si elle n'en était pas certaine, les yeux toujours fixés sur les étagères.

Je nous servis deux tasses du café que j'avais préparé lorsqu'elle m'avait appelée de la clinique pour me dire qu'elle avait vu mon annonce sur le tableau d'affichage, devant le bureau des infirmières. Elle avait voulu venir immédiatement.

— Et votre mère continue sa collection ?

— Elle est morte il y a cinq ans.

— Oh ! je suis sincèrement désolée.

— Moi aussi. Elle me manque. C'est la raison pour laquelle je n'ai pu me séparer de ses amies. Que diriez-vous d'un morceau de gâteau à la citrouille et aux canneberges ? proposai-je pour changer de sujet et ne pas sombrer dans la mélancolie. Je l'ai fait ce matin.

— Vous faites de la pâtisserie ! Alors là, je suis vraiment admirative ! Je suis totalement nulle en cuisine.

— Votre mère ne vous a pas appris ?

— Nous ne nous entendions pas très bien. (Elle ébaucha un sourire qui n'avait ni la spontanéité ni la sincérité des autres.) Quoi qu'il en soit, j'en prendrai volontiers un morceau. J'adore les canneberges, c'est même mon péché mignon.

Je ris à nouveau.

— J'ignorais qu'elles pouvaient susciter un tel enthousiasme ! Voulez-vous me passer un couteau ?

Je lui montrai d'un geste le bloc de bois qui en contenait tout un assortiment, au bout du comptoir carrelé de blanc. Alison tira le plus grand, un monstre d'une trentaine de centimètres doté d'une lame effilée de cinq centimètres de large.

— Oh ! là ! là ! Il est peut-être un peu gros, non ? m'esclaffai-je.

Elle le fit tourner lentement entre ses mains, étudia son reflet dans la lame, glissa un doigt prudent sur le fil, perdue dans ses pensées. S'apercevant soudain que je l'observais, elle le remplaça vite par un plus petit et me regarda avec attention plonger la lame dans le gâteau. Je coupai une énorme part qu'elle engloutit tout en me félicitant sur son mœlleux, sa légèreté, son goût, captivée par sa dégustation, comme une enfant.

Peut-être aurais-je dû me montrer plus méfiante ou, du moins, plus prudente, surtout après ce qui s'était passé avec ma précédente locataire. Au contraire, ce fut sans doute cette expérience qui me rendit encore plus sensible à son charme enfantin. Je voulais absolument la voir telle qu'elle se présentait : ravissante, adorable et quelque peu naïve.

Adorable, ce n'est pas le mot que j'emploierais aujourd'hui.

Comment ces amours pourraient-ils faire le moindre mal ? avait-elle demandé.

Pourquoi n'y avais-je pas prêté attention ?

— Vous n'avez visiblement jamais souffert de problèmes de poids, remarquai-je alors qu'elle recueillait du bout du doigt les dernières miettes sur son assiette.

— J'aurais plutôt du mal à en prendre. On s'est toujours moqué de moi. Mes camarades me traitaient de grande perche et de planche à repasser. Et comme j'ai été la dernière de ma classe à avoir de la poitrine, vous imaginez ce que j'ai pu entendre. Et maintenant que tout le monde rêve d'être mince, on continue à me lancer des piques. Je me fais régulièrement traiter d'anorexique. Si vous saviez ce que j'entends !

— Les gens manquent totalement de tact. Où avez-vous fait vos études ?

— Nulle part. Je n'étais pas très douée. J'ai arrêté la fac en première année.

— Et ensuite ?

— Eh bien, j'ai travaillé un certain temps dans une banque, puis j'ai vendu des chaussettes pour hommes, j'ai été hôtesse dans un restaurant, réceptionniste dans un salon de coiffure. Des petits boulots de ce genre. Je n'ai jamais eu de mal à en trouver. Je peux avoir encore du café ?

Je lui servis une seconde tasse, ajoutai de la crème et trois cuillères de sucre.

— Voulez-vous voir le pavillon ?

Elle se leva d'un bond, avala son café d'une traite et s'essuya les lèvres du revers de la main.

— J'en meurs d'envie. Je sens que je vais l'adorer.

Elle me suivit vers la porte du jardin en frétillant comme un jeune chien.

— Votre annonce disait six cents dollars par mois, c'est bien ça ?

— Ça vous ira ? Et je demande la première mensualité et un mois de caution d'avance.

— Pas de problème. J'ai l'intention de chercher du travail dès que je serai installée. Et même si je tarde à en trouver, ma grand-mère m'a laissé un peu d'argent à sa mort, alors je suis à l'aise. Au moins financièrement, ajouta-t-elle doucement en secouant la tête.

Je regardai danser ses boucles blondes autour de son visage ovale. J'avais les mêmes cheveux autrefois, pensai-je en repoussant une mèche auburn derrière mon oreille.

— Ma dernière locataire est partie en me devant plusieurs mois de loyer, alors je préfère…

— Oh ! mais je comprends parfaitement.

Je lui fis traverser la petite pelouse qui sépare le pavillon de la maison principale. Je sortis la clé de la poche de mon jean et, gênée de me sentir observée, la fis tomber. Alison s'empressa de la ramasser et la remit dans ma paume en m'effleurant les doigts. J'ouvris la porte du pavillon, m'écartant pour la laisser entrer.

Elle s'extasia aussitôt.

— C'est encore plus beau que je ne m'y attendais. C'est… magique !

Elle se mit à tourbillonner autour de la pièce, en petits cercles gracieux, la tête renversée, les bras écartés comme si elle voulait capturer cette féerie, s'en imprégner. Elle ne sait pas que c'est elle qui est merveilleuse, songeai-je, prenant soudain conscience que je souhaitais follement que l'endroit lui plaise et qu'elle reste.

— Et vous avez repris les mêmes tons que chez vous, j'adore ! s'écria-t-elle en virevoltant tel un papillon du petit canapé à la grosse bergère et au fauteuil à bascule, dans le fond. Elle admira le tapis (des fleurs mauve et rose sur un fond rose pâle) et les cadres sur les murs, les danseuses de Degas se préparant en coulisses, la cathédrale de Monet au coucher du soleil, l'émouvant portrait d'une mère et son enfant par Mary Cassatt.

— Les autres pièces sont par ici.

J'écartai les portes coulissantes qui donnaient sur la minuscule cuisine, la salle de bains et la chambre.

— Tout est parfait ! Absolument parfait !

Elle se laissa tomber sur le matelas pour en tester la souplesse, caressa le dessus-de-lit ancien, et se reprit brusquement en apercevant son reflet dans le miroir au-dessus de la commode en rotin blanc.

— Tout me plaît. Je ne l'aurais pas décoré autrement. Vraiment.

— J'habitais ici, précisai-je, sans bien savoir pourquoi (je n'avais pas fait ce genre de confidences à la précédente locataire). Ma mère vivait dans la maison principale et moi, ici.

Un petit sourire inquiet retroussa ses lèvres.

— Dois-je en déduire que le marché est conclu ?

— Vous pouvez emménager quand vous voulez.

Elle se leva d'un bond.

— Immédiatement ! Juste le temps d'aller chercher mes valises au motel. Je serai de retour dans une heure.

Je hochai la tête, m'apercevant seulement de la vitesse à laquelle tout s'était passé. J'en savais si peu sur elle. Nous avions encore tant de points à préciser.

— Il faudrait peut-être parler des règles que..., commençai-je.

— Les règles ?

— Ne pas fumer, pas de soirées bruyantes, pas de colocataire.

— Aucun problème. Je ne fume pas. Je ne recevrai pas. Je ne connais personne.

Je laissai tomber la clé dans sa main tendue et regardai ses doigts se refermer dessus.

— Merci beaucoup.

Sans lâcher la clé, elle prit son sac, compta douze billets de cent dollars flambant neufs et me les tendit fièrement.

— Juste imprimés de ce matin, dit-elle avec un petit sourire timide.

Je tentai de cacher ma surprise devant cet étalage inattendu de liquide.

— Voulez-vous venir dîner à la maison, une fois que vous serez installée ? m'entendis-je demander, sans doute plus étonnée qu'elle de mon invitation.

— Avec grand plaisir.

Après son départ, je restai un long moment assise dans mon salon, stupéfaite de ma décision. Moi, Terry Painter, adulte saine de corps et d'esprit, qui n'avais jamais rien fait de déraisonnable ni d'impulsif en quarante ans d'existence, je venais de louer le petit pavillon derrière ma maison à une parfaite inconnue, une jeune femme sans références autres que des dehors charmants et un sourire candide, sans emploi mais dotée d'un portefeuille gonflé de billets. Que savais-je d'elle exactement ? Rien. Ni d'où elle venait. Ni ce qui l'avait conduite à Delray. Ni combien de temps elle avait l'intention de rester. Ni même ce qu'elle faisait à la clinique quand elle avait vu mon annonce. Rien sauf son nom.

Elle avait dit qu'elle s'appelait Alison Simms.

Sur le moment, bien sûr, je n'avais aucune raison d'en douter.

2.

Elle arriva à sept heures précises, vêtue d'un pantalon et d'un haut sans manches noirs, ses cheveux coiffés en arrière en une longue natte. On aurait dit un point d'exclamation allongé. Elle tenait, d'une main, un bouquet de fleurs fraîchement coupées et, de l'autre, une bouteille de vin rouge.

— C'est un vin italien, un Amarone 1997, annonça-t-elle fièrement avant d'ajouter, les yeux levés au ciel, je n'y connais rien, enfin le marchand m'a assurée que c'était une très bonne année.

Elle sourit, ses lèvres légèrement maquillées s'entrouvrirent, révélant des dents parfaitement alignées. Mes propres lèvres se retroussèrent en un sourire tout aussi sincère, mais pas au point de dévoiler le petit écart entre mes deux incisives que des années d'orthodontie onéreuse n'avaient jamais pu corriger complètement. Ma mère prétendait que cet espace disgracieux venait de ma malheureuse habitude de sucer le majeur et l'annulaire de ma main gauche pendant que je me grattais le nez avec les lambeaux de ma sacro-sainte couverture de bébé. Cependant, comme elle était affligée du même défaut, je l'imputerais plutôt à l'hérédité qu'à cette manie, toute condamnable qu'elle soit.

Alison me suivit à travers le salon et la salle à manger jusqu'à la cuisine où je déballai les fleurs et remplis d'eau un gros vase en cristal.

— Que puis-je faire pour vous aider ?

Ses yeux vifs parcouraient le moindre recoin de la pièce comme pour enregistrer chaque détail.

— Prenez juste une chaise et tenez-moi compagnie. (J'arrangeai rapidement les fleurs dans le vase, humai les petites roses nacrées, les délicates marguerites blanches, les fleurs des champs mauves.) Elles sont magnifiques. Merci beaucoup.

— Il n'y a pas de quoi. Ça sent délicieusement bon.

— Je n'ai rien fait d'extraordinaire. Juste du poulet. Vous mangez de la viande, j'espère ?

— Je mange de tout. Il suffit de poser la nourriture devant moi pour qu'elle disparaisse. Je mange plus vite que mon ombre.

Je souris en me souvenant de la façon dont elle avait englouti la part de gâteau l'après-midi même. N'y avait-il vraiment que quelques heures que nous nous étions rencontrées ? J'avais l'impression de l'avoir toujours connue, et que, malgré notre différence d'âge, nous étions amies de longue date. Je dus me rappeler combien j'en savais peu à son sujet.

— Si vous me parliez un peu de vous, dis-je d'un ton détaché en fouillant les tiroirs à la recherche d'un tire-bouchon.

— Je n'ai pas grand-chose à raconter.

Elle se laissa tomber sur une chaise en osier devant la table, mais resta bien droite, et même sur ses gardes, comme si elle avait peur de prendre ses aises.

— D'où venez-vous ?

Je ne cherchais pas à lui tirer les vers du nez, je voulais simplement lui témoigner de l'intérêt. Je sentis qu'elle n'avait guère envie de parler d'elle. Ou peut-être n'ai-je rien senti du tout. Notre bavardage ce soir-là, dans ma cuisine, avant le dîner, ne fut sans doute rien d'autre qu'une simple conversation entre deux personnes qui cherchent discrètement à se connaître, en posant des questions banales, sans disséquer les réponses, sautant d'un sujet à l'autre sans plan précis, sans intention préalable.

En tout cas, pas de ma part.

— Chicago, répondit-elle.

— Vraiment ? J'adore Chicago. De quel quartier exactement ?

— La banlieue, répondit-elle évasivement. Et vous ? Êtes-vous née en Floride ?

— Non, nous sommes venus de Baltimore quand j'avais quinze ans. Mon père travaillait dans l'imperméabilisation. Il a pensé que la Floride représentait un marché idéal, avec les cyclones et le reste.

Elle écarquilla les yeux d'angoisse.

— Ne vous inquiétez pas. La saison des cyclones est passée. (Je laissai échapper un petit rire et repérai au même moment le tire-bouchon au fond du tiroir à couverts.) C'est ça, la Floride. Un vrai paradis en apparence. Mais si vous regardez de plus près, vous découvrez l'alligator tapi sous la surface tranquille de l'eau, vous apercevez le serpent venimeux qui se confond avec l'herbe, et vous entendez le cyclone sous le bruissement des feuilles.

Alison sourit et la chaleur de ce sourire emplit la pièce comme la vapeur s'échappant d'une bouilloire.

— Je passerais la nuit à vous écouter.

Je chassai le compliment en faisant mine de m'éventer. Me connaissant, j'avais sans doute rougi.

Alison se pencha vers moi :

— Avez-vous déjà vécu un cyclone ?

— Plusieurs, même.

Je me battais pour ouvrir la bouteille sans casser le bouchon. Il y avait longtemps que je n'avais pas eu à déboucher du vin. Je recevais rarement et je n'étais pas une grande buveuse. Un verre suffisait à me tourner la tête.

— Andrew a été le plus terrible, évidemment. Bien pire que les autres. On mesure toute la puissance de dame Nature quand on assiste à un déchaînement pareil.

— Comment le décririez-vous ? demanda-t-elle, reprenant notre petit jeu.

— Terrifiant ! répondis-je rapidement. Violent ! (Je réfléchis, penchai doucement le tire-bouchon sur la droite, sentis le liège enfin bouger puis remonter lentement le long du goulot.) Magnifique ! conclus-je en brandissant avec une fierté puérile le bouchon enfin vaincu.

— Je vais chercher les verres.

Alison disparut dans la salle à manger sans me laisser le temps de lui indiquer leur emplacement.

— Ils sont dans le bar ! lançai-je inutilement.

On aurait dit qu'elle le savait déjà.

— Je les ai. (Elle revint avec deux verres à pied en cristal, me les tendit à tour de rôle et je les remplis au quart.) Ils sont splendides. Tout ce que vous avez est ravissant.

— Tchin !

Je fis tinter doucement mon verre contre le sien, en admirant le rouge profond du vin.

— À quoi buvons-nous ?

— À notre santé, répondit l'infirmière qui sommeille en moi.

— Et à l'amitié, ajouta-t-elle timidement.

— Aux nouvelles amitiés, tempérai-je.

Je portai le verre à mes lèvres et l'arôme puissant me monta à la tête alors que je ne l'avais pas encore goûté.

— Aux nouveaux départs, murmura Alison. (Son visage disparut derrière le galbe du verre tandis qu'elle prenait une lente gorgée de vin.) Humm ! Il est super-bon. Qu'en pensez-vous ?

Je fis rapidement défiler les adjectifs prisés par les experts quand ils parlent de bon vin. Ils disent qu'il a du corps, qu'il est fruité, ou même capricieux. Jamais qu'il est super-bon. Ils n'y connaissent rien ! songeai-je en faisant tourner le vin dans ma bouche, comme je l'avais vu faire dans les grands restaurants, et sa saveur m'enveloppa le palais.

— Vous avez raison, approuvai-je après l'avoir avalé. Il est vraiment super-bon.

De nouveau, cet immense sourire irrésistible remodela son visage en remontant ses joues et en gommant son nez, élargissant encore ses yeux immenses. Elle but une nouvelle gorgée, puis une autre. Je l'imitai. Nos verres furent bientôt vides. Je les remplis, à moitié, cette fois, puis demandai :

— Et qu'est-ce qui vous a conduite à Delray ?

— J'avais envie de changer.

L'interrogation qu'elle dut lire sur mon visage l'incita à continuer.

— Je ne sais pas pourquoi exactement. (Elle regarda distraitement les têtes sur les étagères.) Je redoutais sans doute de passer un nouvel hiver là-bas. Et comme une de mes amies s'était installée à Delray, il y a quelques années, j'ai eu envie d'aller la retrouver.

— Et alors ?

— Alors quoi ?

— Vous l'avez retrouvée ?

Alison me jeta un regard perplexe, l'air de ne pas savoir ce qu'elle devait répondre.

C'est ça le problème quand on ment.

Un bon menteur anticipe toujours. Il répond à une question en prévoyant déjà la suivante. Il ne se laisse jamais prendre au dépourvu.

Quant au mauvais menteur, il lui suffit de trouver une bonne poire.

— J'ai essayé, répondit-elle, après un silence un soupçon trop long. D'ailleurs, c'est comme ça que j'ai vu votre annonce. Elle m'avait écrit qu'elle travaillait à Mission Care. Je voulais lui faire une surprise, l'emmener éventuellement déjeuner et, pourquoi pas, voir si elle ne cherchait pas une colocataire. Mais au service du personnel, on m'a dit qu'elle était partie depuis longtemps.

Alison haussa les épaules ; je remarquai qu'elles étaient magnifiques.

— Et par hasard, j'ai vu votre annonce.

— Comment s'appelle-t-elle ? Si c'est une infirmière, je pourrais peut-être savoir où elle est allée.

— Non, non, elle n'est pas infirmière, elle est… secrétaire, je crois.

— Comment s'appelle-t-elle ? Je pourrai me renseigner demain, voir si quelqu'un la connaît.

— Ce n'est pas la peine. (Alison passa un doigt distrait sur le bord de son verre. Il émit une sorte de ronronnement comme s'il appréciait cette douce caresse.) On ne se connaissait pas tant que ça.

— Pourtant vous avez quitté votre maison et traversé la moitié du pays…

— Elle s'appelle Rita Bishop. Ça vous dit quelque chose ?

— Non.

Elle prit une profonde inspiration. Et relâcha ses épaules.

— Je n'ai jamais aimé ce prénom, Rita. Et vous ?

— Non, je n'en raffole pas, moi non plus, avouai-je, la laissant subrepticement détourner la conversation.

— Qu'est-ce que vous aimez ?

— Je n'y ai jamais réfléchi.

— Moi, j'aime Kelly. Et Samantha. Si jamais j'ai une fille, je lui donnerai l'un de ces deux noms. Et Joseph, si c'est un garçon. Ou peut-être Max.

— Vous avez déjà tout prévu.

Elle contempla longuement le fond de son verre avant de prendre une autre gorgée.

— Vous avez des enfants ?

La question ricocha dans mon verre, comme prisonnière.

— Non, je ne suis pas mariée.

— Ça n'empêche rien.

— De nos jours, non. Mais de mon temps, à Baltimore, croyez-moi, ça ne se faisait pas. (J'ouvris la porte du four et un fumet agréablement parfumé m'enveloppa le visage.) Bon, j'espère que vous avez faim parce que ce poulet est prêt à se faire dévorer.

— Eh bien, à table, répondit Alison avec un grand sourire.

Elle avait raison. Je n'avais jamais vu personne manger aussi rapidement. En quelques minutes, tout ce qui était dans son assiette (poulet rôti, purée de pommes de terre et de carottes, asperges) avait disparu. Je n'avais pas avalé ma première bouchée qu'elle se resservait déjà.

— Quel délice ! Vous êtes vraiment la meilleure cuisinière du monde ! déclara-t-elle, la bouche pleine.

— Je suis ravie que ça vous plaise.

— Quel dommage que je n'ai apporté qu'une bouteille !

Ce fut une des rares fois où je la vis froncer les sourcils, le regard fixé sur la bouteille vide, derrière les bougies blanches qui brûlaient au centre de la table.

— C'est très bien comme ça. Demain, je prends mon service à six heures du matin. Et je suis censée tenir debout.

— Qu'est-ce qui vous a poussée à devenir infirmière ?

Elle lapa les dernières gouttes de vin.

— Mon père et une tante que j'aimais beaucoup sont morts d'un cancer alors qu'ils n'avaient pas cinquante ans, expliquai-je en essayant d'effacer l'image de leurs visages ravagés par la maladie. J'ai éprouvé un tel sentiment d'impuissance que j'ai décidé de faire des études de médecine. Ma mère n'avait pas les moyens de me les payer et je n'étais pas assez bonne élève pour décrocher une bourse. Ne pouvant être médecin, j'ai choisi ce qui s'en rapprochait le plus. Et j'adore mon métier.

— Même s'il est exténuant, astreignant et ingrat ?

Elle rit.

— Même. Et cela m'a permis de soigner ma mère et de la garder à la maison, après son attaque. Elle a pu mourir dans son lit.

— Est-ce pour cela que vous ne vous êtes jamais mariée ? Parce que vous avez dû vous occuper de votre mère ?

— Non, je ne peux pas lui reprocher ça. Enfin, je pourrais toujours, ajoutai-je en riant. Non, je pensais que j'avais le temps, que je finirais par trouver l'amour et me marier, et que j'aurais de beaux enfants et vivrais heureuse jusqu'à la fin des temps. Le rêve de toutes les jeunes filles, quoi. La vie en a décidé autrement.

— Vous n'avez jamais rencontré personne ?

— Non, personne de valable.

— Il est encore temps. On ne sait jamais…

— J'ai quarante ans. Je ne me fais pas d'illusions. Si nous parlions plutôt de vous. Quelqu'un vous attend à Chicago ?

— Non, pas vraiment, se contenta-t-elle de répondre.

— Qu'ont dit vos parents en apprenant que vous partiez si loin ?

Elle arrêta de manger et posa délicatement sa fourchette en travers de son assiette.

— Cette vaisselle est ravissante. J'adore le motif. Il est joli mais n'interfère pas avec la nourriture, si vous voyez ce que je veux dire ?

Bizarrement, je le voyais parfaitement.

— Vos parents ignorent que vous êtes là, n'est-ce pas ? m'aventurai-je prudemment, ne désirant surtout pas la pousser dans ses retranchements, tout en souhaitant en savoir plus.

— Je les appellerai dès que j'aurai trouvé du travail, répondit-elle, confirmant mes soupçons.

— Ils doivent s'inquiéter, non ?

— J'en doute. (Elle s'arrêta, chassa sa natte sur l'autre épaule.) Comme vous avez dû le deviner, nous ne sommes pas en très bons termes.

Elle réfléchit, son regard oscilla comme si elle lisait un texte invisible.

— Malheureusement, j'ai un frère aîné qui réussit tout. Il a été leader de l'équipe de basket au lycée, champion de natation à l'université, et diplômé de Brown avec les félicitations du jury. Et moi, la grande perche, maladroite comme pas deux, je ne lui suis jamais arrivée à la cheville. J'ai essayé, mais j'ai vite abandonné. Alors je suis devenue une vraie plaie. Je n'en faisais qu'à ma tête, convaincue de détenir la vérité. Vous voyez le genre.

— Une adolescente normale, quoi.

Ses grands yeux émeraude me lancèrent un regard débordant de gratitude.

— Merci, mais ce n'est pas exactement comme ça qu'ils me voyaient.

— Et comment vous voyaient-ils ?

Un sourire triste assombrit son visage, tandis que ses yeux scrutaient le plafond à la recherche du mot approprié.

— Odieuse. Incorrigible. Une enquiquineuse, quoi, ajouta-t-elle en riant. Ils me jetaient dehors régulièrement et le jour de mes dix-huit ans, je suis partie pour de bon.

— Et ensuite ?

— Je me suis mariée.

— Vous vous êtes mariée !

— Que voulez-vous que je vous dise ! Le rêve de toutes les jeunes filles !

J'acquiesçai silencieusement en tendant la main vers la corbeille à pain. J'accrochai alors ma fourchette qui glissa sur mes genoux en laissant une grosse tache de graisse sur mon pantalon blanc avant de tomber par terre. Alison s'empressa de la ramasser et courut à la cuisine chercher de l'eau gazeuse pendant que je me levais péniblement. J'avais trop bu.

Je m'avançai avec précaution vers le salon, en essayant de me souvenir de la dernière fois où cela m'était arrivé. J'allai à la fenêtre et appuyai mon front contre la vitre fraîche.

C'est alors que je le vis.

Il était debout de l'autre côté de la rue, aussi immobile que le palmier royal sous lequel il s'abritait, et bien qu'il fît trop sombre pour distinguer ses traits, on voyait qu'il contemplait la maison. Je clignai des yeux en essayant de capter la lumière des lampadaires pour la projeter sur son visage, mais ne réussis qu'à me brouiller la vue. Raté ! Je décidai de l'affronter directement, de lui demander ce qu'il faisait tapi dans le noir à épier ma maison.

Je partis d'un pas chancelant vers la porte d'entrée et l'ouvris.

— Vous, là-bas ! criai-je en pointant un doigt accusateur dans la nuit.

Il n'y avait plus personne.

J'allongeai le cou, tentant vainement de percer l'obscurité, et scrutai la rue d'un bout à l'autre. Puis je tendis l'oreille, à l'affût d'un bruit de pas. Rien.

Le temps que j'avais mis à aller de la fenêtre à la porte lui avait suffi pour s'enfuir. Si je ne m'étais pas encore fait des idées, corrigeai-je en pensant à l'apparition que j'avais cru voir un peu plus tôt.

— Qu'est-ce que vous faites ? demanda Alison derrière moi.

— J'ai besoin de prendre l'air.

— Vous vous sentez bien ?

— Oui, même un peu trop. Vous avez mis quelque chose dans mon verre ? plaisantai-je, tandis qu'elle refermait la porte.

Elle me reconduisit au salon, me fit asseoir sur l'un des fauteuils et entreprit de frotter la tache de gras avec un torchon humide. Elle y mit tant de conviction que j'eus bientôt la cuisse trempée. Je saisis sa main pour l'arrêter.

— La tache est partie.

Elle se releva d'un bond.

— Désolée, j'y suis allée un peu fort. Vraiment, il faut toujours que j'exagère. Excusez-moi.

— Mais de quoi ? Vous n'avez rien fait de mal.

— Non ? C'est vrai ?

Elle poussa un gloussement et se laissa tomber sur l'autre siège, le visage empourpré.

— Et que vous est-il arrivé après votre mariage ? demandai-je doucement, étouffant la petite voix qui me criait qu'Alison Simms n'était peut-être pas la jeune fille charmante et toute simple que je croyais.

— Ce qu'on peut attendre quand on se marie à dix-huit ans. Ça n'a pas marché, répondit-elle sans façon en me regardant dans les yeux, d'un air sérieux.

— Je le regrette.

— Moi aussi. Nous avons essayé. Franchement. Nous nous sommes séparés et retrouvés je ne sais combien de fois, même après notre divorce. (Elle repoussa d'un geste impatient la mèche qui lui tombait dans les yeux.) Ce n'est pas toujours facile de se quitter, même si l'on sait pertinemment qu'on n'est pas faits l'un pour l'autre.

— Et c'est pour cela que vous êtes venue en Floride ?

— Peut-être. (Soudain, un grand sourire balaya toute trace de tristesse.) Qu'y a-t-il comme dessert ?

3.

— J'ai perdu ma virginité à quinze ans, m'avoua-t-elle en se servant un second verre de Baileys.

Nous étions assises par terre au salon, adossées au canapé, nos jambes étalées négligemment devant nous, telles deux poupées de chiffon. Après avoir insisté pour débarrasser la table après le dîner, elle avait lavé, essuyé et rangé la vaisselle pendant que j'étais restée assise à la regarder, émerveillée par sa dextérité et son efficacité. Elle semblait connaître l'emplacement de chaque chose, comme si elle était déjà venue ici. Elle avait découvert le Baileys au fond du placard de la salle à manger en remettant les verres sur leur étagère. J'avais complètement oublié que j'en avais.

Je ne sais pas comment nous avons décidé de nous asseoir par terre. Sans doute a-t-elle donné l'exemple et je l'ai imitée. Pareil pour le Baileys. Je n'avais sûrement pas l'intention de boire davantage lorsqu'un verre à liqueur finement ciselé s'est matérialisé dans ma main. Alison l'a rempli et je l'ai bu. Ce n'est pas plus compliqué que ça. J'aurais pu refuser, mais, franchement, je passais un moment trop agréable. N'oublions pas que je consacrais mon temps à des gens âgés, malades ou en grande souffrance. Alison était si jeune, si éclatante de santé, si vivante. Il émanait d'elle un tel bien-être que tous les doutes et réticences que j'aurais pu avoir s'étaient envolés avec mon bon sens. Je n'avais simplement aucune envie qu'elle s'en aille, quitte à boire, s'il le fallait, un deuxième Baileys pour prolonger la soirée. Je lui tendis mon verre. Elle s'empressa de le remplir.

— Je n'aurais pas dû vous dire ça. Vous allez me prendre pour une dévergondée.

Je mis une minute à comprendre qu'elle parlait de sa virginité perdue.

— Bien sûr que non ! déclarai-je d'un ton péremptoire et le soulagement se peignit sur son visage, comme si elle avait attendu que je la disculpe, que je lui pardonne ses errements passés. Surtout que je vous bats d'une coudée, ajoutai-je, souhaitant la rassurer et lui prouver que j'étais mal placée pour la juger.

— Que voulez-vous dire ?

Elle se pencha et posa son verre sur le tapis. Il se fondit dans le pétale rose d'une fleur tissée.

— Je n'avais que quatorze ans quand j'ai perdu la mienne, chuchotai-je d'une voix coupable, comme si ma mère pouvait encore m'entendre de la chambre au-dessus.

— Arrêtez. Je ne vous crois pas !

— C'est vrai.

Je voulais vraiment la convaincre, lui prouver qu'elle n'était pas la seule à avoir un lourd passé, avec des squelettes dans son placard, aussi petits et insignifiants fussent-ils. Peut-être voulais-je même la choquer, juste pour prouver, à elle comme à moi, que je n'étais pas celle que l'on croyait, que sous mes airs rangés battait le cœur d'une révoltée.

Ou peut-être avais-je seulement bu.

— Il s'appelait Roger Stillman, continuai-je sans qu'elle m'y pousse, tandis que je revoyais le garçon efflanqué, aux cheveux bruns et aux grands yeux noisette, qui m'avait séduite avec une honteuse facilité quand j'étais en troisième. Il était en première et, bien sûr, j'avais été flattée qu'il s'intéresse à moi. Il m'avait invitée au cinéma. J'avais menti à mes parents qui me trouvaient trop jeune pour sortir avec un garçon. Je leur avais raconté que j'allais chez une amie préparer un contrôle, et j'avais retrouvé Roger au cinéma. Je me souviens que c'était un film de James Bond, ne me demandez pas lequel, et j'étais ravie car je n'en avais encore jamais vu. Quoique je n'aie pas vu grand-chose de celui-là non plus, avouai-je en me souvenant de l'haleine de Roger qui sentait le tabac et de ses lèvres qui me chatouillaient l'oreille, tandis que j'essayais de suivre l'intrigue compliquée du film et de comprendre les sous-entendus. Sa main a glissé de mon épaule à mes seins pendant que James entraînait une nouvelle victime consentante dans son lit. Nous sommes partis avant la fin du film. Roger avait une voiture.

Je haussai les épaules, comme si cela expliquait tout.

— Qu'est-il devenu ?

— Il m'a laissée tomber. C'était prévisible.

Le visage d'Alison exprima aussitôt sa contrariété.

— Avez-vous eu le cœur brisé ?

— J'étais inconsolable comme seule une gamine de quatorze ans peut l'être. Surtout qu'il s'est vanté de sa conquête devant l'école entière.

— Oh, non, il n'a pas fait ça !

J'éclatai de rire devant son indignation.

— Si. Roger n'était, je le crains, qu'un salaud de la pire espèce.

— Et que lui est-il arrivé, à cette ordure ?

— Je n'en ai pas la moindre idée. Nous sommes partis vivre en Floride l'année suivante et je ne l'ai jamais revu. Mon Dieu, ça fait une éternité que je n'y avais pas repensé. C'est ça qui est surprenant quand on est jeune.

— Quoi ?

— On croit qu'on ne pourra jamais s'en remettre et deux minutes plus tard, on a tout oublié.

Alison sourit et étira son cou de cygne en roulant la tête pour détendre ses muscles.

— On veut tout, tout de suite. Et on croit qu'on a toute la vie devant soi, murmurai-je, me parlant à moi-même, fascinée par ses mouvements.

— Et maintenant, vous avez quelqu'un dans votre vie ?

— Non. Enfin, si, avouai-je malgré moi, la première surprise d'entendre ces mots sortir de ma bouche. Il s'appelle Josh Wylie. Sa mère est hospitalisée dans mon service.

Alison cessa ses étirements. Elle ne dit rien. Elle attendait que je continue.

— Il vient la voir une fois par semaine de Miami. Nous avons juste parlé. Mais il a l'air très gentil, et...

— Et ça ne vous déplairait pas de mieux le connaître, finit-elle à ma place.

Je hochai la tête à mon tour, ce que je regrettai aussitôt car la pièce se mit à rebondir autour de moi comme une balle de caoutchouc. Je me mis péniblement debout.

— Je crois qu'il est temps d'aller se coucher.

Alison se leva d'un bond. Je sentis sa main chaude sur mon bras. L'alcool semblait ne lui avoir fait aucun effet.

— Ça va ?

— Très bien, mentis-je.

Le sol se dérobait sous mes pieds et je dus m'appuyer contre le canapé pour ne pas basculer. Je consultai ostensiblement ma montre, mais les chiffres dansaient devant mes yeux et je ne pus distinguer la grande aiguille de la petite. « Il est tard, déclarai-je néanmoins. Et je dois me lever de bonne heure. »

— J'espère que je ne suis pas restée trop longtemps.

— Non, non.

— Vous êtes sûre ?

— Certaine. J'ai passé une soirée délicieuse.

J'eus soudain l'étrange impression qu'elle allait m'embrasser. Je baissai la tête et la conduisis à travers le salon et la salle à manger jusqu'à la cuisine où je ne trouvai rien de mieux que de me cogner contre la table et de lui tomber dans les bras.

— Vous êtes sûre que ça va ? demanda-t-elle tandis que j'essayais tant bien que mal de recouvrer mon équilibre, à défaut de ma dignité. Voulez-vous que j'attende que vous soyez couchée ?

— Non, je vais bien, je vous assure.

Alison était déjà dehors lorsqu'elle s'arrêta, plongea la main dans la poche gauche de son pantalon et se retourna vers moi si brusquement que j'en eus à nouveau le tournis.

— J'avais oublié. J'ai trouvé ça.

Malgré mes vertiges et ma vision brouillée, je reconnus immédiatement la fine chaîne en or et le petit pendentif en forme de cœur qu'elle me tendait.

— Où donc ?

J'observai le délicat collier pendre au bout de ses doigts tel un morceau de guirlande oublié sur un vieux sapin de Noël.

— Sous mon lit, répondit-elle, s'appropriant inconsciemment le mobilier du pavillon.

— Pourquoi êtes-vous allée regarder en dessous ?

Elle devint écarlate et se balança d'un pied sur l'autre d'un air embarrassé. C'était la première fois que je la voyais mal à l'aise. Et, quand elle me répondit, je n'en crus pas mes oreilles.

— Pour m'assurer qu'il n'y avait pas de monstre, avoua-t-elle d'un air penaud.

— Des monstres !

— Je sais que c'est ridicule. Mais c'est plus fort que moi. Je fais ça depuis toute petite, depuis que mon frère m'a dit qu'un croquemitaine était caché sous mon lit à attendre que je m'endorme pour me manger.

— Vous regardez sous votre lit pour vérifier qu'il n'y a pas de monstre ! répétai-je, bizarrement ravie à cette idée.

— Je vérifie aussi dans les placards. Au cas où.

— Et vous n'en avez jamais trouvé ?

— Non, pas encore. (Elle éclata de rire et me tendit le collier.) Tenez. Avant que j'oublie.

— Il n'est pas à moi.

Je reculai d'un pas et faillis trébucher. La pièce bascula de quatre-vingt-dix degrés. Les soixante-cinq vases s'inclinèrent sur leurs étagères.

— Il appartient à Erica Hollander, mon ancienne locataire.

— Celle qui vous doit plusieurs mois de loyer ?

— En personne.

— Alors on peut dire qu'il est à vous désormais.

Elle me le tendit à nouveau.

— Gardez-le.

Je ne voulais plus entendre parler d'Erica Hollander.

— Oh, je ne peux pas accepter, protesta-t-elle alors que sa main se refermait déjà sur le bijou.

— Vous l'avez trouvé, vous le gardez. Allez, prenez-le. C'est… c'est votre style.

Alison n'en demanda pas davantage.

— C'est vrai ? Vous croyez ?

D'un geste fluide, elle passa la chaîne autour de son cou et fixa sans mal le petit fermoir.

— Comment me va-t-il ?

— Il a l'air fait pour vous.

Alison caressa le petit cœur et essaya de se voir dans la fenêtre de la cuisine.

— Je l'adore.

— Alors portez-le et qu'il vous garde en bonne santé.

— Vous ne pensez pas qu'elle reviendra le chercher, dites-moi ?

Ce fut mon tour d'éclater de rire.

— Qu'elle essaie ! Bon, allez, il est tard. Il faut que j'aille dormir.

— Bonne nuit.

Alison m'embrassa sur la joue. Ses cheveux sentaient la fraise, et sa peau, le talc pour bébé.

— Merci encore pour tout.

— Il n'y a pas de quoi.

J'ouvris la porte et jetai un rapide coup d'œil dans le jardin.

Personne ne nous espionnait. Personne n'était tapi dans l'ombre.

Je poussai un soupir de soulagement et attendis qu'Alison soit en sécurité à l'intérieur du pavillon avant de refermer ma porte. Je passai la main sur ma joue, là où elle m'avait embrassée, tout en l'imaginant chez elle. Elle traversait son salon, entrait dans sa chambre, s'agenouillait afin de vérifier qu'aucun monstre ne se cachait sous son lit. Je songeai distraitement à l'inconnu que j'avais vu dehors. Avais-je rêvé ? Et, sinon, qui espionnait-il ? Moi... ou Alison ?

Quelle fille adorable ! ai-je alors songé. Si enfantine. Si innocente.

Pas si innocente que ça, me rappelai-je en montant péniblement mon escalier. Mariée à dix-huit ans. Divorcée peu après. Sans compter qu'elle tenait sacrément bien l'alcool.

Je me rappelle vaguement m'être déshabillée et avoir enfilé ma chemise de nuit devant derrière, puis l'avoir remise correctement. Je ne me revois pas me laver la figure ni me brosser les dents, pourtant je suis sûre de l'avoir fait. En revanche, je me souviens de mes pieds qui s'enfonçaient dans la moquette ivoire comme s'ils s'enlisaient. Et de mes cuisses qui pesaient des tonnes. Le grand lit qui trônait au milieu de la pièce me paraissait à des kilomètres. Je mis une éternité à l'atteindre. Et je dus faire un effort colossal pour retirer le gros édredon blanc qui me fit penser à un gros parachute lorsque je me glissai sous les draps. Je sens encore ma tête s'enfoncer dans l'oreiller.

Je m'attendais à m'endormir aussitôt. Ça se passe toujours ainsi dans les films. Les gens boivent trop, ils ont la tête qui tourne et s'effondrent. Parfois ils sont malades avant. Mais je ne fus pas malade, pas plus que je ne pus m'endormir. Je restai juste allongée, à chercher désespérément le sommeil, sachant que je devrais me lever dans quelques heures à peine. Je me tournai d'un côté, de l'autre, essayai même de m'allonger à plat ventre avant de revenir à ma position initiale. Je remontai les genoux contre ma poitrine, étirai une jambe après l'autre, prenant des positions dignes d'un contorsionniste. Rien n'y fit. J'envisageai un instant d'avaler un somnifère et m'apprêtai à me relever, lorsque je me rappelai qu'il ne fallait surtout pas mélanger l'alcool et les médicaments. Et puis, c'était trop tard. Le temps que le sédatif fasse son effet, le réveil sonnerait et je passerais la journée du lendemain dans le brouillard.

J'aurais pu lire, mais je peinais depuis plusieurs jours sur un livre sans avoir pu franchir le quatrième chapitre. J'avais l'esprit aussi fatigué que les yeux et tenter d'assimiler quoi que ce soit à cette heure était voué d'avance à l'échec. Non, décidai-je, je n'avais pas d'autre choix que de rester couchée à attendre patiemment que le sommeil me gagne.

Une demi-heure plus tard, j'attendais encore. Je m'appliquai à respirer profondément, improvisai quelques exercices de yoga que j'avais vus dans un magazine sans même savoir si je les faisais correctement. Il y avait des cours de yoga à la clinique, mais je ne m'étais jamais résolue à m'y inscrire. Pas plus que je ne m'étais laissé séduire par le stretching, la méditation transcendantale ou les séances d'abdominaux proposées régulièrement à la télévision. Je me promis de m'y atteler dès le lendemain matin, si j'arrivais à m'endormir.

Rien à faire.

Je faillis allumer la télévision au pied de mon lit. Il devait bien y avoir une énième rediffusion de *Law & Order* quelque part, mais je préférai me repasser mentalement la visite d'Alison. Bon sang, quelle idée de lui faire des confidences pareilles et d'aller lui parler de Roger Stillman ! Comment était-ce possible ? Je n'avais plus pensé à lui depuis que j'avais quitté Baltimore.

Et elle, que m'avait-elle dit ?

Qu'elle avait perdu sa virginité à quinze ans.

Quoi d'autre ?

Pas grand-chose. Elle avait peut-être ouvert les vannes des souvenirs, mais elle s'était tenue résolument en retrait. Non, c'était moi qui m'étais ruée sur l'occasion, en jetant prudence et bon sens par-dessus les moulins. Voilà qui était intéressant. Elle donnait l'impression de se livrer alors qu'en fait elle vous poussait aux confidences.

C'est sur cette réflexion que je sombrai enfin dans le sommeil. Je ne me souviens pas de m'être assoupie. Je me rappelle seulement avoir rêvé. Rien d'important ni de particulièrement significatif. Une succession de scènes idiotes : Roger Stillman imitant James Bond à l'arrière de sa voiture ; la mère de Josh Wylie me demandant avec un sourire de m'occuper du bouquet de roses que son fils lui avait apporté de Miami ; ma mère me prévenant que j'avais oublié de mettre mon réveil.

Ce fut d'ailleurs cela qui me réveilla à quatre heures du matin. Je tendis les mains dans la pénombre et n'ouvris les yeux qu'à grand-peine lorsque mes doigts rencontrèrent le radio-réveil.

C'est alors que je vis une grande silhouette au pied de mon lit.

Au début, je crus que c'était une apparition, une hallucination de mon cerveau imbibé d'alcool, mon rêve qui se poursuivait, ou même simplement une ombre projetée par la lune. Ce n'est qu'en la voyant bouger que je compris qu'elle était bien réelle.

Je poussai un hurlement.

Mon cri perça l'obscurité comme une lame s'enfonçant dans la chair. Que cette clameur inhumaine vienne de mon propre corps m'effraya plus encore que la forme qui s'approchait lentement de moi. Et je hurlai à nouveau.

— Je suis vraiment désolée, murmura une voix. Oui, vraiment.

J'ignore à quel moment j'ai compris que c'était Alison, si c'est en reconnaissant sa voix ou en voyant le petit cœur en or briller sur sa gorge. Elle se tenait la tête, comme si elle avait reçu un coup et oscillait comme un arbre secoué par le vent.

— Je suis vraiment désolée, répéta-t-elle. Vraiment.

— Qu'est-ce que vous faites là ? réussis-je enfin à articuler.

Je me penchai vers ma lampe de chevet.

— Non ! Je vous en prie, n'allumez pas !

Je me figeai sans savoir que faire.

— Qu’est-ce que vous faites là ?

— Pardon ! Je ne voulais surtout pas vous réveiller.

— Qu’est-ce que vous faites là ? répétai-je une troisième fois alors que les battements de mon cœur cognaient à mes tempes.

— Ma tête… (Elle tira sur ses cheveux.) J’ai une migraine.

Je sortis de mon lit et fis quelques pas hésitants dans sa direction.

— Une migraine ?

— C’est sans doute le vin que j’ai bu ce soir…

Elle s’arrêta, apparemment incapable d’en dire plus.

Je m’approchai d’elle, passai un bras autour de ses épaules et la fis asseoir sur mon lit. Elle portait une longue chemise de nuit en coton blanc qui ressemblait à la mienne, ses cheveux étaient défaits, son visage trempé de larmes.

— Comment êtes-vous entrée ?

— La porte n’était pas fermée.

— C’est impossible, je pousse toujours le verrou.

Mais, dans l’état où j’étais, j’avais très bien pu oublier, corrigeai-je intérieurement, tout comme j’avais oublié de mettre le réveil.

— C’était ouvert. J’ai d’abord frappé. Vous n’avez pas répondu. Alors j’ai poussé la porte. J’espérais pouvoir trouver un médicament dans votre pharmacie sans vous réveiller. Je suis vraiment navrée.

— Je n’ai que du Tylenol, dis-je en tournant les yeux vers la salle de bains.

Alison hocha la tête. C’était mieux que rien.

Je la laissai assise sur mon lit et courus le chercher dans ma pharmacie. Je dus fouiller deux fois les étagères avant d’apercevoir le petit flacon. Je versai quatre comprimés dans ma paume, emplis un verre d’eau et revins dans la chambre.

— Prenez ça. J’irai vous chercher quelque chose de plus fort demain matin.

— Je serai morte avant.

Elle tenta un petit rire qui se mua en gémissement et avala ses comprimés. Puis elle blottit son visage contre mon épaule pour échapper au peu de lumière qu'il y avait dans la pièce.

— Que cela nous serve de leçon, m'entendis-je lui dire de la voix de ma mère, et je lui caressai le bras et la berçai contre moi comme un enfant. Vous dormirez ici ce soir.

Alison se laissa allonger sur le lit puis je rabattis les draps sur elle.

— Et vous ? demanda-t-elle après coup, les yeux clos.

— J'irai dans la chambre à côté.

Elle avait déjà remonté l'édredon sur sa tête et seule une boucle blonde en forme de point d'interrogation étalée sur mon oreiller témoignait de sa présence.

4.

Alison dormait encore lorsque je quittai la maison le lendemain matin.

J'avais pensé la réveiller et l'aider à regagner son lit, mais elle avait un air si paisible, si vulnérable, l'éclat de son blond vénitien tranchait tellement sur la pâleur de son teint que je n'eus pas le courage de la déranger. Je savais que les migraineux, à l'instar des alcooliques, ont besoin de vingt-quatre heures de sommeil pour récupérer. Il y avait donc de fortes chances qu'elle dorme encore quand je rentrerais vers quatre heures de l'après-midi. Alors à quoi bon la réveiller ?

À la réflexion, c'était une erreur. Hélas, ce n'était pas la première que je commettais en ce qui la concernait ni, sans doute, la dernière. Non, il s'agissait seulement d'une des nombreuses fautes de jugement que je porterais sur celle qui se faisait appeler Alison Simms. Enfin, c'est facile à dire avec le recul. Bien sûr, c'était stupide de laisser une étrangère seule, chez moi. Je cherchais visiblement les ennuis. Je peux juste invoquer pour ma défense que je n'en ai pas eu conscience à ce moment-là. À six heures du matin, après moins de quatre heures de sommeil, cela m'a paru à la fois normal et raisonnable. Qu'avais-je à craindre ? Qu'elle s'évanouisse dans la nature avec mon vieux poste de télé ? Qu'elle réquisitionne une brouette pour emporter la collection de vases de ma mère ? Qu'elle organise un vide-grenier sur la pelouse devant chez moi ? Ou qu'elle mette la maison à feu et à sang ?

J'aurais dû me montrer plus prudente, plus circonspecte, moins confiante.

Mais je ne l'ai pas fait.

Ne dit-on pas d'ailleurs qu'il ne faut pas réveiller le chat qui dort ?

Quoi qu'il en soit, j'ai donc laissé Alison dormir dans mon lit, telle Boucle d'Or. J'ai descendu l'escalier sur la pointe des pieds dans mes lourdes chaussures d'infirmière, puis ouvert et refermé la porte d'entrée en étouffant un gloussement. Ma voiture était garée dans l'allée. Je jetai un regard absent vers la rue déserte tout en enregistrant de vagues bruits de circulation à quelques pâtés de maisons de là. La ville s'éveillait, j'aurais volontiers troqué mon uniforme contre ma chemise de nuit. Heureusement, j'étais moins fatiguée que je ne le craignais. En fait, je me sentais même dans une forme surprenante.

Je reculai jusqu'à la rue et baissai les vitres pour profiter de la fraîcheur matinale. Novembre est un mois très agréable dans le sud de la Floride. La température dépasse rarement les 25°, la moiteur étouffante de l'été s'est dissipée et la saison des cyclones est théoriquement terminée. Nous avons parfois quelques averses bienvenues, mais la plupart du temps le soleil trône dans un ciel sans nuage d'un bleu Kodacolor. Cette journée s'annonçait magnifique. Peut-être, si Alison se sentait mieux, l'emmènerais-je se promener sur la plage, à mon retour. Rien de tel que l'océan pour apaiser les esprits et les âmes en tumulte. Sa magie devait bien agir aussi sur les migraines, pensai-je en jetant un coup d'œil vers la fenêtre de ma chambre.

L'espace d'un instant, je crus voir bouger les rideaux. Je freinai brutalement en collant mon nez au pare-brise. Mais j'avais dû me tromper, il devait juste s'agir de l'ombre des palmes qui se balançaient devant les vitres. Je restai quelques secondes à fixer la fenêtre en écoutant la brise. Les rideaux ne bougeaient pas d'un fil.

Je déplaçai mon pied du frein sur l'accélérateur et suivis lentement la Septième Avenue jusqu'à Atlantic Avenue où je pris à gauche. Ce quartier normalement très embouteillé était désert à cette heure matinale, un des rares avantages de travailler si tôt. Je pouvais contempler tout à loisir les luxueuses devantures des boutiques chics, et les galeries et les restaurants qui avaient insidieusement métamorphosé la ville depuis quelques années. À la surprise quasi générale, Delray était devenu un coin branché. De simple lieu de transit, la ville s'était transformée en destination recherchée. J'adorais ce changement inattendu, cette animation, même si j'en profitais rarement. Alison se plairait ici, je le sentais.

Je longeai le club de tennis au nord d'Atlantic, où se déroule chaque année le Citrix Open, puis le Old School Square, au coin d'Atlantic et de Swinton. Après avoir laissé le tribunal du comté et la caserne des pompiers sur ma gauche, je pris le tunnel sous la I-95 en direction de Jog Road puis filai vers le sud. Cinq minutes plus tard, j'arrivai à la clinique.

Mission Care occupe un immeuble de cinq étages rose chewing-gum. Cet établissement privé est spécialisé dans les soins palliatifs. La majorité des patients sont âgés ou en grande souffrance. Aussi sont-ils souvent agressifs et angoissés. Qui pourrait les en blâmer ? Ils savent que leur état ne s'améliorera pas, qu'ils ne rentreront jamais chez eux, que cet endroit est leur dernière demeure. Certains sont couchés dans leur lit étroit depuis des années, leur regard vide fixé sur le plafond, à attendre qu'une infirmière les lave ou les change de position, à espérer des visiteurs qui viennent rarement, à appeler la mort de leurs prières tout en s'accrochant obstinément à la vie.

Ce doit être tellement déprimant d'être entouré de gens malades et mourants, me dit-on souvent. Parfois, oui, je dois le reconnaître. Ce n'est jamais facile de voir ses semblables souffrir, de réconforter une jeune femme atteinte de sclérose en plaques dans la fleur de l'âge, de soigner un enfant dans le coma qui ne se réveillera jamais, ou de calmer un vieillard atteint d'Alzheimer qui hurle des obscénités à son fils qu'il ne reconnaît plus.

Et pourtant, certains moments font oublier tout ça. Quand le plus simple geste de gentillesse est récompensé d'un sourire tellement radieux que les larmes vous montent aux yeux, ou d'un merci si sincère que vous en êtes toute remuée. C'est pour cela que j'ai choisi d'être infirmière, quitte à ce qu'on me prenne pour une incurable sentimentale.

Et c'est sans doute ce travers qui fait de moi une cible idéale. À l'instar d'Anne Frank, j'ai le tort de croire que les gens sont foncièrement bons.

Après avoir garé ma voiture dans le parking du personnel, je traversai le hall, passai devant la boutique et la pharmacie encore fermées pour me rendre à la cafétéria déjà bourdonnante de monde. Je fis la queue pour une tasse de café insipide et des muffins allégés aux canneberges. Je pensai à Alison et me souvins d'une recette de muffin aux canneberges et à la banane qui traînait au fond de mes tiroirs. Je décidai de lui en faire dès ce soir.

Les bureaux n'ouvraient qu'à neuf heures, et je notai mentalement d'y revenir plus tard pour me renseigner sur son amie, Rita Bishop. Alison m'avait dit de ne pas m'en inquiéter, mais ça valait la peine d'essayer. Rita avait pu laisser une adresse. Une secrétaire saurait peut-être ce qu'elle était devenue.

L'ascenseur était d'une lenteur exaspérante et j'avais fini mon café et mangé la moitié de mon muffin lorsque les portes s'ouvrirent enfin sur le quatrième étage.

Le bureau des infirmières débordait déjà d'activité.

— Que se passe-t-il ? demandai-je à Margot King, une infirmière lourdement bâtie, aux cheveux cuivrés et aux yeux bleus.

Depuis plus de dix ans qu'elle travaillait à Mission Care, la couleur de ses yeux changeait presque aussi souvent que celle de ses cheveux. Seuls restaient immuables la blancheur éclatante de son uniforme et son merveilleux teint d'ébène.

— Une jeune fille violée, annonça-t-elle à mi-voix.

— Une jeune fille violée ? Pourquoi nous l'a-t-on amenée ?

— Le viol remonte à trois mois. Le type l'a frappée avec une batte de base-ball et l'a laissée pour morte. Depuis, elle est dans le coma. Et elle ne semble pas près d'en sortir. Sa famille a décidé de la transférer ici parce que l'hôpital de Delray avait besoin du lit.

— Quel âge a-t-elle ? demandai-je, m'armant de courage.

— Dix-neuf ans.

Je soupirai, accablée.

— C'est tout ce que tu as de drôle à m'annoncer ?

— Oui, c'est tout. Mme Wylie te réclame.

— Déjà ?

— Depuis cinq heures. « Où est ma Terry ? Où est ma Terry ? » singea Margot en imitant la voix ténue de la vieille dame.

— Je vais aller la voir.

Je sortis dans le hall et m'arrêtai.

— Caroline est arrivée ?

— Elle ne vient qu'à onze heures.

— C'est bien elle qui souffre de migraines, n'est-ce pas ?

— Ça, oui, la pauvre.

— Quand elle arrivera, tu veux bien lui dire que je voudrais la voir ?

— Tu as des problèmes ?

— Une amie, répondis-je en repartant vers la chambre de Myra Wylie.

Je poussai doucement la porte et ne passai que la tête, au cas où la vieille dame de quatre-vingt-sept ans se serait rendormie.

— Terry ! Voilà enfin ma Terry ! s'écria-t-elle dans un souffle, du fond de son lit.

Je m'approchai et tapotai la main osseuse sous les draps blancs.

— Comment vous sentez-vous, aujourd'hui, Myra ? demandai-je en sondant ses yeux bleus larmoyants et son visage au teint grisâtre.

— Merveilleusement bien, répondit-elle comme chaque fois que je lui posais cette question.

Je ris.

Elle émit à son tour un petit rire faible qui dégénéra en quinte de toux. Mais j'avais eu le temps d'entr'apercevoir quelle belle et vibrante femme elle avait dû être avant que son corps ne commence sa lente et inéluctable dégradation. Je retrouvai son fils dans le dessin marqué de ses pommettes, la douce courbe de ses lèvres. Josh Wylie ferait un beau vieux monsieur, me surpris-je à penser, en approchant un siège de son lit.

— Je voudrais changer de coiffure la prochaine fois que vous me laverez les cheveux.

J'écartais les fines mèches grises de son front.

— Et de quoi avez-vous envie ?

— Je ne sais pas. Quelque chose un peu plus dans le vent.

— Dans le vent ?

— Peut-être un carré.

— Un carré ?

Je fis gonfler les fines mèches qui lui encadraient le visage. De profondes rides se creusaient autour de ses yeux et de sa bouche. Lentement, ses traits se transformaient en masque de mort. Combien de temps lui restait-il ?

— Un carré. Bien sûr. Pourquoi pas ?

Elle sourit.

— C'était la jolie petite infirmière pleine de taches de rousseur hier soir. La jeune. Comment s'appelle-t-elle ?

— Sally.

— Ah oui, Sally. Elle m'a apporté mes médicaments et nous avons bavardé. Elle m'a demandé mon âge. Vous auriez vu sa tête quand je lui ai dit que j'avais soixante-dix-sept ans.

Je cherchai dans son regard si elle plaisantait. Non, elle était sérieuse.

— Myra, vous n'avez pas soixante-dix-sept ans.

— Non ?

— Vous en avez quatre-vingt-sept.

— Quatre-vingt-sept ? (Il y eut un long silence pendant qu'elle portait une main tremblante à son cœur.) Quelle horreur !

Je lui frictionnai l'épaule en riant.

— Vous êtes sûre ?

— C'est ce qui est écrit sur votre fiche. Mais nous pourrons vérifier auprès de votre fils à sa prochaine visite.

— C'est une bonne idée. (Ses yeux papillotèrent et se fermèrent, sa voix s'affaiblit.) Parce qu'il doit y avoir une erreur.

— Nous lui demanderons vendredi.

Je me levai et me dirigeai vers la porte. Quand je me retournai pour la regarder, elle dormait à poings fermés.

Le reste de la matinée se déroula normalement à soigner les patients, à les aider à prendre leur petit déjeuner puis leur déjeuner, et à accompagner ceux qui pouvaient marcher à la salle de bains. Je passai voir Sheena O'Connor, la jeune fille violée. Je scrutai son visage abîmé en lui parlant de mille petites choses, mais, si elle m'entendit, elle n'en montra rien.

Normalement, je déjeune à la cafétéria. La nourriture est étonnamment bonne et le prix imbattable. Cependant, ce jour-là j'étais pressée d'aller voir Alison. J'aurais pu lui téléphoner, mais je ne voulais pas risquer de la réveiller. En outre, elle n'oserait peut-être pas répondre. Et donc, armée de deux comprimés d'Imitrex que j'avais rachetés à Caroline (« Je te les aurais bien donnés, seulement ils coûtent la peau des fesses ») et de la liste des médecins de mon quartier (il était temps qu'elle s'occupe de ses migraines), je décidai de profiter de mon heure de déjeuner pour passer chez moi voir comment elle allait.

Alors que je m'engageais dans mon allée, j'aperçus un jeune homme coiffé d'une casquette de base-ball dissimulé derrière un palmier, à l'endroit même où j'avais cru voir un homme la veille, mais, le temps de me garer, il disparaissait au bout de la rue. Je m'apprêtais à lui courir après, mais mon attention fut attirée par des aboiements. Je me retournai. Bettye McCoy, debout près d'un rosier dont ma voisine était très fière, faisait semblant de ne pas voir ses chiens l'arroser vaillamment. Je faillis lui demander si elle n'avait remarqué personne de suspect dans le quartier. Mais nous étions en froid depuis que j'avais chassé ses cabots de ma pelouse à coups de balai, et je préférai donc m'abstenir.

Je retirai mes chaussures avant d'entrer et étouffai un juron en entendant la porte grincer. Je me promis de la graisser le soir même. Un silence étrange enveloppait la maison, que seul troublait le doux vrombissement de l'air conditionné. D'un regard rapide, je m'assurai que tout était à sa place. Je montai jusqu'à ma chambre sur la pointe des pieds, toussai discrètement pour ne pas effrayer Alison si elle était réveillée et ouvris la porte.

Les rideaux étant toujours fermés, je mis quelques secondes à m'apercevoir que la chambre était vide et le lit soigneusement fait. Boucle d'Or s'était envolée.

— Alison ! appelai-je en jetant un œil dans la salle de bains puis dans l'autre chambre avant de redescendre. Alison ?

Elle était partie.

— Alison ! criai-je encore à la porte de son pavillon en frappant doucement.

Pas de réponse. J'essayai en vain de regarder par les fenêtres. Je n'entendais pas de bruit à l'intérieur. Alison s'était-elle suffisamment rétablie pour sortir ? Ou gisait-elle sur le sol de sa salle de bains, la tête contre le carrelage froid pour se soulager, trop malade et trop faible pour me répondre ? Tout en me disant que je dramatisais, je retournai à la porte d'entrée et frappai avec plus de vigueur.

— Alison ! Alison, c'est moi, Terry. Ça va ?

J'attendis une trentaine de secondes avant d'entrer. Je sentis que le pavillon était vide dès que j'en franchis le seuil, mais je continuai à appeler Alison en m'approchant de sa chambre. Les vêtements qu'elle portait la veille traînaient au milieu de la pièce, abandonnés là où ils étaient tombés. Le lit défait sentait son parfum ; un mélange entêtant de fraise et de talc pour bébé s'accrochait encore aux draps froissés et aux oreillers écrasés, mais elle n'était pas en vue. J'ai honte d'avouer que j'ai même vérifié sous son lit. Ai-je cru un instant que les monstres qu'elle redoutait tant s'étaient emparés d'elle pendant son sommeil ? Je ne saurais le dire. Ni ce qui m'a poussée à regarder dans le petit dressing. J'ai dû le faire machinalement.

Alison possédait peu de vêtements. Quelques robes dont la petite bain de soleil bleue qu'elle portait lors de notre rencontre. Deux ou trois jeans. Une veste de cuir noire. Une demi-douzaine de t-shirts à un bout de la longue étagère, quelques sous-vêtements en dentelle de l'autre. Des tennis usées noir et blanc étaient posées à côté d'une paire d'escarpins à bride d'argent flambant neuve. J'en ramassai un en me demandant comment on pouvait marcher avec des machins pareils. Je n'avais pas porté de talons de cette hauteur depuis… eh bien, je n'en avais jamais porté de ma vie ! Mon regard se posa sur mes chaussettes et, avant même de réaliser ce que je faisais, je me penchai et enfilai un premier escarpin puis l'autre.

C'est à ce moment-là, alors que j'étais debout dans les hauts talons sexy d'Alison, que je perçus un mouvement dans la chambre et sentis la vibration d'un pas qui se rapprochait. Je me figeai sur place sans savoir que faire. Il y avait une différence entre expliquer à Alison que je m'étais permis d'entrer chez elle parce que je m'inquiétais de sa santé et me faire surprendre dans son placard, juchée sur ses talons aiguilles. Pendant un bref instant de folie, j'eus envie de les jeter loin de moi en récitant : « On n'est jamais si bien que chez soi, on n'est jamais si bien que chez soi », dans l'espoir qu'à l'instar de Dorothy dans *Le Magicien d'Oz* je me retrouverais miraculeusement au milieu de mon salon. Ou au Kansas, en l'occurrence. Partout sauf là, priais-je en sentant la présence d'Alison sur le seuil.

— Je suis vraiment désolée, commençai-je, m'attendant à la voir apparaître. Je vous en prie, pardonnez-moi.

Mais personne n'entra. J'étais seule avec mon imagination débordante. Sans parler de ma culpabilité de me trouver là où je n'aurais pas dû. Je restai dans le dressing, à vaciller sur ces scandaleux talons de dix centimètres, en attendant que mon cœur retrouve son rythme normal. Je ferais une belle criminelle, pensai-je, en me déchaussant et en remettant les escarpins à leur place près des vieilles tennis.

Là, j'aurais dû partir sans demander mon reste. Apparemment, Alison allait beaucoup mieux. Je n'avais plus aucune raison de m'inquiéter et encore moins de rester dans ce qui était désormais son domaine. Je m'apprêtais à sortir lorsque j'aperçus son journal.

Il était posé, ouvert, sur le dessus de la commode en rotin blanc, m'invitant à le lire, comme si Alison l'avait laissé volontairement en vue, comme si elle avait prévu ma visite. J'essayai de ne pas le voir, et j'aurais voulu passer devant sans m'arrêter, sans me jeter dessus avidement, devrais-je dire, mais ce satané carnet m'attira tel un aimant. Et, malgré moi, je laissai mon regard glisser sur l'écriture tout en boucles et en courbes d'Alison, et se faire aspirer par ces montagnes russes visuelles.

Dimanche 4 novembre : Eh bien, ça y est. Je suis dans la place.

Je m'arrêtai, refermai brutalement le cahier. Non, je l'avais trouvé ouvert. Je me mis à le feuilleter furieusement à la recherche de la dernière page écrite.

Jeudi 11 octobre : Lance dit que je suis folle. Souviens-toi de la dernière fois, m'a-t-il sermonnée.

Vendredi 26 octobre : J'ai peur. Ce n'est peut-être pas une bonne idée, finalement.

Dimanche 28 octobre : Lance me répète que je ne dois pas m'attacher. Il a sans doute raison. Peut-être que mon plan est vraiment nul.

Je revins sur la dernière inscription sans permettre à mes yeux de s'y s'attarder, ni aux mots de me pénétrer.

Dimanche 4 novembre. Eh bien, ça y est. Je suis dans la place. J'habite le pavillon derrière chez elle, et elle m'a même invitée à dîner. Elle a l'air gentille, mais je ne l'imaginais pas comme ça.

Qu'est-ce que ça signifiait ?

Comment m'imaginait-elle ?

Nous avions parlé moins d'une minute au téléphone, c'était peu pour se faire une idée.

Lance dit que je suis folle. Souviens-toi de la dernière fois, m'a-t-il sermonnée.

Existait-il un lien entre ces phrases ?

Voilà que je me laissais à nouveau entraîner par mon imagination. Ce que je venais de lire dans le journal d'Alison pouvait avoir n'importe quel sens, ou même aucun. Si je me sentais mal à l'aise, c'était parce que je m'en voulais d'avoir fouillé dans ses affaires. Et ça n'avait rien à voir avec ses innocentes confidences. Je m'écartai du journal comme s'il allait me mordre.

Et je ne fis rien. Ni à ce moment-là, ni plus tard, ni même à mon retour du travail, le soir, après m'être arrêtée au pavillon pour prendre de ses nouvelles. Alison me répondit qu'elle avait passé sa journée au lit, qu'elle n'était sortie que le temps de faire le tour du pâté de maisons.

Je lui donnai l'Imitrex, la liste des médecins du quartier et du bouillon de volaille maison, bien décidée à lui être agréable mais en gardant mes distances. Je ne devais pas m'attacher, ainsi que me l'aurait sans doute conseillé le mystérieux Lance. Et, d'une certaine manière, je finis par me convaincre que, tant qu'Alison paierait son loyer à terme et obéirait à mes règles, tout irait bien.

5.

Le vendredi, j'avais complètement oublié le journal. Une de mes collègues avait la grippe, et je m'étais portée volontaire pour assurer son service, en plus du mien, le mercredi et le jeudi. Résultat, je n'avais pas revu Alison. J'avais cependant reçu un petit mot adorable où elle me remerciait du dîner et se confondait en excuses de m'avoir dérangée. Elle m'assurait être totalement rétablie et me proposait d'aller au cinéma pendant le week-end, si j'avais le temps. Je ne répondis pas, prête à invoquer l'épuisement si jamais je la croisais. Si j'ignorais ses ouvertures, elle finirait bien par se lasser, et notre relation se résumerait à ce qu'elle n'aurait jamais dû cesser d'être, celle d'une propriétaire avec sa locataire. Je l'avais laissée entrer trop hâtivement dans ma vie.

— À quoi pensez-vous donc ? demanda une voix inquiète.

— Oh ! pardon, je suis désolée, m'excusai-je, brutalement ramenée au présent.

Chassant ces élucubrations, je ramenai mon attention sur la vieille dame maintenue en vie par les tubes qui la nourrissaient de force. Myra Wylie me dévisageait, les yeux brillants de curiosité.

— Vous étiez à des millions de kilomètres.

— Pardon. Je vous ai fait mal ?

Je relâchai la perfusion que je venais d'ajuster.

— Non, ma pauvre, vous en seriez incapable, même si vous le vouliez. Et arrêtez de vous excuser. Qu'est-ce qui ne va pas ?

— Rien, tout va bien. (Je bordai la couverture à ses pieds.) Vos analyses sont excellentes.

— Je parlais de vous. Vous avez des soucis ?

— Non, tout va bien, répétai-je comme si je voulais me rassurer, moi aussi.

— Vous pouvez me parler, vous savez, si vous avez un problème.

— C'est très gentil.

— Je le pense vraiment.

— Je sais.

— Vous semblez toujours plongée dans de profondes réflexions.

J'éclatai de rire.

— Ne vous moquez pas. C'est Josh qui l'a remarqué.

Je sentis mon pouls s'accélérer.

— Josh ?

— Oui, la dernière fois qu'il est venu.

Je me sentis bêtement flattée, comme une adolescente qui découvre que le garçon qui lui plaît éprouve également un faible pour elle. Je regardai ma montre et constatai que mes doigts tremblaient.

— Eh bien, il est presque midi. Il devrait arriver d'une minute à l'autre.

— Il vous trouve très sympathique.

Me trompais-je ou avais-je réellement surpris un éclair malicieux dans le regard larmoyant de Myra ?

— Ah bon, vraiment ?

— Josh mériterait de rencontrer quelqu'un de gentil. Il est divorcé, vous savez. Je vous en ai parlé, n'est-ce pas ?

Je hochai la tête, brûlant d'en savoir plus mais ne voulant surtout pas le montrer.

— Elle l'a quitté pour son prof d'aérobic. Vous imaginez ! Quelle idiote ! (Les frêles épaules de la vieille femme en tremblaient d'indignation.) Elle a détruit sa famille. Brisé le cœur de mon fils. Et tout ça pour quoi ? Pour se pavaner au coucher du soleil au bras d'un culturiste de dix ans son cadet qui l'a plaquée six mois plus tard ! À quoi s'attendait-elle donc ? Et bien sûr, maintenant, elle se rend compte qu'elle a mal agi et voudrait récupérer Josh. Mais il est trop malin pour se faire avoir, Dieu merci. Il ne la laissera jamais revenir vivre avec lui.

La voix de la vieille dame se brisa peu à peu et finit à nouveau en quinte de toux.

— Respirez profondément.

Elle retrouva son souffle petit à petit.

— C'est mieux. Vous avez tort de vous inquiéter. Ça ne vaut pas la peine. C'est fini, maintenant. Ils sont divorcés.

— Il ne la laissera jamais revenir.

— Jamais.

— Il mérite quelqu'un de gentil.

— Absolument.

— Quelqu'un comme vous. Vous aimez les enfants, n'est-ce pas ?

— Je les adore.

Je suivis son regard qui s'était tourné vers les photos souriantes de ses petits-enfants, posées sur sa table de chevet.

— Bien sûr, ils ont grandi depuis que ces photos ont été prises. Jillian a quinze ans et Trevor presque douze.

— Je sais. Je les connais. Ils sont adorables.

— Ils ont vécu l'enfer après le départ de Jan.

— Oui, ils ont dû connaître des moments très pénibles.

Ce n'est jamais facile de perdre sa mère, pensai-je. Quel que soit notre âge, quelles que soient les circonstances. Une mère est une mère, quelle qu'elle soit. Je faillis me mettre à rire devant la banalité de mes réflexions.

— Je dois y aller. Avez-vous besoin d'autre chose avant que votre fils n'arrive ?

— Pourriez-vous me coiffer, si ça ne vous ennuie pas ?

— Avec plaisir.

Je passai un peigne dans ses cheveux clairsemés, qui reprirent aussitôt le même pli, comme si je n'avais rien fait.

— Vous aviez raison pour le carré. Ça vous va très bien.

— Vraiment, vous trouvez ?

Un sourire enfantin illumina son visage.

— Maintenant, toutes les infirmières me demandent de leur couper les cheveux. Elles disent que j'ai raté ma vocation.

— Alors là, je ne suis pas d'accord, protesta-t-elle en me pressant la main.

— Je passerai dire bonjour à votre fils, ajoutai-je avec un clin d'œil.

— Terry ? m'appela-t-elle alors que je m'apprêtai à quitter la pièce.

Je me retournai. Elle porta les doigts à sa bouche.

— Un petit peu de rouge à lèvres, ça ne serait pas mal, non ?

Je revins vers le lit.

— Non. Pas pour moi. Pour vous.

Je repartis en riant et je riais encore dans le couloir lorsque j'aperçus Alison debout devant le bureau des infirmières.

— Terry !

Elle se précipita vers moi les bras tendus, le visage rouge de fierté. Elle portait sa robe bleue, ses cheveux défaits sur les épaules et le collier d'Erica Hollander avec le petit cœur en or niché au creux de son cou comme s'il y était depuis toujours.

— Alison, que faites-vous là ?

Je me tournai vers mes collègues qui travaillaient derrière le grand comptoir incurvé. Margot répondait au téléphone, Caroline remplissait la fiche d'un malade, toutes deux apparemment très occupées. Mais elles ne pouvaient s'empêcher de nous jeter des regards à la dérobée.

— J'ai réussi ! J'ai réussi !

Alison sautait sur place comme une gamine. Je mis un doigt sur mes lèvres pour lui faire signe de parler moins fort.

— Quoi donc ?

— J'ai trouvé du travail ! s'écria-t-elle d'une voix perçante, incapable de se contenir. À la galerie Lorelli, sur Atlantic Avenue. Quatre jours par semaine, parfois le samedi et certains soirs. Par roulement. Comme vous.

— C'est formidable ! m'entendis-je répondre, gagnée malgré moi par son enthousiasme. Que ferez-vous exactement ?

— Surtout de la vente. Bien sûr, je suis nulle en peinture, mais Fern m'a dit qu'elle m'apprendrait tout ce que je devrais savoir. C'est ma patronne. Fern Lorelli. Elle a l'air très gentille. Vous la connaissez ?

Je secouai la tête mais Alison enchaînait déjà.

— Je lui ai dit que je n'y connaissais rien. Autant être honnête, non ? Je ne voulais pas obtenir ce travail sur un malentendu. Elle s'en serait vite aperçue, de toute façon. Mais elle m'a répondu de ne pas m'inquiéter, qu'elle se chargerait des tableaux, que je devrais surtout m'occuper de la bijouterie et des cadeaux, mais que, si jamais je vendais une peinture, j'aurais une commission. Cinq pour cent. C'est génial, non ?

— Oui, vraiment.

— Certains de leurs tableaux valent des milliers de dollars. Ça serait fantastique si j'en vendais un ! Mais, la plupart du temps, je resterai à la caisse. Avec l'autre employée. Denise Nickson, je crois qu'elle s'appelle. C'est la nièce de Fern. Que vous dire d'autre encore ? Ah, oui, je toucherai douze dollars l'heure, et je commence lundi. Ce n'est pas génial ?

— Si, vraiment.

— Je brûlais tellement d'impatience de vous l'annoncer que je suis venue directement.

— Félicitations.

— Je peux vous emmener déjeuner ?

— Déjeuner ?

— Pour fêter ça ? Je vous invite.

Je me balançai d'un pied sur l'autre. En fait, ma pause commençait maintenant, et mon estomac criait famine depuis plus d'une heure.

— Je ne peux pas. Il y a trop de travail aujourd'hui…

— Dînons ensemble, alors.

— Impossible, je remplace une collègue.

— Demain soir. Ce serait encore mieux. On sera samedi, vous pourrez faire la grasse matinée le lendemain. Vous n'avez rien de prévu demain soir ?

— Non, capitulai-je, sentant qu'elle ne me lâcherait pas tant qu'elle n'aurait pas fixé une date, quitte à aller jusqu'à Noël. Mais, franchement, vous n'êtes pas obligée de m'inviter.

— Bien sûr que si. Et ça me fait plaisir. Je voudrais vous remercier pour tout ce que vous avez fait pour moi.

— Mais je n'ai rien fait.

— Vous plaisantez ? Grâce à vous, je vis dans le plus bel endroit au monde, vous m'avez confectionné des petits plats, et vous m'avez accueillie à bras ouverts. Vous m'avez même soignée quand j'étais malade. Je vous dois beaucoup, Terry Painter.

— Vous me devez seulement le loyer, protestai-je, luttant pour garder mes distances, prise à nouveau sous son charme.

Grâce à vous, je vis dans le plus bel endroit au monde. Qui disait des choses pareilles ? Comment ne pas être ensorcelée ?

En outre, pourquoi m'inquiéter ? Qu'avais-je à craindre, surtout d'une fille comme elle ? Même en imaginant qu'elle était la pire des fripouilles, qu'est-ce qui pouvait bien l'intéresser ? Je ne possédais pas grand-chose, ma petite maison, le minuscule pavillon à côté, des économies dérisoires, la stupide collection de vases de ma mère. Un bien maigre butin. Nous étions en Floride, que diable ! Avec, à quarante minutes au nord, les splendides propriétés de Palm Beach et Hobe Sound ; et, quarante minutes au sud, les palais de la scandaleuse South Beach de Miami. La Floride était synonyme d'argent et de vieillards fortunés qui ne demandaient qu'à se faire ruiner par de jeunes beautés. Bon sang, c'est ce qui les gardait en vie ! Il n'y avait aucune raison qu'Alison perde son temps avec moi.

Je m'aperçois maintenant que notre cerveau refuse parfois d'accepter l'évidence la plus criante, que notre besoin d'aveuglement est plus fort que notre instinct de conservation, que nous avons beau croire avoir acquis avec l'âge une certaine sagesse, nous finissons presque par nous convaincre de notre immortalité. Et, d'ailleurs, depuis quand la vie devrait-elle avoir un sens ?

— Alors, c'est d'accord ?

Son grand sourire désarmant s'étala sur son visage.

— C'est d'accord, m'entendis-je répondre.

— Génial. (Elle fit un tour complet sur elle-même, sa robe gonfla autour de ses jambes.) Où avez-vous envie d'aller ?

— Faites-moi la surprise !

— J'adore les surprises ! répondit-elle en caressant le petit cœur en or.

Et le hasard voulut que l'alarme incendie se déclenche à ce moment-là.

Il s'agissait d'une fausse alerte, mais, le temps de s'en assurer, ce fut la panique. Quand je revins au bureau après être allée tranquilliser plusieurs patients affolés qui voyaient déjà la clinique transformée en brasier, Alison était partie.

— Tout le monde va bien ? demanda Margot.

— M. Austin a dit que, feu ou pas feu, il ne partirait pas sans son dentier.

Je ris en me représentant le fougueux vieillard de la chambre 411.

— Elle était jolie, la fille à qui tu parlais tout à l'heure.

— C'est ma nouvelle locataire.

— Vraiment ? Eh bien, j'espère que tu auras plus de chance cette fois-ci.

L'heure qui suivit fut assez calme. Pas d'autre alarme, ni d'autre visite imprévue. Après un rapide déjeuner à la cafétéria, je vérifiai quelques pouls, administrai deux ou trois médicaments, aidai plusieurs patients à se rendre à la salle de bains, en les réconfortant de mon mieux quand ils se plaignaient de leur sort. Puis, passant devant la chambre de Sheena O'Connor, j'hésitai un instant et entrai.

L'adolescente était couchée au milieu de son lit, ses yeux remplis d'effroi fixés sur le plafond. Voyait-elle l'homme qui l'avait violée et rouée de coups avant de la laisser pour morte ? Je m'avançai et lui caressai la main. Elle n'eut aucune réaction.

— Tout va bien, murmurai-je. Vous êtes en sécurité.

J'approchai une chaise et m'assis à côté d'elle lorsque les paroles d'une berceuse irlandaise me revinrent à l'esprit. Il me fallut quelques secondes pour retrouver la mélodie, et, sans réfléchir, je me mis à chantonner doucement, comme lorsqu'on berce un nouveau-né.

— *Tou-ra-lou-ra-lou-ra... tou-ra-lou-ra-li...*

Je ne sais pas ce qui m'a rappelé cet air particulier. Je ne crois pas que ma mère me l'ait jamais chanté. Peut-être cela venait-il du nom de Sheena : O'Connor. Peut-être ai-je pensé que c'était une des comptines que sa mère devait lui fredonner, que cela pourrait réveiller quelque chose dans le fond de son subconscient, lui rappeler l'époque où elle se sentait en confiance et protégée, l'époque où rien de mauvais ne pouvait lui arriver.

— *Tou-ra-lou-ra-lou-ra,* continuai-je d'une voix qui prenait de l'ampleur à chaque strophe. *Tou-ra-lou-ra-li...*

Sheena ne bougeait pas.

— *Tou-ra-lou-ra-lou-ra...* c'est une ballade irlandaise.

— Et elle est très jolie, d'ailleurs, dit une voix masculine derrière moi.

Je reconnus aussitôt Josh Wylie. La chanson s'étrangla dans ma gorge et je me retournai en espérant que mon visage ne me trahirait pas.

— Ça fait longtemps que vous êtes là ?

— Assez pour constater que vous avez une voix magnifique.

Je me levai en me tenant au lit de Sheena.

— Merci.

Je traversai la chambre ; mon cœur battait la chamade et pourtant mon pas me parut bizarrement assuré. Josh Wylie recula dans le couloir et je refermai la porte de Sheena derrière moi.

— Qu'a-t-elle ? me demanda-t-il.

Je lui racontai l'horrible agression qu'elle avait subie.

— Elle est dans le coma. Bien qu'elle ait les yeux ouverts, elle ne voit rien.

— Et cela peut durer longtemps ?

— Impossible à savoir.

— Quelle horreur ! (Il secoua la tête tristement.) Mais, dites-moi, comment va ma mère ?

Un sourire retroussa ses lèvres tandis qu'un pétillement éclairait ses yeux bleus.

— J'ai cru comprendre que vous lui aviez coupé les cheveux.

— Juste une petite mèche par-ci par-là. La coiffure a l'air de lui plaire.

— Elle en raffole. Et elle raffole de vous. Elle vous trouve absolument fantastique.

— C'est réciproque.

— D'après elle, je devrais vous emmener déjeuner à ma prochaine visite.

— Pardon ?

— Oui, que diriez-vous de jeudi prochain ? Si vous êtes libre. Si vous avez faim…

— J'ai toujours faim, répondis-je et, à mon soulagement, il éclata de rire. Eh bien, ce sera avec plaisir.

Je pensai à Alison. J'avais reçu deux invitations inattendues en une journée.

— Alors, marché conclu, à jeudi, me dit-il comme nous arrivions devant le bureau des infirmières. D'ici là, je laisse ma mère entre vos mains habiles.

— Soyez prudent, lançai-je au moment où il s'engageait dans l'ascenseur.

— Et pas d'uniforme. Il ne s'agit pas d'un déjeuner d'affaires.

Il agita la main tandis que la porte se refermait lentement.

Il ne s'agit pas d'un déjeuner d'affaires, répétai-je silencieusement, et je passai déjà mentalement ma garde-robe en revue pour décider de ce que j'allais porter, envisageant même de faire les frais d'une nouvelle tenue. Soudain, je perçus une certaine agitation derrière moi. Je me retournai.

— Des problèmes ? m'inquiétai-je en voyant Margot et Caroline fouiller le bureau avec de grands gestes.

— Le porte-monnaie de Caroline a disparu de son sac, répondit Margot.

— Tu es sûre ? Tu ne l'aurais pas mis dans une poche ? demandai-je en cherchant à mon tour.

— J'ai regardé partout, gémit Caroline.

Elle repoussa ses cheveux bruns de son visage et vida son sac sur le sol. Quand tout allait bien, elle avait déjà l'air déprimé. Là, elle semblait carrément désespérée.

— Tu l'as peut-être laissé dans un autre sac. Ça m'est déjà arrivé, inventai-je.

— Non, je l'avais ce matin pour payer mon café et ma brioche à la cafétéria.

— Tu l'as peut-être oublié sur le comptoir.

— Je suis sûre de l'avoir remis dans mon sac. (Elle contempla le couloir, les yeux remplis de larmes.) Merde ! Il contenait plus de cent dollars.

Je songeai brusquement à Alison. Elle était là lorsque l'alarme incendie avait retenti et que nous avions toutes quitté l'office. Et, à notre retour, elle avait disparu. Seraitce elle la coupable ?

Mais où allais-je chercher des idées pareilles ?

Il était plus logique d'imaginer que Caroline avait laissé son porte-monnaie à la cafétéria.

— Tu devrais appeler en bas, insistai-je en ouvrant et refermant les tiroirs, vérifiant la moindre niche derrière le bureau, avant de jeter un coup d'œil dans mon sac pour vérifier que rien n'y manquait.

— Je les appelle, céda Caroline à contrecœur, mais je sais déjà que c'est inutile. Quelqu'un me l'a pris. On me l'a volé.

6.

Le samedi soir, le téléphone sonna au moment où je sortais de ma douche. Je me drapai dans une grande serviette blanche, en jetai une autre sur mes épaules et traversai ma chambre en me demandant si c'était Alison qui appelait pour annuler notre dîner. Je repoussai mes cheveux trempés et mis le combiné contre mon oreille.

— Je voudrais parler à Erica Hollander, annonça une voix mâle, sans autre préambule.

Je mis une seconde à comprendre à qui il faisait allusion.

— Elle n'habite plus ici, répondis-je sèchement, tout en suivant des yeux les filets d'eau qui coulaient de mes jambes sur la moquette tandis que l'angoisse me serrait l'estomac.

— Savez-vous où je pourrais la joindre ?

La voix avait un vague accent du Sud. Je ne l'avais jamais entendue.

— Non, je n'en ai pas la moindre idée.

— Quand est-elle partie ?

Je réfléchis à la dernière fois que je l'avais vue.

— Fin août.

— Elle n'a pas laissé d'adresse où faire suivre son courrier ?

— Elle n'a rien laissé, pas même les deux derniers mois de loyer qu'elle me devait. Qui est à l'appareil ?

En guise de réponse, l'inconnu me raccrocha au nez.

Je reposai le combiné en m'écroulant sur le lit et me forçai à respirer profondément pour chasser les mauvais souvenirs d'Erica Hollander de ma mémoire. Mais elle se révélait aussi envahissante absente qu'elle l'avait été présente, et refusait de se laisser facilement congédier.

Erica Hollander était jeune, comme Alison, et également mince et longiligne, quoique peut-être un peu moins grande, moins élancée. Elle avait de superbes cheveux bruns raides qu'elle rejetait constamment d'une épaule sur l'autre, comme dans ces publicités stupides à la télévision qui voudraient faire passer un bon shampooing pour un orgasme. Cependant son visage, assez banal, aurait manqué de caractère sans son nez long et fin, dévié bizarrement sur la gauche. Évidemment, elle le détestait. « J'économise pour le faire refaire », m'avait-elle confié à plusieurs occasions.

— Mais il est parfait, l'avais-je rassurée, en éternelle mère poule.

— Il est affreux.

Je l'avais écoutée se lamenter sur son nez ; je l'avais écoutée vanter son petit ami en stage à Tokyo : « Charlie est tellement beau, Charlie est tellement intelligent », puis je l'avais écoutée s'en plaindre : « Charlie n'a pas appelé cette semaine, Charlie ferait bien de se méfier », et je m'abstins de tout commentaire quand elle commença à sortir avec un type qu'elle avait rencontré chez Elwood's, le fameux rendez-vous des motards sur Atlantic Avenue. Je lui avais même prêté de l'argent pour acheter un ordinateur portable d'occasion. Tout cela parce que je nous croyais amies. Il ne m'était jamais venu à l'idée qu'elle filerait en pleine nuit, en me devant l'argent de l'ordinateur sans compter les mois de loyer en retard.

Le beau Charlie refusait d'admettre que sa petite amie l'avait largué aussi cavalièrement qu'elle m'avait jetée et il m'avait accablée de coups de fil depuis le Japon, exigeant de connaître ses coordonnées. Il avait même prévenu la police, qui avait corroboré mes dires. Il avait néanmoins continué à me harceler de l'autre bout du monde, jusqu'au jour où j'avais menacé d'appeler son employeur. Depuis, je n'avais plus reçu aucun coup de téléphone.

Jusqu'à ce soir.

Je secouai la tête, surprise de découvrir que, bien que son départ remontât à trois mois, Erica Hollander continuait à m'attirer des ennuis. Elle avait été ma première locataire et, je l'avais juré, la dernière.

Qu'est-ce qui m'avait fait changer d'avis ?

En fait, il me manquait une présence. Je n'ai pas beaucoup d'amis mis à part mes collègues, Margot et Caroline, et nous nous fréquentons rarement en dehors de notre service. Caroline a un mari très prenant et Margot quatre enfants à élever. En outre, j'ai toujours été assez réservée. Cette timidité, ajoutée à ma tendance à me laisser monopoliser par mon travail, ne m'aide pas à me faire de nouvelles relations. J'ai été accaparée par ma mère qui a été malade de longues années avant de mourir. Entre mes patients à la clinique et les soins que je lui prodiguais à la maison, j'avoue qu'il ne me restait guère de loisirs.

En outre, dans notre société, il nous arrive une chose insidieuse, à nous les femmes, lorsque nous approchons de la quarantaine. Surtout si nous ne sommes pas mariées. Nous nous perdons peu à peu dans un épais brouillard et il devient difficile de nous distinguer. Les gens savent que nous sommes là ; mais nous sommes devenues un peu floues, sans contours distincts, si bien que nous nous fondons dans le paysage environnant. Nous ne sommes pas vraiment invisibles, on fait un écart pour nous éviter, mais on ne nous regarde plus. Et, si on ne vous regarde pas, on ne vous entend pas.

Voilà ce qui nous arrive à quarante ans.

Nous perdons notre voix.

C'est sans doute la raison pour laquelle nous paraissons si agressives. Somme toute, nos hormones n'y seraient pour rien. Nous voudrions seulement qu'on nous prête attention.

Quoi qu'il en soit, je m'étais aperçue que je regrettais l'époque où Erica vivait à côté, j'avais aimé avoir de l'animation autour de moi, même si nous ne nous étions pas beaucoup fréquentées. Je ne sais pas. Je m'étais en quelque sorte sentie moins solitaire quand je partageais mon espace. Et j'avais donc décidé de tenter un nouvel essai. Que dit-on des seconds mariages ? Qu'ils sont le triomphe de l'espoir sur les désillusions.

J'étais bien décidée à ne pas commettre les mêmes erreurs. Voilà pourquoi, au lieu de faire paraître une annonce dans le journal, je m'étais contentée de mettre quelques affichettes discrètes à la clinique, espérant ainsi avoir davantage de chance de tomber sur quelqu'un de plus âgé et de plus responsable. Ou sur un membre du personnel, ou même une infirmière, comme moi.

Et je m'étais retrouvée avec Alison !

La sonnerie du téléphone me ramena au présent. Je pris soudain conscience du courant d'air froid que le climatiseur me soufflait sur la nuque et je frissonnai.

— Bonjour, c'est moi, gazouilla Alison. Vous ne m'entendez pas frapper ?

— Quoi ? (Je me levai d'un bond, ma serviette se dénoua et tomba par terre.) Non ! Où êtes-vous ?

— À la porte de votre cuisine. Je vous appelle de mon portable. Tout va bien ?

— Oui, oui. Je suis juste un peu en retard. Je peux passer vous prendre dans dix minutes ?

— Pas de problème.

Je m'approchai de la fenêtre en renouant la serviette autour de ma poitrine et, cachée par le rideau, regardai Alison regagner le pavillon. Elle arborait une robe bleu marine moulante que je n'avais pas remarquée dans sa penderie, et ses escarpins haut perchés dans lesquels elle n'avait aucun mal à marcher. Elle glissa son portable dans le petit sac argent qu'elle portait en bandoulière, puis se ravisa et le ressortit en faisant tomber plusieurs billets de banque. Elle les ramassa et les remit en vrac dans son sac. Je revis brièvement la liasse de coupures de cent dollars qu'elle m'avait donnée pour payer les deux mois de loyer et songeai au porte-monnaie que Caroline avait perdu. Était-il possible que ce soit elle la coupable ?

— C'est ridicule ! déclarai-je à voix haute en la regardant pianoter une série de chiffres sur son portable.

Elle n'a pas besoin de l'argent des autres. Je la regardai parler, puis éclater de rire. Elle se retourna d'un coup, comme si elle avait senti que je la regardais. Je m'aplatis contre le mur et n'osai plus bouger jusqu'à ce que j'entende la porte du pavillon s'ouvrir et se refermer.

Un quart d'heure plus tard, j'étais à sa porte, vêtue d'une longue robe jaune pâle, sans manches et très décolletée, achetée l'année précédente mais que je n'avais jamais eu le courage de porter.

— Je suis désolée d'avoir mis si longtemps. Je n'arrivais pas à me coiffer.

— Vous êtes superbe. (Alison me contempla avec l'œil exercé des femmes qui ont l'habitude de se regarder dans la glace.) Vous avez juste besoin d'une petite coupe, ajouta-t-elle après un court silence. Je pourrais m'en charger. Souvenez-vous que j'ai travaillé dans un salon de coiffure.

— En tant que réceptionniste, lui rappelai-je.

Elle rit.

— Oui, mais j'ai appris à force de regarder, et je suis assez douée. Vous voulez qu'on essaie après le dîner ?

Je pensai au carré improvisé que j'avais exécuté sur Myra Wylie quelques jours auparavant. Saurais-je me montrer aussi téméraire que la vieille dame ?

— Où m'emmenez-vous ?

— Dans un nouveau restaurant, juste en face de la galerie. Je les ai déjà prévenus que nous serions en retard.

Il s'agissait du Barrington's qui, à l'instar de nombreux restaurants en Floride, était beaucoup plus grand qu'il ne semblait de l'extérieur. La salle principale était décorée en bistro français, avec des lampes Tiffany, des fenêtres à petits carreaux et des affiches de Toulouse-Lautrec sur les murs qui se trouvaient être, par un hasard malencontreux, de la même couleur que ma robe. Sans mon décolleté plongeant, j'aurais disparu.

Le serveur nous apporta un panier de pain, la carte des vins et deux grands menus avant de nous réciter par cœur les plats du jour. Son regard allait et venait entre le visage d'Alison et ma poitrine. À nous deux, ai-je alors pensé, nous pourrions diriger le monde.

— Du dauphin ! s'écria Alison horrifiée quand le garçon en proposa.

— Pas Flipper, m'empressai-je de préciser. Il s'agit d'un poisson, pas d'un mammifère. On l'appelle aussi mahi-mahi.

— Je préfère ce nom-là.

— Comment est le saumon ? demandai-je.

— Savoureux, dit-il en regardant Alison. Mais pas très original, ajouta-t-il en se tournant vers moi.

— Et l'espadon ? demanda-t-elle.

— Succulent. Il est grillé et servi avec une sauce à la moutarde de Dijon, des légumes sautés et des petites pommes de terre rouges.

— Ça me paraît génial. Je vais prendre ça.

— Et moi, le saumon, annonçai-je, quitte à décevoir le serveur par mon manque d'audace.

— Du vin ?

Alison fit un geste vers moi.

— Du vin ? répéta-t-elle.

— Je préfère l'éviter, ce soir.

— Impossible. On fait la fête. Le vin est obligatoire.

— Souvenez-vous de ce qui est arrivé la dernière fois.

Elle me jeta un regard perplexe comme si elle avait oublié sa migraine.

— Prenons plutôt du blanc alors, annonça-t-elle après mûre réflexion. Ça devrait aller.

Le serveur lui tendit la liste et la guida dans son choix. Un vin du Chili, je crois. Bon et frais. Je me sentis rapidement euphorique. Le service était lent et j'avais déjà fini mon verre quand nos plats arrivèrent. Alison me servit à nouveau sans que je proteste. Je remarquai cependant qu'elle avait à peine touché au sien.

— Hum, c'est super-bon ! dit-elle en engloutissant une énorme bouchée d'espadon. Et vous ?

— Super-bon, répondis-je en riant.

— Alors, avez-vous vu votre ami, cette semaine ? demanda-t-elle brusquement.

— Mon ami ?

— Josh Wylie.

Elle balaya du regard la salle bondée comme s'il pouvait être là, comme si elle avait pu le reconnaître.

Le saumon resta coincé dans ma gorge.

— Comment connaissez-vous son existence ?

Alison avala une première bouchée d'espadon, puis une deuxième.

— C'est vous qui m'en avez parlé.

— Moi ?

— Quand j'ai dîné chez vous. Je vous ai demandé si vous aviez un homme dans votre vie et vous m'avez répondu que vous aviez rencontré quelqu'un (elle baissa la voix et jeta un nouveau regard circulaire), un certain Josh Wylie, le fils d'une de vos patientes. Vous vous souvenez ?

Elle enfourna deux petites pommes de terre et un autre morceau de poisson.

— En effet.

— Alors, vous l'avez revu ?

— Oui. Et il m'a invitée à déjeuner jeudi prochain.

Elle écarquilla les yeux de plaisir.

— Bravo, Terry !

— Il n'y a pas de quoi pavoiser, protestai-je autant à l'attention d'Alison qu'à la mienne. Il veut sans doute me parler de sa mère.

— Dans ce cas, il se serait contenté de vous prendre à part, à la clinique. Croyez-moi, il s'intéresse à vous.

Je haussai les épaules en espérant qu'elle avait raison.

— Nous verrons bien.

— Vous me raconterez tout.

Elle battit des mains comme pour me féliciter d'un travail bien fait, puis finit le reste de son espadon en trois bouchées. « C'est tellement excitant ! Je voudrais déjà être à vendredi. »

Je ne me souviens plus de la suite, sauf qu'elle tint à prendre un dessert et que je mangeai beaucoup trop.

— Allons, avait-elle insisté en poussant vers moi une énorme part de gâteau à la banane. On ne vit qu'une fois.

Après le dîner, elle avait voulu me faire visiter la galerie Lorelli. Elle m'avait prise par la main et entraînée de force au milieu de la circulation. Une voiture m'avait frôlée ; j'avais même senti la chaleur de son pot d'échappement sur mes chevilles. « Il faut regarder où vous allez, ma petite dame ! » m'avait crié le chauffeur.

— Faites attention ! me mit en garde Alison comme si j'étais la responsable de cette imprudence.

Le week-end, la galerie restait ouverte jusqu'à dix heures du soir. Je comptai quatre personnes à l'intérieur, y compris la jeune fille aux cheveux en brosse derrière la caisse. Les murs étaient couverts de peintures colorées, la plupart des artistes, je ne les connaissais pas, mais je remarquai également une maternité, avec une femme aux épaisses lèvres rouges et au téton proéminent, et trois peintures de poires d'un peintre assez connu dont le nom m'échappe toujours. Mon attention fut soudain attirée par une petite toile rectangulaire qui représentait une femme allongée sur une plage de sable rose, le visage dissimulé sous un grand chapeau.

— C'est ma préférée, déclara Alison, avant d'ajouter à mi-voix : « Elle serait géniale dans votre salon, vous ne trouvez pas ? Au-dessus du canapé. »

— Elle est magnifique.

Alison me fit reculer vers le milieu de la salle et faillit renverser un énorme crapaud en fibre de verre.

— Ouille ! Je n'ai jamais rien vu d'aussi affreux, gloussa-t-elle.

J'étais d'accord avec elle.

— Fern dit que ça se vend comme des petits pains. C'est incroyable, non ? Salut, Denise ! continua-t-elle dans un même souffle. Je te présente Terry Painter, ma propriétaire. Et amie, ajouta-t-elle avec un sourire.

La fille abandonna le magazine de mode qu'elle lisait et leva vers moi d'extraordinaires yeux violets qui lui mangeaient le visage.

— Ravie de vous connaître, dit-elle d'une voix étrangement rauque, et hésitante comme si elle n'était pas sûre que cette rencontre fût agréable.

Elle était vêtue de noir, ce qui la faisait paraître encore plus maigre qu'elle n'était, malgré sa haute poitrine disproportionnée par rapport à sa taille. « Je ne crois pas que ce soient des vrais », m'avait confié plus tard Alison.

— Je me demande combien coûte ce tableau, dis-je en montrant la peinture de la jeune fille sur la plage.

Denise tourna un regard las vers le mur opposé. Puis elle sortit de dessous le comptoir une liste plastifiée.

— Celui-là fait quinze cents dollars.

— Au-dessus du canapé de votre salon, répéta Alison. Qu'en pensez-vous ?

— Je pense que vous ne commencerez à travailler que lundi, lui rappelai-je.

Un grand sourire s'épanouit sur ses lèvres.

— Je sens que je vais faire un tabac, pas vous ?

J'éclatai de rire et portai mon attention sur la vitrine de bijoux qui trônait au milieu du magasin. Je fus aussitôt attirée par une paire de longues boucles d'oreilles avec des petits amours en pendentifs.

— Qu'elles sont mignonnes ! (Alison savait exactement lesquelles je regardais.) Combien valent-elles ? demanda-t-elle en les montrant du doigt.

Denise ouvrit l'arrière du meuble, les sortit et me les tendit. De grands ongles violets prolongeaient ses longs doigts effilés.

— Deux cents dollars.

Je reculai en levant les mains en l'air.

— Elles ne sont pas pour moi !

— C'est absurde ! protesta Alison en s'en emparant. Elle les prend.

— Non. Elles sont beaucoup trop chères.

— Ça me fait plaisir.

— Quoi ! Non !

— Si ! (Alison retira délicatement mes petites créoles en or et les remplaça par les amours en argent.) Vous m'avez donné un cœur, dit-elle en caressant le pendentif sur sa gorge. Maintenant c'est mon tour.

— Ce n'est pas comparable.

— Vous ne pouvez pas refuser. En plus, j'ai une remise en tant qu'employée. Combien font-elles avec ma réduction ?

La jeune fille haussa les épaules.

— Prenez-les. Elles sont à vous. Fern ne s'en apercevra même pas.

— Que voulez-vous dire ? demandai-je prête à les retirer.

— Elle plaisante, dit Alison en remettant en vrac dans son sac la poignée de billets de cent dollars qu'elle avait sortis.

Elle me poussa vers la porte.

— Fern est sa tante, me rappela-t-elle comme si cela expliquait tout.

— Sait-elle que sa nièce la vole ?

— Ne vous inquiétez pas. Je réglerai ça avec Fern, lundi.

— Promis ?

Alison repoussa en souriant mes cheveux derrière mes oreilles pour admirer mes nouvelles boucles.

— Promis.

7.

— Mais que vous êtes jolie !

Myra Wylie leva la tête de son oreiller et, d'un geste de ses doigts noueux, me fit signe d'approcher.

J'avançai en passant une main gênée sur mon décolleté. La vieille dame m'avait demandé de lui montrer ce que j'allais porter pour aller déjeuner avec son fils, et je m'étais changée dans sa salle de bains. J'avais choisi la robe que j'avais mise pour dîner avec Alison, la semaine précédente.

— Merci. C'est très gentil de bien vouloir me montrer votre tenue. Cela me fait regretter de ne pas avoir eu de fille. Ne parlons pas de mon ex-belle-fille. Elle n'était pas drôle du tout. Mais vous…

— Moi ? demandai-je, pressée d'entendre la suite.

— Vous êtes adorable avec moi.

— Mais pourquoi en serait-il autrement ?

— Les gens ne sont pas toujours gentils, soupira-t-elle, le regard songeur.

— Avec vous, il serait difficile de ne pas l'être, protestai-je en toute sincérité.

Je tirai une chaise pour m'asseoir près d'elle et jetai un regard discret à ma montre. Il était presque midi et demi.

— Ne vous inquiétez pas. Il sera à l'heure.

Je me penchai et fis semblant de border le drap bleu qui servait de couvre-pied. Myra tendit ses mains décharnées vers les petits amours en argent.

— Ces boucles sont ravissantes. Elles sont nouvelles ?

— Oui. C'est un cadeau.

Je me demandai si Alison avait réglé la question avec sa patronne, comme promis.

— Un cadeau d'un petit ami ?

Ses yeux se voilèrent d'inquiétude.

— Non, c'est ma nouvelle locataire qui me les a offertes.

Alison avait commencé à travailler le lundi mais, en dehors d'un bref coup de fil pour me dire qu'elle adorait tout ce qu'elle faisait, je n'avais pas eu de ses nouvelles de la semaine.

— Je suis un peu trop âgée pour avoir un petit ami, vous ne croyez pas ?

— Il n'y a pas d'âge pour ça.

— Qu'est-ce que c'est que ces histoires de petit ami ? demanda une voix masculine du pas de la porte.

— Le voilà ! s'écria-t-elle tout émue en lui tendant les bras. Comment vas-tu, mon chéri ?

Je m'écartai et la regardai serrer Josh contre elle.

— Splendide, dit-il en se tournant vers moi.

— Vous n'avez pas eu trop d'embouteillages ?

— Une horreur.

— Tu devrais prendre l'autoroute.

— Oui, tu as raison. (Il se redressa et me sourit.) Nous avons la même discussion chaque semaine.

— Vous devriez suivre les conseils de votre mère.

— Sans doute.

— Terry n'est-elle pas superbe ? demanda Myra.

Je baissai les yeux pour cacher le rouge qui me montait aux joues. Non parce que j'étais gênée par son compliment mais parce que je pensais exactement la même chose de son fils. C'était la première fois que je prenais conscience du charme de ses fossettes et de la puissance de sa musculature sous sa chemisette.

— Je la trouve ravissante, répondit-il docilement.

— Tu aimes ses boucles ?

Josh leva la main vers mon oreille et effleura ma joue.

— Elles sont très jolies.

Je sentis une bouffée de chaleur, comme s'il tenait une allumette enflammée contre mon visage.

— Vous n'avez pas honte ? dis-je à Myra qui semblait particulièrement contente d'elle.

— Vous êtes prête ? demanda Josh.

Je hochai la tête.

— J'exige un rapport complet après le déjeuner, nous lança Myra.

— Je prendrai des notes, répondis-je tandis que Josh m'entraînait vers le couloir.

— Que diriez-vous d'aller déjeuner au bord de l'océan ?

— Vous devancez mes désirs.

Il m'emmena au Luna Rosa, un établissement chic situé sur South Ocean Boulevard, juste devant la plage. C'était un de mes restaurants préférés, j'y allais à pied de chez moi, mais il ne pouvait pas le deviner. Il avait réservé une table à l'extérieur, sur le trottoir étroit. Et, tout en aspirant goulûment l'air de la mer, nous observions le défilé constant des passants.

— Mais, dites-moi, depuis quand c'est comme ça ? demanda-t-il d'une voix qui dominait sans peine le bruit des vagues et des automobiles.

— De quoi parlez-vous ?

Je regardai une jeune femme en maillot de bain string traverser la rue pieds nus et disparaître dans un éclat de soleil.

Josh écarta les mains.

— D'ici. Dans le Delray de mes souvenirs, il n'y avait que des champs d'ananas.

J'éclatai de rire.

— Il faut sortir de temps en temps !

— Oui, sans doute.

— Delray a beaucoup changé depuis dix ans. (J'éprouvai une bouffée de fierté.) Nous venons de recevoir notre deuxième nomination par la National Civic League et il y a quelques années nous avons même obtenu le titre de « Ville la mieux tenue de Floride ». Qu'est-ce que vous en dites ?

— Je devrais venir plus souvent.

— Votre mère en serait ravie.

— Et vous ?

Je saisis mon verre rempli d'eau glacée et bus une longue gorgée.

— Moi aussi.

Le serveur apportait notre commande. Des beignets de crabe pour Josh, une salade aux fruits de mer pour moi.

— Votre mère a une sacrée personnalité, dis-je en prenant une bouchée de calmars, orientant la conversation vers un sujet moins dangereux.

Je n'avais jamais été très douée pour les marivaudages, et encore moins pour les phrases à double sens. J'avais tendance à laisser échapper ce qui était sur le bout de ma langue.

— Oui, c'est vrai. Elle vous a raconté les malheurs de la famille, si j'ai bien compris.

— Elle m'a dit que vous étiez divorcé.

— Je suis sûr que sa description était beaucoup plus pittoresque que ça.

— À peine.

Je bus une nouvelle gorgée d'eau glacée. J'avais eu le bon sens de ne pas prendre de vin. Je devais absolument garder la tête froide. Et je n'avais guère plus d'une heure avant de devoir retourner travailler. Je me renfonçai sur l'inconfortable chaise pliante, et écoutai le roulement des vagues qui faisait écho à mon tumulte intérieur. Mon Dieu, que m'arrivait-il ? Je ne m'étais pas sentie aussi amoureuse et nunuche depuis mes quatorze ans. J'aurais voulu saisir Josh Wylie par le col de sa chemise de lin blanc et le tirer par-dessus la table. *Je n'ai pas fait l'amour depuis cinq ans,* aurais-je voulu hurler. *Pourrions-nous cesser ce prélude verbal inutile et passer aux choses sérieuses ?*

Évidemment, je me contentai de le regarder en souriant. Ma mère aurait été fière de moi.

— Ma mère m'a dit que vous n'avez jamais été mariée, continua Josh en coupant son beignet de crabe, sans se douter des réflexions beaucoup plus intéressantes qui trottaient dans ma tête.

— C'est vrai.

— J'ai du mal à le croire.

— Vraiment ? Pourquoi ?

— Parce que vous êtes belle, intelligente, et qu'on aurait dû vous passer la bague au doigt depuis longtemps.

— Eh bien, non, répondis-je en riant.

— Vous avez quelque chose contre le mariage ?

Pour quelle raison fallait-il toujours que j'explique pourquoi j'étais célibataire ?

— Non, rien du tout. Comme je l'ai dit à Alison, cela ne vient pas d'une décision délibérée de ma part.

— Qui est Alison ?

— Pardon ? Oh, c'est ma nouvelle locataire.

— Et vous avez des regrets ?

— Des regrets ? Concernant Alison ?

Josh sourit.

— Non, sur votre vie en général.

Je laissai échapper un profond soupir.

— Quelques-uns. Et vous ?

— Quelques-uns.

Nous avons fini notre repas en bavardant agréablement, en riant souvent, tandis que les vagues drossaient nos regrets inexprimés sur le sable.

Après le déjeuner, Josh retira ses chaussures et ses chaussettes et roula son pantalon jusqu'aux genoux pendant que j'enlevais mes sandales et nous allâmes marcher sur la plage. L'océan venait inlassablement lécher nos pieds. Tel un amoureux impatient rongé de fantasmes, il ne chargeait que pour se retirer et ne vous séduisait de sa beauté monstrueuse que pour mieux vous abandonner sur la rive, à bout de souffle et solitaire. L'éternel ballet, pensai-je, en marchant dans l'eau glacée.

— Ne sommes-nous pas les plus heureux du monde ? dit Josh avec un rire appréciateur.

— Si.

Je tendis mon visage vers le ciel, en clignant des yeux sous le soleil.

— Quand j'étais petit, mon père m'amenait à la plage tous les samedis après-midi pendant que ma mère allait chez le coiffeur.

— Vous êtes originaire de Floride ?

J'ignore pourquoi je posai cette question. Je savais déjà tout de son passé : qu'il était né à Boynton Beach, pesait vaillamment neuf livres, que ses parents avaient habité 212 Hibiscus Drive depuis leur mariage ; que sa mère y était restée après son veuvage, dix ans plus tôt ; qu'elle avait refusé lorsque Josh lui avait proposé d'aller vivre à Miami pour être plus près de ses petits-enfants ; qu'elle était restée dans la petite maison qu'elle adorait jusqu'à ce qu'elle fût trop malade pour pouvoir continuer à s'en occuper ; qu'elle avait personnellement sélectionné Mission Care de préférence à d'autres cliniques plus huppées de Miami, sous prétexte qu'elle avait des saignements de nez dès qu'elle quittait Delray ; que son fils ne se remettait toujours pas de son divorce après dix-sept ans de mariage avec son amour de jeunesse ; qu'il élevait seul ses deux enfants adorables mais perturbés ; qu'il souffrait de cette solitude ; qu'il méritait de retrouver le bonheur. Je savais que j'étais prête à lui offrir cette seconde chance. Et que j'avais complètement perdu la tête, ajoutai-je mentalement en m'apercevant que je n'écoutais plus ce qu'il disait depuis deux minutes. Étais-je à ce point avide de compagnie masculine qu'un simple déjeuner déclenchait des rêves de bonheur éternel ? Il fallait que je me calme, que je me tempère. Avant de tout gâcher.

Je fixai délibérément mon attention sur deux petits garçons de cinq ou six ans, vêtus de maillots de bain rouges assortis, qui jouaient dans les rouleaux. Je scrutai la plage : un couple de gens âgés se détendait sous un parasol rayé rouge et blanc ; un jeune père construisait un château de sable avec son fils ; deux adolescents jouaient au Frisbee ; une femme d'un certain âge arpentait la plage en balançant les bras ; une autre plus jeune se faisait bronzer, ses prothèses mammaires pointées vers le ciel sans nuage. Personne ne semblait surveiller les deux enfants, et je retins ma respiration en voyant leurs têtes disparaître sous une vague plus grosse que les autres.

— Vous croyez que quelqu'un surveille ces petits ? demandai-je à Josh, tandis que mes yeux éblouis par le soleil continuaient à scruter la plage.

Josh se mit à chercher lui aussi.

— Certainement, répondit-il sans conviction, alors que l'un des garçonnets se mettait à agiter les bras au-dessus de sa tête.

Une nouvelle vague le fit aussitôt disparaître, suivie par une autre encore plus impressionnante. Une petite voix me parvint par-dessus le bruit de la houle.

— Au secours !

— Au secours ! hurlai-je en écho, en faisant des gestes désespérés au maître nageur, un peu plus loin, qui bavardait avec une adolescente élancée en bikini rayé noir et blanc. Moi qui rêvais régulièrement que je me noyais, sans doute parce que je n'avais jamais appris à nager, je ne pouvais pas rester là les bras ballants. Je devais agir.

— Il faut faire quelque chose, criai-je à Josh qui partit en courant vers le maître nageur.

— Au secours ! Au secours ! suppliait la petite voix maintenant rejointe par une autre, plus faible encore.

Leurs appels ricochèrent sur la surface de l'eau avant de disparaître sous l'écume mortelle d'une nouvelle déferlante.

— Mais faites quelque chose ! hurlai-je aux gens autour de moi. Pourtant, bien qu'il se soit formé un petit attroupement, personne ne bougea.

Sans réfléchir, je jetai mon sac et mes sandales sur le sable et courus vers les garçons. Ma robe longue se plaqua sur mes jambes, un reflux inattendu me poussa soudain par-derrière et je dus battre des bras pour ne pas basculer.

— Au secours ! criaient toujours les enfants.

Leurs têtes dansaient sur l'eau comme des bouchons. Je continuai à avancer résolument vers eux lorsque je sentis mes jambes se rabattre sous moi comme la chaise pliante sur laquelle j'étais assise quelques minutes auparavant.

— J'arrive ! criai-je de toutes mes forces, la bouche pleine d'eau salée. Tenez bon !

Le sol se déroba alors sous mes pas et, dans un ultime effort pour garder la tête hors de l'eau, je tendis les mains en avant, à la recherche désespérée de quelque chose à quoi me raccrocher. Je heurtai ce que je crus être un rocher mais qui, en fait, était une tête. Les cheveux s'enroulèrent comme des algues autour de mes doigts.

Je ne sais pas si ce fut ma détermination, la chance, ou juste un hasard aveugle, mais je réussis à attraper un garçon puis l'autre et à les catapulter vers le rivage au moment où des bras se tendaient pour les récupérer. J'entendis une série d'exhortations perçantes : « Je vous avais pourtant dit de m'attendre ! Vous avez failli vous noyer ! » puis l'eau s'enroula à nouveau autour de ma poitrine comme un boa constrictor affamé et m'entraîna vers le fond.

Voilà donc ce qu'on ressent quand on se noie, me rappelai-je avoir pensé tandis que l'océan me recouvrait la tête et s'infiltrait dans mes cavités secrètes, en amant impatient qui refuse d'être éconduit plus longtemps. « Terry », me murmurait l'eau d'un ton ensorceleur. Puis avec de plus en plus de force et d'insistance : « Terry… Terry. »

— Terry !

La voix explosa à mon oreille, des mains m'agrippèrent sous les bras et me soulevèrent. Ma tête creva la surface de l'eau comme un poing traversant une vitre.

— Mon Dieu, vous allez bien ?

Des bras forts me ramenèrent vers la plage où je m'effondrai à quatre pattes.

L'eau me piquait les yeux et j'avais du mal à les ouvrir. Respirer m'arrachait les poumons.

— Ça va ?

Je reconnus la voix de Josh, puis son visage. Je hochai la tête et m'étranglai en essayant désespérément d'aspirer de l'air.

— Les enfants…

— Ils vont bien.

— Dieu soit loué !

Il écarta les cheveux de mes yeux, essuya l'eau sur mes joues.

— Vous avez été héroïque, Terry Painter.

— Non, complètement idiote, marmonnai-je. Je ne sais pas nager.

— J'ai cru remarquer.

— Et on n'a pas le droit de se baigner sans maillot de bain, ânonna une petite voix sentencieuse, non loin de moi.

Je regardai ma belle robe drapée sur moi comme une toile de tente.

— Regardez-moi. On dirait une banane trop mûre.

Josh éclata de rire. « Mais encore bonne à manger », crus-je l'entendre dire, mais il y avait une telle bousculade que je n'en suis pas certaine. Un attroupement s'était formé. Des voix inconnues exprimaient leur gratitude, des mains étrangères me tapotaient le dos.

— Bravo ! me cria un passant sans s'arrêter.

— Ça va ? s'inquiéta la jeune fille aux jambes interminables, en s'approchant timidement.

Je reconnus le bikini rayé noir et blanc. C'était elle que j'avais vue parler avec le maître nageur. Il se tenait d'ailleurs juste derrière elle et je remarquai qu'il était grand, blond et musclé à souhait. Son visage bronzé hésitait entre la gratitude et le ressentiment.

— Je vais très bien.

— Je tiens à vous remercier, continua la jeune fille. Ce sont mes frères. Ma mère m'aurait tuée s'il leur était arrivé quelque chose.

— Surveillez-les mieux à l'avenir.

Elle hocha la tête, tourna les yeux vers les deux enfants qui se battaient maintenant sur la plage.

— Oui, je sais, je leur avais pourtant dit... (sa voix s'évanouit dans le vent). En tout cas, encore merci.

Son regard glissa vers Josh.

— Si jamais vous cherchez du travail, me dit en plaisantant le maître nageur.

— Contentez-vous de faire le vôtre, rétorquai-je, mais il repartait déjà et écarta mon reproche d'un geste de la main, comme on chasse un insecte nuisible.

— Mon sac ! m'écriai-je soudain en me souvenant que je l'avais jeté sur la plage. Mes chaussures...

— Tout est là.

Josh les souleva avec autant de fierté qu'un pêcheur exhibant sa prise du jour.

— Mon Dieu, dans quel état vous êtes ! m'exclamai-je en m'apercevant qu'il était presque aussi trempé que moi.

— Nous formons un couple assez bien assorti, dit-il en approchant son visage du mien.

Je retins mon souffle, pétrifiée. Allait-il m'embrasser ?

Une mèche de cheveux me tomba dans les yeux, je l'écartai d'un geste impatient et sentis sur mes cils un amalgame de sable et de mascara. Une vraie reine de beauté ! aurait dit ma mère.

— Terry ? appela une voix familière à des kilomètres au-dessus de ma tête.

Je levai les yeux et abritai mon regard. Alison se tenait entre moi et le soleil.

— Terry ? (Elle s'accroupit à côté de moi.) Mon Dieu, je n'arrive pas à croire que c'est vous !

— Alison ! Qu'est-ce que vous faites là ?

— C'est mon jour de repos. Que se passe-t-il ? On vient de me raconter que vous avez sauvé deux petits garçons de la noyade ?

— Elle a été fabuleuse, dit fièrement Josh.

— Jusqu'au moment où j'ai failli couler.

— Mon Dieu, vous vous sentez bien ?

— Oui, elle a été vraiment fabuleuse, répéta Josh. Au fait, je me présente, Josh Wylie.

Alison secoua vigoureusement la main qu'il lui tendait.

— Alison Simms.

— Alison est ma nouvelle locataire.

— Ravi de faire votre connaissance, Alison.

— Moi de même. (Elle relâcha sa main, comme à regret.) Alors, Terry vous a invité pour Thanksgiving ?

— Alison !

— Terry est la meilleure cuisinière du monde. Vous êtes libre, j'espère ?

— Eh bien, oui, mais...

— Parfait. Alors, c'est réglé. Ne vous inquiétez pas, Terry, je vous aiderai.

Je ne sais plus exactement ce qui s'est passé ensuite. Je me souviens que j'aurais voulu tordre le joli cou de cygne d'Alison. Et aussi la prendre dans mes bras et sauter de joie. En tout cas, elle dut sentir l'ambiguïté de mes sentiments à son égard, car, après avoir marmonné qu'elle me verrait plus tard pour régler les détails, elle disparut dans un tourbillon de sable rose.

Josh me raccompagna chez moi et attendit dans la voiture pendant que je courais prendre une douche et me changer. Puis il me reconduisit à la clinique. Aucun de nous ne dit rien jusqu'à ce qu'il s'arrête devant l'entrée. Nous nous sommes alors tournés en même temps l'un vers l'autre.

— Josh...

— Terry...

— Vous n'êtes pas forcé de venir pour Thanksgiving.

— Vous n'êtes pas forcée de m'inviter.

— Non, mais ça me ferait très plaisir.

— À moi aussi.

— Vraiment ?

— Jan prend les enfants ce soir-là, et je n'ai rien prévu.

— Ne vous attendez pas à quoi que ce soit de sophistiqué...

— J'aurais la meilleure cuisinière du monde, que demander de plus ?

— Je crains qu'Alison n'ait un peu exagéré, pouffai-je.

— Elle a l'air d'avoir un sacré tempérament, non ?

— Si, si.

— Un véritable derviche tourneur. Un peu fofolle, charmante.

Fofolle, charmante. Ce ne sont pas les mots que j'utiliserais pour la décrire, aujourd'hui.

Quels termes emploieriez-vous ? me souffle Alison.

— Vous expliquerez à ma mère qu'il m'était impossible de remonter la voir ? dit Josh en montrant ses vêtements trempés.

— Puis-je omettre l'épisode où j'ai failli me noyer ?

Il rit.

— À quelle heure, jeudi prochain ?

Je passai mentalement en revue ce que j'aurais à faire. Il y avait des années que je n'avais pas préparé de repas de Thanksgiving ni de dinde. On a rarement l'occasion d'en acheter quand on vit seul.

— À sept heures ?

— Sept heures. Je me réjouis d'avance.

Je descendis de la voiture, montai en courant l'escalier de la clinique et me retournai au moment de pousser la porte. Mon héros, pensai-je, tandis que je le regardais s'éloigner, folle de joie à la perspective de notre prochaine rencontre, le bruit des vagues résonnant encore à mes oreilles.

8.

— Bon, alors vous êtes prête pour votre transformation ?

Alison, vêtue d'un short bleu et d'un débardeur blanc, les ongles de pied vernis de rose vif, venait d'apparaître à la porte de la cuisine, les bras chargés d'une quantité non négligeable de bouteilles et de tubes. Avec sa queue de cheval, on lui donnait douze ans.

Je m'étais lavé les cheveux, selon ses instructions, et les avais roulés dans une serviette blanche assortie à mon peignoir.

— Qu'est-ce que c'est que tout ça ? demandai-je en m'écartant pour la laisser entrer.

— Des crèmes, des huiles, des émulsions. (Elle les déposa sur la table de la cuisine et les arrangea à son goût.) Au fait, c'est quoi une émulsion ?

Les souvenirs de l'école d'infirmières remontèrent aussitôt.

— Une suspension colloïdale d'un liquide dans l'autre, récitai-je par cœur, sidérée par la facilité avec laquelle des informations aussi anciennes pouvaient refaire surface.

— Colloïdale ?

— Un colloïde est une substance gélatineuse qui, dissoute dans un liquide, ne se diffuse pas facilement à travers les membranes végétales ou animales.

Alison me dévisageait comme si j'étais un nouveau type d'extraterrestre.

— Vous pourriez répéter ?

— C'est une préparation liquide qui a la couleur et la consistance du lait, simplifiai-je.

— Alors ça doit être celle-ci, dit-elle, un sourire aux lèvres, en soulevant une bouteille en verre remplie d'une crème blanche.

— Comment pouvez-vous acheter des produits sans savoir ce qu'ils contiennent ?

— Personne ne le sait. C'est pour ça qu'ils coûtent si cher.

Je ne pus m'empêcher de rire. Elle avait sans doute raison.

— Et qu'avez-vous apporté d'autre ?

— Voyons voir. J'ai un démaquillant aux minibilles purifiantes, un masque exfoliant. Et puis une crème lissante aux plantes, une autre à la mauve avec du collagène. Et ça, qu'est-ce que c'est ? Peu importe, éluda-t-elle dans le même souffle. Nous avons là un masque décongestionnant pour le contour des yeux, un lait purifiant à ne pas confondre avec l'émulsion laiteuse susmentionnée, une lotion hydratante sans matière grasse et un tube d'huile essentielle d'abricot. Avez-vous noté mon emploi discret du mot « susmentionné » ?

— Oui, en effet.

— Ça vous a impressionnée ?

— Énormément.

— Bien.

Elle plongea la main dans la poche droite de son short et en sortit des flacons de vernis à ongles.

— Cerise extrême ou Lilas ? À vous de choisir.

De sa poche gauche émergèrent des boules de coton, des limes à ongles en carton et un assortiment de minuscules instruments de torture. Puis elle prit, dans sa poche arrière, une grosse paire de ciseaux qu'elle agita devant elle comme une baguette magique.

— Pour la nouvelle coupe de madame.

— Je ne suis pas encore décidée, murmurai-je en enlevant la serviette de ma tête.

— Ne vous inquiétez pas. Je ne ferai rien d'irréversible. Je ne couperai pas plus de deux ou trois centimètres. Vous avez des concombres, m'avez-vous dit ?

— Dans le frigo, répondis-je en ayant du mal à suivre la conversation.

— Bien. Alors si on commençait ?

Que pouvais-je faire ? Alison était si enthousiaste, si contente, si convaincante, que je n'avais vraiment pas le choix.

Vous voulez être sublime le soir de Thanksgiving, ou pas ? l'entendais-je encore demander.

Et c'est vrai que j'en rêvais. Je voulais être belle à couper le souffle, à tomber raide pour Thanksgiving. Et pour Josh.

Mais je vous trouve déjà géniale, s'était-elle aussitôt récriée.

Toute la semaine, j'avais plané comme une idiote sur mon petit nuage, je chantais avec la radio, je m'occupais de mes malades en fredonnant, j'avais même lancé un bonjour aimable à Bettye McCoy alors qu'elle promenait ses boules de poil obèses devant chez moi. Et tout ça pourquoi ? Parce qu'un homme séduisant avait été gentil avec moi.

Plus que gentil.

Il s'était intéressé à moi.

Il se sert juste de toi, entendais-je presque ma mère rétorquer. *Il te brisera le cœur.*

Je m'en fichais. Qu'importe qu'il soit encore amoureux de son ex-femme, qu'il ait deux enfants et une mère mourante et qu'il ne souhaite certainement pas s'engager sérieusement. Qu'importe si nous n'étions sortis ensemble qu'une fois, pour déjeuner, et si j'en avais profité pour manquer de me noyer. La seule chose qui comptait, c'était qu'il s'intéresse à moi.

Bonne à manger, avait-il dit.

Un frisson me parcourut les cuisses, une sensation que j'avais presque oubliée.

Que sais-tu de lui ? demandait ma mère.

Pas grand-chose, dus-je admettre.

Ça n'avait pas d'importance, non plus. Josh Wylie aurait pu être un ancien assassin, je m'en moquais. Meurtrier sadique ou pas, il réveillait en moi des émois oubliés depuis des années. Il ressuscitait des émotions réprimées si profondément et si longuement que je ne me souvenais pas de les avoir éprouvées. À quarante ans, je me sentais comme ces adolescentes qu'on voit glousser bêtement avec leurs amies. *Et alors il m'a dit... et puis il m'a dit...* J'avais à nouveau quatorze ans, comme lorsque j'étais amoureuse de Roger Stillman.

Et tu as vu ce qui t'est arrivé, me rappela ma mère.

— Nous allons commencer par la coiffure.

Un peigne se matérialisa miraculeusement dans les mains d'Alison. Elle me pria de m'asseoir, s'agenouilla devant moi, m'attrapa par le menton et me fit tourner la tête de gauche à droite afin d'étudier mon visage. Elle sourit, comme si elle lisait dans mes pensées les plus secrètes. Voyait-elle Josh Wylie se refléter dans mes prunelles ?

J'entendis les ciseaux et sentis les lames claquer autour de ma tête, de plus en plus près.

— Je nettoierai plus tard.

Une petite secousse, puis une autre et je vis avec horreur les premières mèches tomber sur le carrelage blanc de la cuisine.

— Oh, mon Dieu !

— Fermez les yeux. Faites-moi confiance.

Les paupières closes, le bruit des ciseaux me parut encore plus fort. Comme s'ils découpaient mes couches protectrices, dévoilaient mes secrets et sapaient mes forces. Songeant à Samson et Dalila, je pris de profondes inspirations, résignée à n'offrir aucune résistance et à me laisser emporter par le courant.

— Je les sécherai après le nettoyage de peau. Nous pouvons aller au salon, maintenant. Ne regardez pas, dit-elle, en voyant un frisson me parcourir les épaules alors que j'enjambais les mèches éparses sur le carrelage. Faites-moi confiance.

J'avais déjà étalé un drap sur le canapé en prévision de ma « soirée de remise en beauté », comme l'avait baptisée Alison en riant. Je restai debout, pétrifiée, à attendre qu'elle me dise ce que je devais faire.

— Bien. Allongez-vous, votre tête de ce côté et vos pieds par ici. Super. Il faut que vous soyez parfaitement installée. Ça va vous plaire, ajouta-t-elle d'un ton qui me parut manquer de conviction. Maintenant, détendez-vous, le temps que je rapporte ce dont j'ai besoin.

— Les tranches de concombre sont dans le réfrigérateur, lui rappelai-je en fermant les yeux, et je portai les doigts à mon cou pour toucher mes cheveux.

— Ce n'était pas la peine de les préparer. Je l'aurais fait, me lança-t-elle de la cuisine.

Je l'entendis fouiller dans le frigo, puis faire couler le robinet, ouvrir et refermer des portes de placards. Que cherchait-elle ?

Elle fut de retour moins d'une minute plus tard.

— Nous allons commencer par le masque exfoliant. Alors fermez les yeux, relaxez-vous, pensez à quelque chose d'agréable.

Elle m'appliqua une crème froide et onctueuse sur le visage.

— Ça vous fera peut-être un drôle d'effet quand ça commencera à durcir.

— Comment ça ?

— Vous ne pourrez plus parler, précisa-t-elle en étalant le produit sur le contour de mes lèvres. Alors mieux vaut rester tranquille.

Avais-je le choix ? J'avais déjà l'impression que mon visage était pris dans du ciment. Un masque de mort, ai-je pensé. Et j'aurais ri si les muscles autour de ma bouche n'avaient pas été déjà raidis.

— Pendant combien de temps ? demandai-je en écartant à peine les lèvres.

— Vingt minutes.

— Vingt minutes ?

Je rouvris les yeux et voulus m'asseoir. Elle m'en empêcha d'une main ferme.

— Détendez-vous. Nous commençons à peine. Fermez les yeux. Je vais mettre les concombres dessus.

— À quoi ça sert ? demandai-je sans articuler les consonnes.

— Ils ont un effet décongestionnant. Quelle infirmière êtes-vous donc pour ignorer cela ? me taquina-t-elle. Inutile de me répondre, cette question était purement rhétorique. Elle posa les rondelles de concombre sur mes paupières. Aussitôt la pièce s'assombrit comme si je portais des lunettes de soleil.

— Il vous plaît ce mot, rhétorique ?

— Assez.

— J'essaie d'apprendre trois termes nouveaux par jour.

— Ah bon ?

— Oui, c'est très amusant. J'ouvre le dictionnaire et je pointe mon doigt sur un mot au hasard, et, si je ne le connais pas, je le recopie et j'apprends sa définition.

— Un exemple ?

— Eh bien, aujourd'hui j'ai appris « ineffable », qui signifie « qui ne peut être exprimé ou décrit », comme dans « bonheur ineffable », vous savez, un bonheur si grand qu'il n'existe pas de termes pour le dépeindre. Voilà pour le premier. Ensuite « épiphanie », et là j'ai eu un choc parce que je croyais que ça voulait dire tout autre chose. Vous savez ce que c'est ?

— C'est le nom d'une fête catholique, émis-je péniblement.

— Et vous voulez savoir ce que je croyais que c'était ?

J'opinai imperceptiblement, craignant de faire tomber les concombres.

— Promettez-moi de ne pas rire.

L'aurais-je voulu, j'en aurais été incapable. Je répondis par un grognement.

— Eh bien, j'ai vu un film à la télé quand j'étais petite sur un homme qui, je ne sais pourquoi, se transformait en poulet. Le film s'appelait *Épiphanie*. Et j'en avais conclu qu'une épiphanie, c'était quand on se transformait en poulet. J'en ai toujours été convaincue. Vous imaginez si je l'avais placé dans la conversation ?

Je secouai la tête doucement. Elle avait un côté tellement vulnérable, tellement fragile, on aurait dit qu'elle était écorchée vive. J'aurais voulu la prendre dans mes bras et la consoler comme la toute petite fille qu'elle était.

— Et le troisième ? demandai-je.

— Métope. Les métopes sont des surfaces planes qui alternent avec les triglyphes.

— Et les triglyphes ?

— Je n'en ai pas la moindre idée, s'esclaffa-t-elle. Je me limite à trois mots, n'oubliez pas. Maintenant, assez bavardé. Détendez-vous et laissez-vous bichonner. J'ai comme l'impression que ça ne doit pas vous arriver souvent.

Elle avait raison. C'était nouveau pour moi. J'avais travaillé dur toute ma vie, d'abord à l'école d'infirmières, puis à la clinique et même chez moi, quand j'avais dû m'occuper de ma mère. J'étais contente, d'une certaine manière, de ne pas avoir eu la vie facile, de ne pas avoir été gâtée. Je n'en appréciais que davantage ce que j'avais, et j'étais plus attentive aux autres.

— Bon, alors, je vais profiter de ce que le masque durcit pour m'occuper de vos pieds. Je reviens tout de suite. Respirez profondément. Détendez-vous.

Un grand silence emplit soudain la pièce. Je l'entendis bouger dans la cuisine. Que faisait-elle ? Je respirai profondément et réussis, peu à peu, à évacuer la tension de la journée.

Je sursautai quand elle me prit le gros orteil droit. Je ne l'avais pas entendue revenir. M'étais-je endormie ? Pendant combien de temps ?

— Vous avez des ongles de pied très épais. Je vais essayer de les couper. Ne bougez surtout pas.

Je me raidis.

— Ne bougez pas.

J'entendis le bruit sec du coupe-ongles pendant que ses doigts saisissaient d'un geste expert un orteil après l'autre. Le premier l'a attrapé, récitai-je silencieusement, avant de m'arrêter, incapable de me souvenir de la suite.

— Et maintenant le meilleur ! annonça-t-elle en me massant doucement les pieds avec une lotion. Ça fait du bien, hein ?

Un parfum d'abricot chatouilla mes narines.

— C'est merveilleux, acquiesçai-je, mais je ne suis pas sûre de l'avoir dit à voix haute.

— Eh bien, Terry Painter, je crois que vous commencez à apprécier cette petite séance.

Je hochai la tête en ébauchant un sourire et sentis de petites craquelures parcourir mes joues, comme si ma peau s'était pétrifiée.

— Mon mari masse merveilleusement les pieds, continua Alison mais, à son ton, je compris qu'elle se parlait surtout à elle-même. C'est sans doute ce qui m'a poussée à l'épouser. Et la raison pour laquelle je lui retombe dans les bras chaque fois. Il a des mains merveilleuses. S'il commence à me masser les pieds, je suis fichue.

Je comprenais ce qu'elle voulait dire. Alison avait apparemment beaucoup appris de son ex-époux. Elle avait des mains magiques. En moins de deux minutes, moi aussi, j'étais fichue.

— Il me manque encore. Je sais que c'est idiot mais je n'y peux rien. Il est tellement mignon. Si vous le voyiez ! Les filles lui tombent dans les bras. Tous nos problèmes viennent de là. Il n'a aucune volonté. Bien sûr, je n'en ai pas beaucoup, moi non plus. Il me trompe, je jure ne plus jamais le revoir et il suffit qu'il frappe à ma porte pour que je le fasse entrer. Il est tellement beau. Il faut qu'on parle, je lui dis chaque fois. Alors on s'assoit sur le canapé, et, une seconde plus tard, il commence à me masser les pieds et c'est reparti. Retour à la case départ.

J'aurais dû dire quelque chose, la rassurer, lui dire qu'elle n'était pas la seule femme au monde à avoir tiré le mauvais numéro et à se faire posséder. Mais je dois avouer que, même si je n'avais pas eu le visage pris dans une gangue, je n'aurais pu trouver la force de parler. Bercée par sa voix de petite fille, je glissais doucement dans le sommeil.

Je me souviens ensuite d'avoir entendu un pas au-dessus de ma tête. J'ouvris les yeux sous les deux rondelles de concombre qui me barraient la vue. Je les enlevai. Mon regard s'adapta rapidement à l'obscurité environnante. Je tâtai mon visage, toujours pris sous sa couche d'hydroxy alpha. Quand Alison avait-elle éteint la lumière ? Combien de temps m'étais-je assoupie ?

J'entendis un nouveau bruit au-dessus de ma tête puis un bruit de tiroirs qu'on ouvrait et qu'on refermait. Était-elle dans ma chambre ? Je me levai et allumai la lampe à côté de moi. Que faisait-elle ? J'aperçus des ongles rouges sous les boules de coton coincées entre mes orteils. Cerise extrême, me remémorai-je en avançant vers l'escalier sur la pointe des pieds.

Elle était debout dans la chambre d'amis, devant la bibliothèque qui occupait le mur, face au vieux canapé-lit en velours bordeaux. Elle me tournait le dos. Elle ne m'avait pas entendue monter.

— Que faites-vous ? Le masque autour de ma bouche se fendilla comme du verre.

Elle se retourna d'un bond et le livre qu'elle tenait lui tomba sur les pieds. Elle poussa un petit cri, je n'aurais su dire si c'était de surprise ou de douleur.

— Oh, mon Dieu, vous m'avez fait peur !

— Que faites-vous ? répétai-je, en sentant les craquelures de mon masque atteindre mes yeux.

Un éclair d'hésitation traversa son visage, comme une flamme soufflée par un courant d'air inattendu.

— Eh bien, j'étais montée chercher une pince à épiler. (Joignant le geste à la parole, elle en sortit une de sa poche.) J'avais oublié la mienne, et vous étiez si mignonne endormie, que je n'ai pas voulu vous réveiller. Je me suis dit que vous deviez bien en avoir une quelque part, mais j'ai dû fouiller tous les tiroirs de la salle de bains avant de la trouver. Pourquoi ne pas la ranger dans la pharmacie comme tout le monde ?

— C'est là que je la laisse normalement, répondis-je d'un ton piteux.

Elle remit la pince dans sa poche en secouant la tête.

— Elle était avec vos rouleaux chauffants, sous le lavabo. J'allais redescendre lorsque j'ai vu les livres, et j'en ai profité pour aller chercher un quatrième mot dans le dictionnaire. (Elle ramassa le gros volume à la couverture glacée jaune et rouge et me le tendit.) Un triglyphe est un ornement de frise dorique, annonça-t-elle d'un ton triomphal.

C'est alors que je vis mon reflet dans la fenêtre et découvris mes cheveux tailladés et hérissés dans tous les sens autour de mon visage momifié.

— Oh, mon Dieu, j'ai l'air d'un croquemitaine.

Alison tressaillit.

— Ne plaisantez pas avec ces choses-là. Elle replaça le dictionnaire sur l'étagère et passa son bras sous le mien. Venez, nous allons retirer votre masque. Nous avons encore beaucoup à faire.

— Je crois que vous m'avez suffisamment bichonnée.

— Jamais de la vie. Je ne fais que commencer.

9.

Je pris la journée de Thanksgiving.

Cela changeait de mes habitudes car depuis le décès de ma mère, cinq ans plus tôt, j'assurais toujours mon service en période de fête, même à Noël et au Nouvel An. Contrairement à Margot et à Caroline, je n'avais aucune famille qui m'attendait à la maison, et personne ne déplorait mon absence. Et il fallait bien que quelqu'un s'occupe des pensionnaires de Mission Care, jour férié ou pas. C'était navrant le peu de gens qui venaient les voir, et combien certaines de ces visites étaient forcées. Si je pouvais rendre ces périodes moins solitaires pour ces vieillards que j'en étais venue à aimer et admirer, c'était avec joie. Et j'y trouvais mon compte. Je le faisais autant pour eux que pour moi. Je n'avais pas plus envie qu'eux de passer les fêtes seule.

Mais ce Thanksgiving sortait de l'ordinaire. Je ne serais pas solitaire. J'avais des invités et la liste s'allongeait. En plus de Josh et d'Alison, il y aurait également la collègue d'Alison, Denise Nickson. Alison m'avait demandé la permission de l'inviter et, malgré mes réticences (je n'avais aucune confiance en cette fille depuis l'histoire des boucles d'oreilles), Alison m'avait assurée qu'elle était intelligente, drôle et qu'elle avait le cœur sur la main. Donc, tout en sachant que j'avais tort, j'avais accepté. D'autant qu'Alison pourrait parler avec elle, ce qui me permettrait de m'occuper de Josh.

— Ça sent fabuleusement bon !

Alison, qui dressait la table à côté, revint dans la cuisine. Elle portait sa robe bain de soleil bleue, et ses cheveux, retenus derrière l'oreille par une délicate barrette en forme de libellule, retombaient en lourdes boucles sur ses épaules. Elle avait aux pieds ses escarpins à bride argentée. Je ne pouvais les regarder sans ressentir un pincement d'angoisse.

— On va se régaler !

— J'espère.

— Que puis-je faire d'autre pour vous aider ?

— Vous avez fini de mettre le couvert ?

— Attendez de voir ça. On dirait une illustration de *Gourmet*. J'ai posé les roses que Josh a envoyées au milieu de la table, entre les bougies.

Je rougis et me retournai vers la cuisinière, où je fis semblant de surveiller la casserole de petites pommes de terre rouges qui cuisaient à feu doux. Vous ne le croirez pas, mais c'était la première fois que je recevais des fleurs.

— Je crois que tout est prêt.

Je passai mentalement mon menu en revue : la dinde, la farce, du gratin d'ignames à la guimauve, les pommes de terre, la sauce aux canneberges maison, la salade de poires aux noix et au gorgonzola.

— Nous avons de quoi nourrir un régiment ! s'écria Alison en lançant les mains en l'air comme si elle jetait une poignée de confettis.

Ce geste de joie spontané me fit éclater de rire.

— Vous êtes tellement jolie quand vous riez !

Je souris. C'était grâce à elle si je me sentais particulièrement en beauté ce soir. Non seulement je n'avais jamais eu une coupe de cheveux aussi réussie, aussi flatteuse, avec un dégradé de mèches doucement ambrées qui encadraient mon visage, mais, depuis ses soins, j'avais la peau complètement régénérée. Et elle m'avait choisi un maquillage très naturel qui faisait pourtant beaucoup d'effet. Le Cerise extrême dont elle avait verni mes ongles de main et de pied se mariait parfaitement avec mon pantalon bleu marine et mon nouveau chemisier en soie blanc. Je portais mes amours en argent. Cette soirée serait un succès.

La sonnerie de la porte d'entrée retentit.

— Mon Dieu ! Quelle heure est-il ?

Alison regarda sa montre.

— Seulement six heures et demie. En voilà qui sont pressés d'arriver !

Ses grands yeux s'écarquillèrent d'impatience.

— Comment vous me trouvez ?

Je fis passer mon tablier à carreaux bleus et blancs par-dessus ma tête en veillant à ne pas me décoiffer et humectai du bout de la langue mes lèvres maquillées d'un rouge discret.

— Splendide. Détendez-vous. Respirez à fond.

Je pris une profonde inspiration, puis une autre, pour assurer le coup, et partis vers l'entrée. J'entendis alors des gloussements derrière la porte et reconnus Denise qui n'était pas seule, apparemment. Seraient-ils, par hasard, arrivés tous les deux en même temps ?

J'ouvris la porte et me retrouvai en face de la jeune fille, vêtue d'un pantalon noir et d'un t-shirt orange sur lequel était écrit en grosses lettres orange « JETTE-LE », un bras squelettique passé autour des épaules d'un jeune homme aussi maigre qu'elle, avec de courts cheveux châtains, des yeux noisette et un grand nez aquilin. Je lui trouvai un visage sinistre, mais cette impression s'atténua quand il sourit. Ce qui ne suffit pourtant pas à dissiper mon malaise.

— Nous voilà ! annonça gaiement Denise. Je sais que nous sommes en avance mais… (Elle éclata de rire comme si elle venait de dire quelque chose de drôle.) Voici KC.

Elle pouffa à nouveau. Avait-elle bu ? Fumé ?

— Casey ?

— KC, corrigea le garçon en détachant chaque lettre. (Je lui donnais l'âge d'Alison.) Ce sont les initiales de Kenneth Charles. Mais personne ne m'appelle comme ça.

Je hochai la tête en me demandant ce que cet inconnu venait faire chez moi.

— Denise ? demanda Alison derrière moi.

— Bonjour, toi. (Denise me contourna et entra dans le salon.) Oh, c'est chouette chez vous ! Alison, je te présente KC.

— Casey ?

— KC pour Kenneth Charles, expliqua à nouveau le garçon.

— Mais personne ne l'appelle comme ça, ajoutai-je.

Il devait être épuisé de s'expliquer chaque fois.

— Tu ne m'avais pas dit que tu amenais un copain, dit Alison en me jetant un regard inquiet.

— J'ai pensé que ça ne poserait pas de problème. On fait toujours trop à manger pour Thanksgiving.

— Sinon, je repars, s'empressa d'intervenir KC. Je ne voudrais surtout pas vous déranger.

— Non, m'entendis-je répondre. Denise a raison. Nous avons plus de nourriture qu'il n'en faut. Et nous ne pouvons décemment pas vous jeter à la rue un soir de Thanksgiving, n'est-ce pas ?

Non pas que j'eusse envie de me montrer charitable mais je venais de songer que Josh se sentirait plus à l'aise s'il y avait un autre homme.

— Je rajoute un couvert.

Alison s'engouffra dans la salle à manger pendant que je poussais Denise et KC vers les fauteuils et le canapé.

— Que puis-je vous offrir à boire ?

— De la vodka ? demanda Denise.

— De la bière ? renchérit KC.

Comme je n'avais ni l'un ni l'autre, ils prirent du vin blanc. Alison et moi en étions restées à l'eau. Nous nous assîmes tous les quatre au salon pour siroter nos verres tout en entretenant un semblant de conversation. Denise ne me parut pas particulièrement intelligente ni drôle, et

KC, peu loquace, avait une façon de vous dévisager assez pénible. Cette soirée sera un désastre, pensai-je, en priant presque le ciel que Josh se décommande.

— Et où vous êtes-vous rencontrés tous les deux ? demanda Alison.

— À la galerie.

Denise haussa les épaules, ses yeux se posèrent sur une grande peinture qui représentait de grosses pivoines rose fuchsia et rouges, accrochée en face du canapé.

— Ce tableau est très joli.

— Merci.

— Je n'aime pas ce genre-là, habituellement. Vous savez, les fleurs et les fruits.

— Les natures mortes.

— Ouais. D'habitude, je préfère les trucs plus originaux mais cette toile est vraiment jolie. Où l'avez-vous trouvée ?

— Elle appartenait à ma mère.

— Ah bon ? Et alors… vous en avez hérité à sa mort ? Avec la maison et le reste ? continua-t-elle, sans paraître se rendre compte que cela ne la regardait pas.

Je ne sus que répondre.

— J'aurais voulu que Terry achète la peinture de la femme au grand chapeau de soleil, glissa Alison, peut-être consciente de mon malaise.

— Vous êtes fille unique ? poursuivit Denise, sans lui prêter attention.

— Oui, malheureusement.

— Quelle chance, au contraire ! J'ai deux sœurs que je déteste. Alison est fâchée avec son seul frère. Et toi, KC ? Tu as aussi des frères et sœurs que tu ne peux pas voir ?

— Un de chaque.

— Et où sont-ils ce soir ? m'enquis-je.

— Chez moi, à Houston, je suppose.

— J'ignorais que tu étais du Texas, dit Denise. J'ai toujours rêvé d'y aller.

— Vous ne vous connaissez pas depuis très longtemps, on dirait, remarquai-je.

— Nous nous sommes rencontrés hier soir. (Les lèvres violettes de Denise laissèrent échapper un rire bizarrement enfantin.) En fait, KC était déjà passé plusieurs fois à la boutique, mais nous n'avons engagé la conversation qu'hier soir.

— Je savais bien que je t'avais déjà vu ! s'exclama Alison. Tu es venu lundi. Tu t'intéressais à la sculpture du crapaud.

— En fait, j'essayais de te draguer, avoua KC en riant.

— Alors, ça c'est la meilleure ! s'écria Denise. Et quoi ? Ça n'a pas marché, alors tu t'es rabattu sur moi ?

— Mais tu me plais aussi, la rassura KC avec un sourire entendu.

Denise éclata de rire.

— N'est-il pas mignon ? Je le trouve craquant. (Elle se pencha et passa ses doigts griffus sur la cuisse maigre du garçon.) Le problème de l'art, continua-t-elle comme si c'était la suite logique de la conversation, les yeux fixés à nouveau sur les pivoines, c'est qu'il ment toujours. Vous n'êtes pas de mon avis ?

— Je ne suis pas sûre de vous suivre, répondis-je.

— Prenez ces fleurs. Ou la femme sur la plage. Eh bien, avez-vous jamais vu des fleurs aussi grosses et luxuriantes dans la réalité, ou du sable aussi rose ? Ça n'existe pas.

— Si, dans l'imagination de l'artiste, argumentai-je.

— C'est exactement là où je voulais en venir.

— Mais si l'art est subjectif, il ne ment pas nécessairement. Parfois l'interprétation de l'artiste devient plus réaliste que le sujet lui-même. L'artiste vous force à le considérer sous une lumière nouvelle et différente, afin de vous conduire à une vérité plus large.

Denise balaya mes théories d'un geste négligent et le vin tangua dangereusement dans son verre.

— Les artistes déforment, exagèrent, ou omettent certaines choses. Pour moi, c'est du mensonge.

Elle haussa les épaules.

— Et tu as quelque chose contre les menteurs ? demanda KC.

J'entendis une voiture s'arrêter dans l'allée, puis des pas remonter le chemin. J'étais déjà debout lorsque la sonnette retentit. Je croisai par hasard le regard impatient d'Alison pendant que je m'approchais de la porte.

— Vous êtes géniale ! m'encouragea-t-elle en levant les deux pouces.

J'ouvris la porte en riant et dus me rattraper au chambranle pour ne pas basculer dans la plante verte. Josh me parut si beau avec sa chemise en soie bleue et sa bouteille de Dom Pérignon à la main que je faillis lui sauter au cou. Calme-toi, me sermonnai-je. Tu as quarante ans, pas quatorze. Relax. Respire à fond.

— Je suis en retard ? demanda-t-il pendant que je refermai la porte derrière lui, les pieds cloués au sol.

— Non, vous êtes par... parfait... parfaitement à l'heure. (Je lâchai enfin l'encadrement de la porte pour prendre la bouteille de Dom Pérignon.) Il ne fallait pas apporter de champagne. Vous m'avez déjà assez gâtée avec vos fleurs.

— Oh, quelle chance !

Denise se matérialisa soudain à côté de moi et me débarrassa de la bouteille.

— Je m'appelle Denise et j'adore le champagne.

Elle lui tendit sa main libre.

— Denise, permettez-moi de vous présenter Josh Wylie. Denise travaille à la galerie avec Alison, précisai-je.

Alison lui fit bonjour depuis le canapé.

— Comme c'est la galerie de ma tante, expliqua Denise, on peut me considérer comme copropriétaire. Voici mon ami KC.

— Ravi de faire votre connaissance, Casey.

— KC ! le reprîmes-nous toutes les trois d'une seule voix.

— Pour Kenneth Charles, expliqua le garçon.

— Mais personne ne l'appelle comme ça, ajouta Alison.

— Vous devez en avoir assez de l'expliquer chaque fois, remarqua Josh et je souris de l'entendre formuler le fond de ma pensée.

Que dire de cette soirée ?

Mes angoisses furent vite balayées par le champagne et quelques plaisanteries bon enfant. Malgré nos différences d'âges et d'intérêts, nous formions tous les cinq un groupe vivant et intéressant. La nourriture était délicieuse, la conversation spontanée, l'humeur gaie et détendue.

— En quoi consiste exactement le travail d'un conseiller financier ? demanda Denise, la sauce aux canneberges qui recouvrait sa fourchette rivalisant d'éclat avec son rouge à lèvres. Et ne me répondez pas qu'il conseille les gens sur leurs investissements.

— J'ai bien peur que ça se limite à ça.

— Vous avez prodigué vos conseils à Terry ? s'enquit KC.

— Il faudrait déjà que j'aie de l'argent à investir, répondis-je en riant.

— Oh ! allez. Vous devez bien en avoir qui traîne quelque part, protesta Denise. Oui, quoi, vous travaillez, vous êtes propriétaire de votre maison, vous avez une locataire. Et je suis sûre que vous devez avoir une jolie pension.

— Que je toucherai seulement le jour où je prendrai ma retraite, rétorquai-je, alors qu'une petite angoisse me serrait l'estomac.

Comment en étions-nous arrivés à parler de ma situation financière ?

— Et vous, KC ? Que faites-vous ? demanda Josh.

— Je suis programmeur.

Il reprit une tranche de dinde et une cuillerée de patate douce.

— Encore un métier qui me dépasse, dit Denise. Vous avez un ordinateur, Terry ?

— Non, je ne vois pas ce que j'en ferais.

— Comment peut-on survivre sans e-mails ?

— Vous seriez surprise de tout ce dont on peut se dispenser.

Je baissai les yeux sur ma poitrine, et repoussai la vision de Josh me plaquant contre le mur de ma chambre et arrachant les boutons de mon chemisier.

— Vous n'avez pas de parents avec qui vous êtes restée en contact ? s'informa Denise.

Je secouai la tête et surpris KC en train de me fixer d'un regard glacial. Il a des yeux de serpent, songeai-je en frissonnant.

— Bon, eh bien, citez-moi trois raisons, oui trois raisons de rendre grâces aujourd'hui[1] ! lança brusquement Alison. Chacun votre tour.

— Oh, mon Dieu, on se croirait en plein jeu de la vérité ! gémit Denise.

— Toi d'abord, KC, décida Alison. Trois raisons.

Il leva son verre.

— Le bon repas. Le bon champagne. (Il sourit, ses yeux de reptile oscillèrent entre Alison et Denise.) Et les petites femmes.

Tout le monde éclata de rire.

— Denise ?

Elle nous fit comprendre d'une grimace que ce jeu n'était pas digne d'elle, mais qu'elle aurait la bonne grâce de s'y prêter.

— Laissez-moi réfléchir. Je suis contente que la galerie ait été fermée aujourd'hui car je n'ai pas travaillé. Je suis contente que ma tante soit allée voir sa fille à New York, ce qui m'a évité de passer Thanksgiving avec elle. Et (elle me regarda droit dans les yeux) je suis ravie que vous soyez aussi bonne cuisinière qu'Alison me l'avait dit.

— Amen, conclut Josh en portant un toast.

— Très bien, Josh, à votre tour.

Il marqua un silence comme s'il réfléchissait très sérieusement.

— Je rends grâces pour mes enfants. Et pour les soins merveilleux que reçoit ma mère chaque jour. Et, en ce qui concerne ce dernier point et cette délicieuse soirée, je

1. Thanksgiving (jour des actions de grâces) commémore les remerciements offerts à Dieu par les premiers colons américains à l'occasion de leur première récolte en 1621. *(N.d.T.)*

rends grâces également à notre ravissante hôtesse. Merci, Terry Painter. Vous êtes un don du ciel.

— Merci, murmurai-je, dangereusement proche des larmes.

— Moi aussi, je veux rendre grâces à Terry, surenchérit Alison tandis que je sentais mes joues s'enflammer. Merci à elle de m'avoir donné un toit et de m'avoir accueillie si chaleureusement dans son existence. Merci à mon intuition qui m'a conduite ici. Et je remercie aussi le Ciel de me donner une chance de recommencer ma vie.

— N'êtes-vous pas un peu jeune pour cela ? demanda Josh.

Alison se tourna en rougissant vers moi.

— À votre tour.

— Je rends grâces pour ma santé.

— C'est comme souhaiter la paix dans le monde, grommela Denise.

— Et je rends grâces pour toutes vos gentilles paroles, continuai-je, résolue à l'ignorer. Mon regard alla d'Alison à Josh, puis revint sur Alison. Et j'ai beaucoup de chance d'avoir de nouveaux amis et de nouveaux horizons.

— C'est nous qui avons de la chance, protesta Alison.

— Y a-t-il ici quelqu'un qui croie en Dieu ? demanda brutalement Denise.

Tout le monde se mit à parler en même temps, dans un déluge de réflexions philosophiques, plus ou moins ronflantes et idiotes. Comme on pouvait s'y attendre, Alison était croyante. Et, bizarrement, Denise aussi. KC, athée, Josh, agnostique. Quant à moi, j'aurais voulu avoir la foi et, les bons jours, j'y parvenais.

Et ce jour-là en faisait partie, décidai-je, peut-être un peu hâtivement.

10.

À dix heures du soir, Josh annonça qu'il était temps pour lui de regagner Miami.

Il avait raison. La soirée était terminée. Nous avions fini la tarte au potiron, bu tout le champagne et vidé jusqu'à la dernière goutte le Baileys. Alison avait débarrassé la table et fait la vaisselle puis organisé un jeu de charades impromptu, qu'elle avait gagné haut la main.

— Je vous raccompagne à votre voiture.

Je ressentis une petite douleur à l'estomac en me levant, comme si on me plantait un doigt dans les côtes.

— J'ai été ravie de faire votre connaissance, lui lança Denise alors qu'il me précédait dans le couloir.

— À bientôt, j'espère, ajouta Alison.

KC resta muet, mais je crus détecter un léger hochement de tête qu'on pouvait interpréter comme un geste d'adieu ou le signe qu'il était trop ivre pour bouger.

Personne d'autre ne manifesta son intention de s'en aller. Apparemment, Josh et moi étions les seuls à avoir la notion du temps.

L'air chaud nous enveloppa de son étreinte langoureuse dès que nous fûmes dehors. Je levai les yeux vers le ciel rempli d'étoiles.

— Quelle belle nuit !

— Oui, une réussite totale.

— Je suis tellement contente que vous soyez venu.

— Moi aussi. (Il considéra la rue déserte.) Ça vous dit de faire une petite promenade ? Jusqu'au coin seulement, ajouta-t-il en voyant que j'hésitais.

Pourquoi une telle réticence alors que j'aurais voulu prolonger indéfiniment cette soirée ? Je redoutais peut-être d'abandonner mes autres invités seuls, chez moi, trop longtemps.

— Bien sûr, répondis-je néanmoins, et je lui emboîtai le pas.

Mon bras effleura le sien et cela me fit l'effet d'une décharge électrique.

— J'aimerais passer un moment seul avec vous.

— Vous voulez me parler de votre mère ?

Il éclata de rire et s'arrêta.

— Vous croyez que c'est pour parler d'elle que j'ai envie de passer un moment en tête-à-tête ?

Je baissai la tête de peur que mes pensées ne se lisent dans mes yeux. Il me prit par le menton. Parcourue par une onde de choc, je relevai la tête alors qu'il se penchait vers moi. S'il s'approchait encore, c'était l'électrocution.

— J'aimerais vous embrasser, là, tout de suite.

Mes lèvres laissèrent échapper un gros soupir. Je sentais mon cœur cogner sous mes vêtements comme un bébé qui donne des coups de pied dans le ventre de sa mère. Sauf que ce n'était pas mon cœur, mais mon estomac, m'aperçus-je le souffle coupé. Et il ne palpitait pas de passion mais de douleur. Mon Dieu, je n'allais pas avoir une nausée maintenant ! J'imaginais déjà la scène. Josh ne serait pas près d'oublier cette soirée ! songeai-je alors qu'il posait doucement ses lèvres sur les miennes et m'enveloppait dans ses bras comme dans une cape.

Je me détendis aussitôt. Reste avec moi, aurais-je voulu lui dire. Va dire aux autres de s'en aller. Reste et fais-moi l'amour toute la nuit. Tu rentreras demain à Miami.

Mais, bien sûr, je restai muette. Je me contentai de répondre à ses baisers, puis je restai plantée devant lui avec un sourire idiot à attendre, en vain, qu'il m'embrasse encore. Nous sommes ensuite revenus vers sa voiture, main dans la main, mon esprit aussi affolé que mon cœur, mes intestins en feu.

— Merci encore pour cette merveilleuse soirée.

— Merci pour le champagne et les roses.

— Je suis content qu'elles vous aient plu.

— Elles sont superbes.

— Vous aussi.

Il m'embrassa, sur la joue cette fois, et ses cils m'effleurèrent aussi délicatement qu'une aile de papillon.

— À la semaine prochaine.

Je le regardai en silence reculer jusqu'à la rue puis partir vers Atlantic Avenue. Lorsqu'il arriva au stop, il agita la main sans se retourner, comme s'il savait que je le suivais des yeux. Je lui fis signe à mon tour mais il était déjà loin.

Je restai plantée là quelques minutes, paralysée autant par les picotements qui me parcouraient les lèvres et la joue que par de nouvelles crampes d'estomac. La soirée avait été trop riche en aliments et en émotions pour la dame mûre que j'étais, décidai-je quand j'eus enfin la force de mettre un pied devant l'autre. Je regagnai la maison, décidée à annoncer que la soirée était officiellement terminée.

Je trouvai le salon vide. S'étaient-ils éclipsés pendant mon absence ?

C'est alors que j'entendis un éclat de rire ricocher au-dessus de ma tête comme une balle de caoutchouc. Que faisaient-ils en haut ? J'en oubliai mon mal de ventre.

— Alison ! appelai-je du pied de l'escalier.

Sa tête apparut instantanément au-dessus de la rambarde.

— Josh est parti ?

— Que faites-vous là-haut ?

Denise se matérialisa soudain à côté d'Alison.

— C'est moi qui ai voulu faire le tour du propriétaire.

— Il n'y a pas grand-chose à voir.

Les deux filles redescendirent l'escalier, avec KC qui gambadait sur leurs talons comme un jeune chien pataud.

— On dirait une maison de poupée, déclara Denise.

— Je suis désolée, elle est montée avant que j'aie pu l'arrêter, me souffla Alison à l'oreille.

Un nouvel élancement balaya soudain ma contrariété. Je me pliai en deux, le visage tordu de douleur.

— Ça ne va pas ? s'inquiéta Alison.

— Je n'aurais pas dû reprendre de tarte, bredouillai-je péniblement.

— Allez, les amis, la soirée est terminée ! Il est temps de rentrer.

Nous nous sommes dit au revoir sur le pas de la porte. Alison m'a embrassée sur la joue. Je crois que Denise m'a serrée dans ses bras. KC marmonna qu'il avait trop bu et faillit s'affaler dans les branches du gros laurier-rose à droite de l'entrée. Puis ils disparurent et la maison retrouva son calme, simplement bercée par le souffle de la brise dans les arbres.

Bizarrement, je n'eus aucun mal à m'endormir.

Mon estomac cessa de me faire souffrir à la seconde où ils partirent et j'attribuai mon malaise à un trop-plein d'émotions : le dîner fin, la maison pleine de gens nouveaux, mon premier baiser depuis une éternité, Josh, Josh, Josh...

— Ouais ! hurlai-je en mimant Alison. (Je la revoyais battre des mains et sauter sur place de joie.) Ouais, ouais, ouais !

J'ai donc dû m'endormir, car je me souviens d'avoir fait un rêve insensé. Je courais en rond autour de la maison à la recherche d'Alison, pour l'avertir d'un danger, mais lequel, je ne saurais le dire. Puis je montai l'escalier, KC surgissait de l'ombre et me sautait dessus, les pieds en avant, comme au karaté, et me percutait en plein ventre.

Je me réveillai en sursaut, pliée par la douleur et n'eus que le temps de courir à la salle de bains où je vomis tripes et boyaux. Cela ne m'apporta aucun soulagement.

Je m'assis sur le carrelage, assaillie de vertiges, le corps secoué de spasmes douloureux. Je me demandai même si ce n'était pas une crise d'appendicite. C'était plus vraisemblablement une indigestion, ou même une intoxication alimentaire. Je pensai aussitôt à mes invités.

Oh, mon Dieu, pauvre Josh ! Je me relevai péniblement et d'un pas chancelant, courbée en deux comme une vieille femme, m'approchai de la fenêtre de ma chambre. Je tirai les rideaux de dentelle, et fronçai les sourcils en voyant les lumières du pavillon encore allumées. Je regardai mon réveil. Il était presque trois heures du matin, une heure abominablement tardive pour Alison. Était-elle malade, elle aussi ? J'enfilai mon peignoir et descendis prudemment l'escalier.

J'ouvris le verrou de la porte du jardin et sortis pieds nus dans l'herbe. Une nouvelle nausée m'assaillit brusquement et j'aspirai goulûment l'air frais pour la surmonter avant de repartir vers le pavillon. C'est alors que j'entendis des rires à l'intérieur. Apparemment, Alison n'était pas malade. Ni seule.

Je revins chez moi, rassurée sur son sort et celui de ses amis. Ma réputation de cuisinière était sauve et j'en aurais ri si de nouveaux hoquets ne m'avaient propulsée vers l'évier de la cuisine. Des douzaines d'yeux en céramique me toisèrent d'un air désapprobateur du haut des étagères. *Bien fait pour toi !* me criaient silencieusement les soixante-cinq têtes de femme aux lèvres peintes. *Ça t'apprendra à faire la fête !*

J'étais dans l'escalier lorsque le téléphone sonna.

Qui pouvait m'appeler à une heure pareille ? Alison ? M'avait-elle vue devant la porte du pavillon ? Je décrochai à la cinquième sonnerie.

— Vous avez passé une bonne soirée ?

Ce n'était pas Alison. C'était un homme.

— Qui êtes-vous ?

— J'ai un message à vous transmettre de la part d'Erica Hollander.

— Quoi !

— Elle vous conseille d'être très prudente.

— Mais qui êtes-vous ? (L'inconnu avait coupé.) Allô ! Allô ?

Je raccrochai brutalement, muette de colère et de faiblesse. Je m'allongeai sur le dos, les mains tremblantes, le cœur battant la chamade, cherchant où j'avais déjà entendu cette voix, tout en voulant la chasser. Que signifiait cet étrange message ?

Évidemment, je ne pus retrouver le sommeil. Je passai le reste de la nuit à me retourner dans mon lit, à avoir trop chaud, trop froid, à claquer des dents ou à transpirer, à remonter mes couvertures sous le menton ou à les rejeter d'un coup de pied rageur. Je restai des heures à contempler le clair de lune à travers mes rideaux, avant de voir l'aube rougir le ciel et le jour se lever enfin. Chaque fois que j'arrivais à m'assoupir, la voix me susurrait : *J'ai un message à vous transmettre de la part d'Erica Hollander. Elle vous conseille d'être très prudente.*

Vers huit heures du matin, je m'extirpai de mon lit. Je me sentais encore nauséeuse et faible, mais mon estomac semblait calmé. Je me tâtai le front d'une main tremblante et le trouvai un peu chaud. J'allais me faire du thé, peut-être même un toast, bien que la simple idée de manger me soulevât le cœur. Non, je prendrais juste du thé, décidai-je finalement. Et je m'apprêtai à descendre lorsque j'entendis des voix sous ma fenêtre.

J'écartai discrètement les rideaux, en me tenant à l'abri des regards. Alison parlait à Denise sur le pas de sa porte. Elles portaient encore les tenues de la veille au soir. C'était surtout Denise qui semblait alimenter la conversation. Je ne comprenais pas ce qu'elle disait, mais Alison avait l'air de l'écouter attentivement.

— Allez, paresseux ! cria soudain Denise vers l'intérieur du pavillon. Amène tes fesses.

Quelques secondes plus tard, KC apparut à son tour sur le seuil, la chemise ouverte, son jean dangereusement baissé sur ses hanches étroites, découvrant une touffe de poils sombres qui descendait en pointe de son torse vers son nombril avant de disparaître sous la boucle de sa ceinture en cuir noir. Il avait les cheveux en bataille, les yeux encore battus de sommeil. Une cigarette à moitié consumée pendait à ses lèvres. Je le regardai jeter son mégot dans mon parterre d'impatiens roses et blanches puis chuchoter quelque chose à Alison en jouant avec le collier en or qu'elle portait au cou. Soudain, il leva les yeux vers ma fenêtre. Parlait-il de moi ? Savait-il que j'étais là ?

Alison le repoussa en riant et fit au revoir de la main à ses amis tandis qu'ils se dirigeaient vers la rue en longeant ma maison.

Je les suivis des yeux jusqu'à ce qu'ils disparaissent sous l'ombre d'un arbre. Quand je me tournai à nouveau vers le pavillon, je vis qu'Alison me regardait avec une étrange expression. De la main elle me fit signe qu'elle venait. Quelques secondes plus tard, étonnamment fraîche et reposée pour quelqu'un qui avait passé une nuit blanche, elle apparut à la porte de la cuisine.

— Ça va ? me demanda-t-elle dès qu'elle me vit.

— J'ai été malade cette nuit, dis-je en me laissant tomber sur la première chaise venue.

— Malade ? Vous voulez dire que vous avez vomi ?

— Exactement.

— Beurk ! Quelle horreur ! Je déteste ça. Il n'y a rien qui me dégoûte autant.

— Je ne peux pas dire que j'en raffole non plus.

— Pourtant, il paraît que ça soulage. Mais je préfère encore être malade comme un chien pendant des semaines. Dire qu'il y a des gens qui me croient boulimique. Comme si j'étais du genre à me faire vomir toute seule. Pouah !

Je crus voir le point d'exclamation.

— Un jour, quand j'étais petite, continua-t-elle, j'ai fait une indigestion de réglisse. Je n'ai pas dormi de la nuit. Et ensuite, tous les soirs, au moment de me coucher, je suppliais ma mère de me promettre que je ne serais pas malade. Et, malgré ça, je serrais les dents jusqu'à ce que j'arrive à m'endormir.

— Vous n'aviez pas confiance en elle ?

Elle haussa les épaules et détourna les yeux.

— Vous voulez du thé ?

— Avec plaisir.

Elle s'empressa de le préparer. Elle jeta un sachet dans une tasse et sortit le lait du réfrigérateur.

— Vous avez dû boire trop de champagne, conclut-elle, les yeux fixés sur la bouilloire qu'elle venait de mettre à chauffer.

— Quand on surveille l'eau sur le feu, chaque seconde semble une éternité, disait ma mère. Elle adorait cette maxime.

— Maxime. Voilà encore un joli mot. Mais c'est quoi, en fait ? Un dicton ?

— Plus ou moins.

Alison détourna docilement son regard de la bouilloire et le posa sur la fenêtre.

— Vous m'avez vue avec Denise et KC.

C'était plus une affirmation qu'une question.

Je hochai la tête en silence.

— Ils voulaient visiter le pavillon. (Elle s'arrêta, étudia ses pieds nus.) Et puis nous nous sommes mis à bavarder et je me suis brusquement retrouvée avec Denise roulée en boule sur mon lit et KC ivre mort sur le tapis.

La bouilloire se mit à siffler. Alison sursauta et éclata de rire.

— Votre mère avait raison. Il a suffi que je cesse de la regarder.

— Les mères savent tout. (Je réfléchis soigneusement à ce que j'allais dire.) Avez-vous appelé votre famille pour leur souhaiter un joyeux Thanksgiving ?

— Non. (Alison versa le thé.) Je ne me sens pas encore prête. Tenez. Buvez, ça vous fera du bien.

— J'espère.

— Alors, avez-vous passé une bonne soirée ? Mis à part vos nausées, bien sûr.

Je ris, non sans noter que le sujet de la famille était clos, provisoirement du moins.

— J'ai passé une soirée merveilleuse.

— Je crois que vous plaisez beaucoup à Josh.

— Vraiment ?

— Il suffit de voir la façon dont il vous regarde. Il est en admiration devant vous.

— Il est surtout très gentil. Je bus une gorgée de thé, me brûlai la langue et reposai brusquement la tasse.

— Attention, me mit-elle en garde, mais trop tard. C'est très chaud.

— Alors, qu'avez-vous prévu aujourd'hui ? Vous allez à la plage avec vos amis ?

— Pas question. Je reste ici à veiller sur vous.

— Oh, non. Je ne veux pas.

Alison tira une chaise et s'assit à côté de moi.

— Vous m'avez bien soignée quand j'étais malade, non ?

— Si, mais...

— Pas de mais. (Elle sourit.) C'est décidé. Je ne bouge pas d'ici.

Dès que j'eus fini le thé, je fus prise de nouvelles nausées, accompagnées de spasmes douloureux. À ma grande surprise, Alison se révéla être une infirmière merveilleuse. Elle me mit des compresses fraîches sur le front et ne quitta mon chevet que lorsqu'elle m'eut bordée dans mon lit.

— Dormez, dormez, l'entends-je encore répéter tout en me caressant les cheveux. Dormez...

Je ne sais pas si c'est la fatigue, le son de sa voix ou la douceur de sa main, mais je sombrai en quelques minutes dans un sommeil profond. Et aucun rêve ne vint troubler mon repos. Quand je rouvris les yeux, il était presque midi.

Je m'assis dans mon lit et tournai la tête dans tous les sens car j'avais le cou raide. J'entendis alors la voix claire d'Alison dans la chambre à côté.

— Je ne t'ai pas appelé pour qu'on se dispute, disait-elle tandis que je sortais du lit et m'avançais vers la porte en m'appuyant au mur. Tout se déroule exactement comme prévu, continua-t-elle alors que je traversais le couloir. Ne t'inquiète pas. Je sais ce que je fais.

Elle dut m'entendre car elle se retourna d'un coup et blêmit.

— Terry ! Depuis combien de temps êtes-vous là ? Ça va ? (Les mots tombaient de ses lèvres, comme le sable fuyant d'un sablier cassé.) Écoute, je te quitte ! lança-t-elle dans son téléphone portable, avant de le fourrer précipitamment dans son short.

Elle se leva d'un bond et me conduisit vers le canapé puis s'assit à son tour, ses genoux contre les miens.

— C'était mon frère. (Elle tapota l'appareil.) J'ai réfléchi à ce que vous m'aviez dit et j'ai appelé ma famille pour leur souhaiter de bonnes fêtes et leur annoncer que j'allais bien.

— Ça ne s'est pas bien passé ?

— Ç'aurait pu être pire. Quoi qu'il en soit, comment vous sentez-vous ? Vous avez déjà meilleure mine.

— Je me sens mieux, répondis-je sans beaucoup de conviction.

De quoi Alison parlait-elle à son frère ? Qu'est-ce qui se déroulait comme prévu ?

— Qu'avez-vous fait ce matin ? lui demandai-je.

— Je suis d'abord retournée chez moi prendre une douche et me changer. Ensuite (un grand sourire s'étala sur son visage, oblitérant temporairement mes inquiétudes), j'ai trouvé ça. Elle attrapa un gros album photo en cuir sur l'oreiller derrière elle et le posa sur ses genoux. J'espère que vous n'êtes pas fâchée. Je suis tombée dessus en cherchant un truc à lire. (Elle l'ouvrit.) Ce sont vos parents ?

Mes yeux se posèrent sur de vieilles photos noir et blanc montrant un jeune couple dans une piscine publique. Mon père, les jambes maigres perdues dans un immense slip de bain, des mocassins aux pieds, un chapeau de paille sur la tête, ma mère assise à côté de lui dans un modeste maillot en vichy, les mains croisées sur les genoux, les cheveux relevés, le visage dissimulé derrière une énorme paire de lunettes de soleil. Depuis quand n'avais-je pas regardé ces clichés ? L'album était enfoui au fond de l'étagère du haut. Comment Alison avait-elle pu tomber dessus par hasard ?

— Oui. (J'écartai un cheveu invisible du visage de ma mère et la sentis me chasser la main d'une tape.) Ils n'étaient pas encore mariés à cette époque.

Pendant qu'Alison tournait régulièrement les pages, je regardai mes parents se transformer progressivement d'amoureux timides en jeunes mariés guindés, puis en parents inquiets.

— Voilà celle que je préfère. Alison montrait une photo de ma mère serrant contre sa joue un bébé au regard triste. Regardez comme vous étiez mignonne !

— Vous plaisantez ! Vous avez vu les cernes que j'avais sous les yeux. (Je secouai la tête, consternée.) Ma mère prétendait que je ne l'avais pas laissée dormir une seule nuit avant trois ans. Et j'ai fait pipi dans ma culotte jusqu'à sept ans. Pas étonnant qu'ils n'aient pas voulu avoir d'autres enfants.

Alison rit et continua à tourner les pages en les étudiant l'une après l'autre.

— Où êtes-vous ? demanda-t-elle soudain devant une grande photographie d'un groupe de bambins bien alignés, comme des pensées dans un jardin.

C'était la photo de classe de ma dernière année de maternelle. Je montrai du doigt une petite fille en robe blanche, au dernier rang, qui fixait l'objectif en fronçant les sourcils.

— Vous n'avez pas l'air contente.

— J'ai toujours eu horreur d'être prise en photo.

— Ah bon ? J'adore ça. Oh, regardez celle-là ! C'est vous ?

Elle avait posé l'index sur une petite fille en robe écossaise, à la mine renfrognée, debout près de sa maîtresse de CE2.

— C'est bien moi.

— Regardez la tête que vous faites. (Elle éclata de rire.) Vous avez toujours la même expression, même adolescente. Et Roger Stillman, c'est lequel ?

— Qui ?

— Roger Stillman. On le voit sur ces photos ?

— Non. Il était quelques classes au-dessus de la mienne, lui rappelai-je.

— Dommage. J'aurais bien aimé voir à quoi il ressemblait. Qu'est-ce qu'il est devenu, à votre avis ?

— Je n'en ai aucune idée.

— Vous n'avez jamais eu envie de décrocher votre téléphone pour l'appeler ? Et lui dire : « Bonjour, Roger Stillman, ici Terry Painter. Tu te souviens de moi ? »

— Jamais, rétorquai-je, peut-être plus fort que je n'aurais voulu.

— Vous croyez qu'il vit encore à Baltimore ?

Je marquai mon désintérêt d'un haussement d'épaules et tournai les pages. Mes parents apparurent bientôt en couleurs, posant devant leur première maison de Delray Beach. Ils semblaient un peu tendus, comme s'ils sentaient que des temps difficiles les attendaient.

— Vous voulez bien me faire une autre tasse de thé ?

— Avec plaisir. (Elle se leva.) Et que diriez-vous de quelques toasts avec de la confiture ?

— Pourquoi pas ?

— Parfait !

J'appuyai ma tête contre le velours bordeaux du canapé et fermai les yeux, bercée par la douce voix d'Alison.

Tout se déroule exactement comme prévu, susurrait-elle. *J'ai un message à vous transmettre de la part d'Erica Hollander*, murmura alors la voix de l'inconnu. *Elle vous conseille d'être prudente.*

Mais j'étais trop fatiguée, trop faible pour écouter.

11.

Entre Thanksgiving et Noël, j'eus un emploi du temps particulièrement chargé, à la clinique comme à la maison. Depuis cinq ans que ma mère était décédée, je n'avais guère eu à sacrifier au folklore des fêtes de fin d'année. J'avais même fait en sorte de les ignorer, accumulant les heures supplémentaires, me portant même volontaire pour l'équipe de nuit. Mais Alison était bien décidée à tout changer.

— Comment ça, vous travaillez à Noël ?

— C'est un jour comme les autres.

— Non, pas du tout. C'est Noël. Vous ne pouvez pas vous arranger avec quelqu'un d'autre ?

Je secouai la tête.

C'était la fin de l'après-midi et je jardinais.

— Mais c'est nul ! protesta Alison en faisant les cent pas sur la pelouse, derrière moi. (On lui aurait donné quinze ans.) Moi qui espérais que nous passerions Noël ensemble !

— Nous pourrons réveillonner.

Aussitôt son visage s'éclaira.

— Super ! Beaucoup de familles ouvrent leurs cadeaux au réveillon, non ? Ça ira. Je pourrais aller avec vous choisir le sapin ?

— Un sapin ?

Je ne me rappelais pas à quand remontait mon dernier arbre de Noël.

— C'est indispensable ! Ça ne serait pas Noël sans sapin ! Et nous achèterons aussi des décorations et des petites lumières blanches. C'est moi qui les offre, bien sûr. C'est le moins que je puisse faire. Ça sera génial. Vous voulez bien ?

Comment refuser ? Depuis le jour où j'avais été malade, Alison prenait une place de plus en plus précieuse dans ma vie. Nous nous appelions souvent au travail, dînions ensemble deux ou trois fois par semaine, allions parfois au cinéma ou nous promener sur la plage. Nos emplois du temps avaient beau être surchargés, Alison trouvait toujours un moment à me consacrer. Et malgré mes réticences sur mes locataires, en général, et Alison, en particulier, elle avait balayé mes craintes. J'étais sans volonté devant elle, constatai-je alors que nous remontions Military Trail quelques jours plus tard, un sapin dépassant de mon coffre entrouvert. Elle avait réussi en quelques semaines à faire partie intégrante de ma vie et, malgré nos douze ans de différence, elle était sans doute devenue l'amie la plus proche que j'aie jamais eue.

— N'est-ce pas le plus beau sapin du monde ? s'exclama-t-elle quand nous eûmes terminé d'accrocher les délicats petits nœuds roses à ses longues branches.

Nous fîmes un pas en arrière pour admirer notre œuvre.

— C'est vraiment le plus beau du monde, approuvai-je, et elle me serra dans ses bras.

— Et nous aurons le plus beau Noël de tous les temps, déclara-t-elle à quelques jours du réveillon, en ajoutant un nouveau paquet au pied du sapin.

— Ses parents doivent lui manquer, confiai-je à Margot. Si tu voyais comment elle a décoré la maison. Il y a du houx partout, et je ne peux pas faire un pas sans tomber sur un père Noël.

— J'ai plutôt l'impression qu'elle t'envahit, remarqua ma collègue en riant. Elle va bientôt venir s'installer chez toi et tu n'auras plus qu'à retourner vivre dans ton pavillon.

Le téléphone sonna. Margot reposa la fiche qu'elle venait de remplir et répondit.

— Je pense qu'elle a juste le mal du pays, insistai-je, vaguement ennuyée par ce qu'elle venait de dire, sans savoir pourquoi.

— C'est pour toi.

— Terry Painter, annonçai-je, m'attendant à entendre Alison.

Aurait-elle senti que nous parlions d'elle ?

— Terry, c'est Josh Wylie.

Mon cœur se serra.

— Je suis vraiment désolé. (Le menton baissé sur la poitrine, j'articulai silencieusement la suite : « J'ai un empêchement. Je vais encore devoir annuler notre déjeuner. ») Je suis navré.

— Moi aussi.

C'était la troisième fois qu'il annulait en trois semaines. À part de courts échanges quand il venait voir sa mère, nous ne nous étions pas revus depuis Thanksgiving.

— Et si nous dînions ensemble, plutôt ? proposa-t-il à ma grande surprise. Je dois passer dans votre coin en fin de journée et j'ai un petit cadeau à vous remettre.

— Ah bon ?

— C'est de saison. Juste un petit témoignage de ma reconnaissance. Pour votre gentillesse envers ma mère, s'empressa-t-il d'ajouter. Je pourrais venir vous prendre vers sept heures, qu'en dites-vous ?

— C'est parfait.

— Eh bien, c'est d'accord.

Il raccrocha sans dire au revoir.

— Tu m'as l'air bien contente, me taquina Margot, avec un clin d'œil coquin.

Je ne répondis pas, déjà plongée dans mes pensées. Quelle importance qu'il ait annulé trois déjeuners ? Un dîner les valait largement. Et, en plus, il avait un cadeau pour moi. Un petit témoignage de sa reconnaissance, avait-il dit. *Pour votre gentillesse envers ma mère.* J'essayai d'imaginer ce que ça pouvait être. Du parfum ? De jolis savons ? Peut-être un foulard en soie ou même une petite broche ? Non, c'était trop tôt pour un bijou. Notre relation, si quelques baisers et quelques déjeuners annulés pouvaient être considérés comme telle, ne faisait que commencer. Ce serait inconvenant qu'il me couvre de cadeaux extravagants, aurait dit ma mère. Quoi qu'il m'offre, ce sera merveilleux. Je réfléchis à ce que je pourrais lui offrir en retour et décidai de demander conseil à Myra. Son état s'était dégradé ces dernières semaines ce qui l'avait, à juste titre, déprimée. La nouvelle de mon prochain rendez-vous avec son fils lui remonterait peut-être le moral.

Mais elle dormait et je me contentai de vérifier sa perfusion et de remonter sa couverture avant de repartir.

— Je dîne avec votre fils ce soir, murmurai-je au moment de refermer la porte derrière moi. Souhaitez-moi bonne chance.

Seul le sifflement de sa respiration me répondit. Je me retournai vers le couloir et faillis me faire renverser par un aide-soignant affolé.

— Que se passe-t-il ?

— La patiente de la 423 est sortie du coma ! me répondit-il d'une voix excitée.

— Sheena O'Connor ? demandai-je mais il avait déjà disparu. Mon Dieu, je n'arrive pas à le croire.

Je me précipitai à la chambre 423 et poussai la porte. La pièce était bondée de médecins et d'infirmières, qui s'affairaient fébrilement, avec des gestes à la fois mesurés et exagérés, comme si la scène se déroulait simultanément en accéléré et au ralenti. J'aperçus le visage pâle de la jeune fille qui représentait le calme au milieu de cette tempête. Elle était assise sur son lit, toujours reliée à des myriades de tubes, et nos regards se croisèrent une fraction de seconde au moment où je m'apprêtais à repartir.

— Attendez ! cria-t-elle d'une petite voix perçante.

Je vis, médusée, une demi-douzaine de personnes se tourner vers moi et me dévisager.

— Je vous connais, poursuivit la jeune fille. C'est vous qui m'avez chanté des berceuses, n'est-ce pas ?

— Vous m'entendiez ?

Je m'approchai du lit ; les médecins et les infirmières s'écartèrent sur mon passage.

— Je vous entendais, acquiesça-t-elle en se renversant contre ses oreillers et en refermant ses grands yeux sombres.

— C'est un miracle ! murmura une voix.

— A-t-on prévenu ses parents ?

— Ils arrivent.

— Faut-il avertir la police ?

— C'est déjà fait.

— C'est un miracle, répéta une autre personne. Un vrai miracle de Noël.

Je bouillais d'impatience d'apprendre à Alison la guérison miraculeuse de Sheena et décidai donc de m'arrêter à la galerie. Et elle pourrait m'aider à choisir un cadeau pour Josh, quelque chose de convenable, pensais-je, euphorique, tandis que je me garais sur une place qui venait de se libérer sur Atlantic Avenue. Encore un miracle !

Je ne vis pas Alison en entrant dans le magasin. Ni Denise. En fait, la galerie semblait déserte. Comment diable cette boutique pouvait-elle survivre ? me demandai-je en regardant autour de moi, remarquant avec un pincement de regret que le tableau de la jeune femme au chapeau de soleil n'était plus là. Alison avait raison. Il aurait été parfait dans mon salon. Quel dommage que je n'aie pas suivi son conseil quand il était encore temps.

Ma vie était une suite d'occasions ratées, constatai-je tristement, et je décidai que ça changerait.

Dès ce soir.

En commençant par Josh.

— Bonjour ? lançai-je. Alison ?

— Puis-je vous aider ?

Je me retournai. Une femme séduisante, d'à peu près mon âge, s'avança vers moi, ses hauts talons claquant sur le plancher. Il s'agissait, sans doute, de la propriétaire de la galerie.

— Je suis désolée. J'étais dans mon bureau. Vous attendez depuis longtemps ?

— Je viens d'arriver.

Elle sourit, mais la peau autour de sa bouche était tellement tirée qu'on n'aurait su dire si c'était de plaisir ou de souffrance. Je portai machinalement ma main à ma joue et tirai sur les petites rides autour de mes yeux.

— Vous cherchez quelque chose en particulier ?

— En fait, j'aurais voulu voir Alison Simms. Elle travaille ici.

Son sourire se transforma en un trait dur, contracté.

— Alison ne travaille plus ici, déclara-t-elle sèchement.

— Ah bon ?

— Elle est partie la semaine dernière.

— Elle est partie ? Pourquoi ?

— J'ai malheureusement dû m'en séparer.

— Vous avez dû vous en séparer, répétai-je, tel un perroquet. Pourquoi ?

— Vous feriez mieux de le lui demander.

Alison ne m'avait pas dit qu'elle avait été licenciée. Elle m'avait juste avertie que sa patronne l'avait sommée de ne plus recevoir de coups de fil à la galerie. Mon Dieu, aurait-elle perdu son travail par ma faute ?

— Et c'était la semaine dernière ? demandai-je, l'esprit en tumulte.

— Puis-je faire quelque chose pour vous ? s'impatienta Fern Lorelli.

Je marmonnai qu'il me fallait un cadeau de Noël pour un ami et finis par acheter un joli stylo qui, j'en étais sûre, plairait à Josh, mais le cœur n'y était plus. Pourquoi Alison s'était-elle fait renvoyer ? Je décidai de le lui demander dès mon retour à la maison.

J'entendis mon téléphone sonner alors que je garais la voiture dans l'allée. J'ouvris la porte en faisant tinter les clochettes accrochées par Alison à la porte d'entrée et courus à la cuisine décrocher le combiné. Je laissai tomber mon achat sur le comptoir devant trois petits pères Noël en plastique qui le contemplèrent d'un air étonné.

— Allô ?

Une voix masculine remonta le long du fil comme un serpent.

— Vous m'avez acheté un cadeau ?

Ma respiration se bloqua dans mes poumons, tandis que je jetais un regard inquiet vers la fenêtre du jardin. M'aurait-on suivie ? M'espionnait-on ? Pourquoi ? me demandai-je en serrant mes bras autour de moi comme si je me trouvais nue au milieu de ma cuisine.

— Qui êtes-vous ? Que voulez-vous ?

Un ricanement me répondit, suivi par le signal de fin de communication.

— Merde !

Je raccrochai et composai le code permettant de connaître le numéro de mon dernier correspondant. Mais l'inconnu avait pris soin de préserver son anonymat.

Je laissai rageusement le combiné retomber sur son socle.

Il sonna presque aussitôt.

— Écoutez, je ne sais pas quel est votre problème, mais si vous continuez à me harceler, j'appelle la police.

— Terry ?

— Josh !

— Je sais que j'ai annulé notre déjeuner, mais croyez-vous réellement qu'il faille alerter les autorités ?

— Je suis désolée. Je viens de recevoir un appel d'un malade… Ce n'est rien, soupirai-je, en chassant le souvenir d'autres voix de mon esprit.

— La journée a été dure ?

— Non, au contraire, répondis-je en reprenant mes esprits. Exceptionnelle, continuai-je en m'interrogeant brièvement sur la raison de son coup de fil. Ce n'était certainement pas pour que je lui raconte ma journée. Vous vous souvenez de Sheena O'Connor ? Elle est sortie de son coma cet après-midi, enchaînai-je comme si je craignais de le laisser parler. C'est incroyable. Tout le monde dit que c'est un miracle.

— Vous devez être bouleversée.

— Je n'en reviens pas. Et figurez-vous qu'elle m'a entendue chanter quand elle était dans le coma. N'est-ce pas fabuleux ?

J'eus soudain l'impression de parler comme Alison, en m'apercevant que je venais d'employer trois superlatifs.

— Enfin, je vous raconterai tout ça ce soir.

Un affreux silence me répondit. Pour la seconde fois de la journée, je sentis mon cœur se serrer et le sol vaciller sous mes pieds.

— J'ai vraiment honte.

— Vous avez un contretemps ?

J'ouvris un tiroir et y glissai le cadeau de la galerie Lorelli, avec l'impression très nette que je n'étais pas près de revoir Josh Wylie.

— C'est ma fille, Jillian. Elle vient de rentrer de l'école en disant qu'elle ne se sentait pas bien.

— A-t-elle de la fièvre ?

— Je ne crois pas, mais je n'ai pas le cœur de la laisser. Je suis vraiment désolé. Je n'arrive pas à croire que je vous fais faux bond deux fois d'affilée. Peut-être aviez-vous raison d'appeler la police.

— Il y a des jours comme ça, répondis-je tristement, en claquant le tiroir, et les trois pères Noël tombèrent les uns sur les autres, comme des dominos.

— Je m'en veux tellement…

— Vous vous ferez pardonner une autre fois, hasardai-je bravement.

— Absolument. Dès mon retour de Californie.

— Vous partez ?

— Juste une quinzaine de jours. Les enfants ont des cousins à San Francisco. Nous partons après-demain et nous reviendrons le 3 janvier.

Eh bien, la question était réglée pour le réveillon du Nouvel An !

— J'espère que vous ne m'en voulez pas.

— Ce sont des choses qui arrivent.

— Je me ferai pardonner.

— Passez de bonnes vacances. Et dites à Jillian que je lui souhaite de se rétablir rapidement.

— Je lui transmettrai.

— À l'an prochain, ajoutai-je d'un ton enjoué avant de raccrocher en fondant en larmes. Merde ! Merde, merde, merde !

On frappa à la porte de la cuisine. Je laissai échapper un cri, les yeux voilés par les pleurs.

— Je suis désolée, s'excusa Alison alors que je lui ouvrais la porte dans un carillon de clochettes. Je ne voulais pas vous effrayer.

Je n'eus que le temps d'apercevoir un tourbillon de boucles blondes, un short blanc et de longues jambes bronzées avant de détourner la tête.

— Terry, qu'est-ce qui ne va pas ?

— Pourquoi ne m'avez-vous pas dit que vous aviez perdu votre emploi ? demandai-je en m'essuyant les yeux du revers de la main, refusant de la regarder.

Je sentis presque le sang se vider de son visage.

— Quoi ?

— Je suis allée à la galerie, cet après-midi. J'ai parlé à Fern Lorelli.

— Oh !

— Elle m'a dit qu'elle vous avait renvoyée.

Silence.

— Que vous a-t-elle dit d'autre ?

— Pas grand-chose.

— Elle ne vous a pas dit pourquoi ?

J'essuyai les dernières traces de larmes sur mon visage et pivotai pour lui faire face. Elle baissa aussitôt les yeux.

— Elle m'a dit de vous le demander.

Alison hocha la tête, toujours incapable de me regarder en face.

— J'allais vous en parler.

— Mais vous ne l'avez pas fait.

— J'attendais de trouver un autre travail. Je ne voulais pas que vous vous inquiétiez pour le loyer. Ni gâcher Noël.

— Pourquoi vous a-t-elle renvoyée ?

Lentement, Alison leva les yeux vers moi.

— Je n'ai rien à me reprocher, gémit-elle d'un ton implorant. Il manquait de l'argent dans la caisse. Il y avait une erreur dans les comptes… Je vous jure que je n'y suis pour rien.

— Il lui était plus facile de vous virer que d'accuser sa nièce, soupirai-je après un silence et je dus me mordre la langue pour ne pas ajouter que je l'avais prévenue.

— Il ne faut pas vous inquiéter. Honnêtement. J'ai assez d'argent.

— Ce n'est pas ça qui m'ennuie.

— Alors c'est quoi ? Moi ? Il ne faut pas, enchaîna-t-elle sans me laisser le temps de placer un mot. Je suis désolée de ne pas vous l'avoir dit. Je ne vous mentirai jamais plus, je vous le promets. Je vous en prie, ne soyez pas fâchée contre moi.

— Je ne suis pas fâchée.

— Vous êtes sûre ?

Je hochai la tête en m'apercevant que c'était vrai, que, si j'étais en colère contre quelqu'un, c'était contre moi-même et ma propre stupidité.

— J'ai une idée !

Elle courut au salon et je l'entendis fourrager sous le sapin dans la pièce à côté. Elle revint avec un paquet enveloppé sommairement et me le tendit.

— Comme, de toute façon, nous ouvrirons nos cadeaux en avance, autant commencer tout de suite. Ne faites pas attention à l'emballage. Dire que j'ai pris des cours ! Ça ne se voit pas, n'est-ce pas ? Allez-y. Ouvrez-le. Ça vous remontera le moral.

— Qu'est-ce que c'est ?

— Ouvrez-le.

Je déchirai le papier et découvris une boîte en carton. Je soulevai le couvercle. De grands yeux sombres me dévisageaient sous une couche de plastique à bulles. Lentement, avec précaution, je dégageai un vase. La blonde dame de porcelaine arborait une coiffure élaborée ainsi qu'un foulard bleu noué autour du cou et de faux diamants collés aux oreilles.

— Elle est magnifique. Où l'avez-vous dénichée ?

— Au marché aux puces de Woolbright. Je la trouve absolument géniale. Bon, je sais que pour vous ce ne sont que des vieilleries, mais je n'ai pas pu résister quand je l'ai vue. Et j'ai pensé que c'était peut-être un signe.

— Un signe ?

— Oui, le signe que je devais tomber dessus et que vous deviez l'avoir, dit-elle en détournant les yeux d'un air embarrassé. Oui, quoi, les autres appartenaient à votre mère. Mais celle-ci, eh bien… elle est totalement à vous. C'est votre premier enfant, si l'on peut dire. Elle vous plaît ?

— Beaucoup.

Elle poussa un cri de joie.

— Et vous avez vu ? Elle est comme neuve. Regardez ses cils.

— Elle est parfaite. (Je fis tourner la tête entre mes mains.) Merci.

— Vous vous sentez mieux ?

— Oui, vraiment.

— Où allez-vous la mettre ? Elle examina les cinq étagères déjà bien remplies.

— Celle-là est spéciale. Je crois que je vais la garder dans ma chambre.

Alison rayonna de joie, comme si je lui avais fait le plus beau des compliments.

— Bon, eh bien, on se dit à plus tard ?

— À plus tard, répondis-je tandis qu'elle refermait la porte dans un tintement de clochettes.

Je m'avançai vers la salle à manger et souris en voyant les branches de gui et de pin étalées sur le buffet, le père Noël joufflu qui trônait au milieu de la table et le renne en papier mâché appuyé contre le mur.

Le salon était décoré lui aussi : d'autres pères Noël, d'autres rennes et au moins une douzaine de lutins. Il ne restait plus un espace libre. Sans oublier le grand sapin bien touffu qui sentait la forêt, ses branches couvertes de nœuds roses et de petites lumières blanches, et le monceau de cadeaux étalés à ses pieds. Sa simple vue suffit à me remonter le moral. Et, tout cela, je le devais à Alison, pensai-je en serrant le vase dans mes bras comme si c'était vraiment mon premier-né.

Alison était un véritable miracle de Noël, décrétai-je.

Alors, qu'est-ce que je faisais à me lamenter pour un type qui m'avait posé un lapin ? J'avais tant de choses pour lesquelles je pouvais rendre grâces.

Nommez-en trois, entendis-je Alison m'exhorter.

Ma santé, répondis-je par réflexe et un bougonnement m'échappa. Le stupéfiant réveil de Sheena O'Connor. Mon Dieu, elle m'avait même entendue chanter ! Alison, ajoutai-je dans un chuchotement. Alison, répétai-je d'une voix plus forte, plus assurée.

Je contemplai la tête de porcelaine, le cœur rempli de remords. Je ne valais pas mieux que Fern Lorelli. Alison m'avait servi d'exutoire, je m'étais défoulée sur elle de la colère et de la rancœur que j'avais contre Josh.

Comment avais-je pu la laisser partir sans rien lui offrir en retour ? Je me penchai sous l'arbre et choisis un petit paquet enveloppé de papier argenté. Puis je revins à la cuisine, posai le vase sur la table, près de la salière et de la poivrière en pères Noël qu'Alison avait achetées à Target. Le tintement des clochettes m'accompagna pendant que je traversais la petite pelouse jusqu'à la porte de son pavillon.

Les paroles me parvinrent au moment où je m'apprêtais à frapper.

— Je t'ai dit de me laisser faire, fulminait Alison.

— Je suis juste venu t'aider.

— Je n'ai pas besoin de toi. Je sais ce que je fais.

— Depuis quand ?

Je voulus repartir mais j'accrochai de l'épaule les clochettes pendues au heurtoir en bronze. Presque aussitôt, la porte s'ouvrit et Alison me dévisagea d'un air étonné.

— Terry !

Instinctivement, je lui tendis le paquet.

— Je voulais vous donner ça.

— Oh, que c'est gentil ! (Elle jeta un regard inquiet vers l'intérieur du pavillon.) Il ne fallait pas.

— Je sais, mais j'ai pensé… Vous avez du monde ?

Il y eut un silence gêné pendant qu'un beau jeune homme se matérialisait derrière elle, comme par magie. Il mesurait quelques centimètres de plus qu'elle, avait le teint clair, les cheveux bruns et bouclés et le regard inquiétant d'un chat siamois. Son t-shirt noir moulant soulignait son torse musclé.

— Ce n'est que moi, dit-il en souriant.

Il passa devant Alison et me tendit la main.

— Terry. (Alison baissa les yeux. C'était la seconde fois, cet après-midi, qu'elle évitait mon regard.) Terry, je vous présente Lance Palmay. Mon frère.

12.

— Ravi de vous rencontrer.

La douceur de sa poignée de main me prit au dépourvu.

— Je l'avais appelé après Thanksgiving, vous vous souvenez ?

Je hochai la tête en me remémorant les bribes de conversation que j'avais surprises le matin où j'étais si malade.

Tout se passe comme prévu. Fais-moi confiance. Je sais ce que je fais.

— Lance est venu voir comment je m'en sortais.

— Et j'ai l'impression qu'elle s'en sort à merveille, déclara-t-il.

— C'est pour ça que j'étais allée chez vous tout à l'heure, pour vous parler de lui, commença Alison en m'invitant à entrer d'un geste de la main. Mais la conversation a dévié…

Je ne sais pas ce que je m'attendais à voir en franchissant le seuil : la pièce transformée en atelier du père Noël ou la reconstitution du pôle Nord ? Or, curieusement, le pavillon était à peine décoré : une grosse bougie rouge entourée de quelques branches de gui sur la table basse, un adorable petit père Noël à plat ventre sur le fauteuil à bascule. C'était tout.

— Voulez-vous boire quelque chose de frais ?

Je secouai la tête tandis que Lance se laissait tomber sur la bergère à fleurs. Sa décontraction me déplut, et je dissimulai cette impression défavorable d'un raclement de gorge.

— Quand êtes-vous arrivé ?

— Mon avion s'est posé à Fort Lauderdale vers midi et demi. (Il sourit à Alison.) J'ai loué une voiture à l'aéroport. Je n'ai pas lésiné : une grosse Lincoln blanche. Elle est garée dans la rue. Vous avez dû la voir. Et j'ai surpris cette grosse paresseuse au saut du lit.

Alison plissa les yeux et rentra la tête dans les épaules.

— Où êtes-vous descendu ? demandai-je.

Ils échangèrent un regard ennuyé.

— Nous en parlions justement, commença Alison.

— Je pensais passer deux ou trois jours ici, déclara Lance comme si la question était déjà réglée.

— Ici ? répétai-je, ne sachant que dire d'autre.

— Bien sûr, si vous avez la moindre objection..., s'empressa d'intervenir Alison.

— Je ne vois pas où est le problème, dit Lance en me regardant droit dans les yeux.

— Mais où dormirez-vous ?

Le canapé était bien trop petit pour les jambes d'un ancien joueur de basket, et le grand lit trop étroit pour qu'un frère et une sœur puissent y dormir confortablement.

— Ce fauteuil fera parfaitement l'affaire, dit-il en tapotant l'énorme dossier. Et je peux toujours mettre un oreiller par terre.

— Ça ne vous ennuie vraiment pas ? insista Alison. Parce que, sinon, il peut trouver un motel.

— À cette période de l'année ? Sans réservation ? N'y comptez pas !

— Je ne voudrais pas vous contrarier, dit Alison.

— Non, surtout pas, renchérit Lance. Si cela vous ennuie que je reste ici...

— Mais c'est de votre confort que je me soucie !

— Ne vous inquiétez pas pour moi.

— Je vous paierai un supplément, proposa Alison.

— Ne dites pas de bêtises. Le problème n'est pas là.

— Terry a eu des ennuis avec sa précédente locataire.

— Comment ça ?

— C'est trop long à raconter. (Je haussai les épaules.) Eh bien, c'est d'accord. Deux ou trois jours, avez-vous dit ?

— Absolument, acquiesça Alison.

— Jusqu'à Noël... ou le Nouvel An, au maximum, dit son frère, transformant sans vergogne les trois jours en dix.

— Eh bien...

— Je peux ouvrir mon cadeau maintenant ? demanda Alison d'une voix impatiente.

Sans attendre ma réponse, elle déchira le papier argenté et écarquilla les yeux de plaisir.

— Un portefeuille ! Oh ! il est super-chouette. J'en avais justement besoin. Comment avez-vous deviné ?

J'éclatai de rire en revoyant les billets qui tombaient toujours de son sac.

— Nous sommes vraiment sur la même longueur d'onde, vous ne trouvez pas ? (Elle caressa le cuir miel.) C'est stupéfiant, non ?

— Il est très beau, dit Lance. En tout cas, Terry est une femme de goût.

Se moquait-il de moi ? Je n'aurais su le dire.

— Je dois y aller, dis-je en me tournant vers la porte.

— Vous venez dîner avec nous, n'est-ce pas ? demanda Alison.

— Non. Je n'ai pas très faim. Allez-y tous les deux, retrouvez-vous.

— D'accord, mais à une condition : vous promettez de passer la journée de demain avec nous.

— Demain ?

— Je sais que vous ne travaillez pas et je voudrais faire visiter Delray à Lance.

— Vous n'avez pas besoin de moi pour ça.

— Si. Je vous en prie. Ce ne sera pas pareil sans vous.

— Vous savez bien que c'est inutile de discuter, dit Lance en riant.

Il avait raison et nous le savions tous.

— Venez. S'il vous plaît. Ce sera tellement sympa. Je vous en prie. Dites au moins que vous allez réfléchir.

— Je vais réfléchir.

Évidemment, je finis par accepter. Je n'avais pas le choix. Inutile de souligner que je me montrais d'une dangereuse naïveté et que je ne demandais qu'à croire que tout irait bien et qu'Alison et son frère étaient bien ce qu'ils prétendaient. Je continuai à étouffer mes doutes et me persuadai que les raisons invoquées par Alison pour me cacher son renvoi étaient sincères et qu'elle n'était en rien responsable du trou dans la caisse de la galerie.

Et la conversation que j'avais surprise en arrivant au pavillon ?

Je t'ai dit de me laisser faire.

De quoi s'agissait-il ?

Je suis juste venu t'aider.

Je n'ai pas besoin de toi. Je sais ce que je fais.

Qu'est-ce que ça voulait dire ?

Rien, me rassurai-je ce soir-là. Leurs propos pouvaient se rapporter à n'importe quoi. Il fallait être paranoïaque pour imaginer que j'étais concernée. Je n'étais pas le centre du monde, comme aurait dit ma mère.

Mais qu'est-ce que ça voulait dire ?

J'étais trop fatiguée pour chercher. Et, franchement, ça ne m'intéressait pas. Je refusais de croire qu'Alison pût être autre chose que cet être libre et rayonnant qui avait magiquement transformé mon existence. Pourquoi lui attribuer des intentions quelconques ou imaginer qu'elle tramait quoi que ce soit contre moi ? Pourquoi vouloir que la visite de son frère ne soit pas aussi inopinée et spontanée qu'ils le prétendaient ?

Je décidai donc sciemment d'ignorer la sonnette d'alarme qui carillonnait dans ma tête, comme les clochettes pendues à nos portes par Alison. J'étouffai mes pressentiments en me disant que Lance Palmay serait reparti dans quelques jours, furieuse de me découvrir aussi méfiante, aussi coincée. Puis je me fis une tasse de thé que j'emportai au salon où je me lovai dans le canapé avec un nouveau livre, dans la chaude lumière des guirlandes de l'arbre de Noël dont l'odeur se mêlait à celle du laurier-rose. Je bus une gorgée, lus quelques pages sans pouvoir fixer mon attention, les relus en me concentrant davantage, ce qui finit par m'endormir. Le livre me glissa des mains tandis que de vieux fantômes surgissaient de l'obscurité et que des voix lointaines venaient chuchoter à mes oreilles.

Je rêvai que Roger Stillman me pelotait sur la banquette arrière de sa voiture. Avec des grognements de plus en plus forts, il baissait triomphalement mon slip sur mes cuisses et montait sur moi.

— Tu as mis un préservatif ? m'inquiétais-je, lorsqu'une douleur fulgurante me transperça pendant qu'il me pénétrait brutalement. Je poussai un hurlement et rouvris les yeux, que j'avais gardés fermés depuis le début, pour découvrir qu'un policier nous regardait par la vitre de la voiture, nous éclairant sans vergogne avec sa torche. Je criai de plus belle mais Roger continuait à s'acharner sur moi, comme un chien importun s'excitant sur une jambe. J'aurais pu être n'importe qui, n'importe quelle jambe, réalisai-je en le repoussant tandis qu'il prenait tout naturellement l'apparence de Lance Palmay, le frère d'Alison.

— Voulez-vous descendre de cette voiture, s'il vous plaît ? ordonnait le policier et Roger/Lance obéissait en souriant.

Je me rhabillais précipitamment en rabattant ma jupe sur mes jambes, le slip encore aux genoux, mais le policier prenait la place de Roger et s'allongeait sur moi, sa torche braquée sur mes yeux pour m'empêcher de voir son visage, son gros pénis tendu vers ma bouche.

— Tu as été très vilaine, me disait-il avec la voix de baryton rassurante de Josh Wylie. Je le dirai à ta mère.

— Je vous en prie, ne faites pas ça, le suppliai-je tandis que son organe monstrueux me forçait les lèvres. Je vous en prie, ne le dites pas à ma mère.

— Me dire quoi ? demandait ma mère en se matérialisant subitement sur la banquette à côté de moi.

Du coup, je me réveillai.

— Eh bien, quel cauchemar ! marmonnai-je, le cœur battant en contemplant autour de moi la pièce plongée dans l'obscurité, seulement éclairée par les lumières clignotantes du sapin. Je regardai ma montre et m'aperçus que je dormais depuis plusieurs heures, et qu'en conséquence je ne fermerais sans doute pas l'œil de la nuit. Je renversai la tête en arrière, la laissai paresseusement rouler d'une épaule à l'autre et attendis que mon cœur reprenne un rythme normal. Je m'aperçus, avec autant de honte que de stupeur, que mon rêve, tout tordu qu'il était, m'avait excitée. Et cela malgré la présence de ma mère.

Ou peut-être à cause d'elle.

Je n'en revenais pas de l'irruption de Roger Stillman dans mon cauchemar. Je ne me souvenais pas d'avoir jamais rêvé de lui, même au plus fort de ce qu'il paraît difficile d'appeler notre relation. Et quel lien avait-il avec le frère d'Alison ? D'accord, ils étaient tous deux grands et séduisants, et alors ? Mon subconscient avait visiblement détecté une connexion plus profonde qui m'échappait.

J'essuyai un filet de sueur sur mon cou, me massai les épaules, glissai ma main sur mon sein comme Roger Stillman l'avait fait. Mes mamelons se durcirent au souvenir de ses doigts passant sous mon chemisier pour détacher l'agrafe sur le devant de mon soutien-gorge. Je sentis mes seins nus frémir dans ses mains impatientes, je me souvins de la façon dont il m'avait pétrie, tout en suçant mes tétons avec avidité, aussi férocement qu'un bébé affamé.

Et aussi du dégoût à peine dissimulé de ma mère devant les transformations de mon corps, comme si le développement de ma poitrine était un acte délibéré de rébellion de ma part, une chose dont j'aurais dû avoir honte.

— Va-t'en, maman, chuchotai-je en me rallongeant sur le canapé. Je me rappelai le mal qu'avait eu Roger à baisser la fermeture Éclair de mon pantalon avant de pouvoir glisser la main dans mon slip. Je pensai aux mains de Josh, imaginai ses doigts à la place de ceux de Roger et les sentis danser sur mes replis les plus intimes avant de s'enfoncer en moi.

Je poussai un cri, mes propres doigts étaient incapables d'apporter à mon corps le soulagement dont il avait besoin. Je me retournai sur le ventre, m'écrasai contre le bord anguleux du canapé, et étouffai mes gémissements embarrassés dans les coussins, tandis que mon corps était parcouru de convulsions.

Aussitôt je sentis l'opprobre de ma mère s'abattre sur moi.

Je me relevai et regardai autour de moi, m'attendant presque à la voir assise sur l'un des fauteuils, à me toiser comme dans mon rêve. Mais, heureusement, aucun fantôme ne hantait la pièce.

Je m'approchai de la fenêtre. Mon regard se posa sur les grandes palmes qui dansaient dans la lueur du réverbère. J'appuyai ma tête contre la vitre en serrant les mains derrière mon dos. J'aperçus un mouvement de l'autre côté de la rue et une ombre là où il n'y avait rien, une seconde auparavant. Y avait-il quelqu'un ? Doux Jésus, m'aurait-on vue ?

Il y a toujours quelqu'un pour te voir, affirma ma mère tandis que je me précipitais vers la porte d'entrée, l'ouvrais à toute volée et scrutais la nuit.

Bettye McCoy et ses deux horribles chiens tournaient le coin de la rue. Ils venaient vers moi, sans se douter de ma présence sur le seuil obscur. Elle portait un jean moulant, un pull rouge court, avec des hauts talons assortis. Un bandeau rouge retenait ses épais cheveux blonds. Une Alice au pays des merveilles vieillissante retouchée par la chirurgie esthétique, pensai-je avec cruauté, en écoutant ses talons claquer sur le trottoir. Comme d'habitude, ses chiens s'arrêtaient toutes les deux secondes pour renifler le moindre buisson et marquer leur territoire. Soudain, l'un des affreux cabots tourna sur lui-même, leva le derrière et abandonna au beau milieu de mon allée des témoignages peu ragoûtants de son passage. Au lieu de les ramasser, Bettye McCoy remit son sac en plastique dans la poche de son jean, avec un petit sourire satisfait.

Je réagis sans réfléchir.

— Excusez-moi ! criai-je en courant me planter devant les excréments. Excusez-moi ! insistai-je d'une voix plus forte, voyant qu'elle faisait mine de m'ignorer.

Ses chiens se mirent à aboyer en tirant sur leurs laisses.

— Pardon ? (Elle se retourna enfin.) C'est à moi que vous parlez ?

— Vous voyez quelqu'un d'autre ?

— Qu'y a-t-il ? demanda-t-elle en haussant un sourcil dédaigneux.

— Vous pourriez ramasser les crottes de vos chiens.

— Je le fais toujours.

— Pas ce soir, dis-je en pointant du doigt le tas à mes pieds.

— Ce ne sont pas eux qui ont fait ça.

Je n'en croyais pas mes oreilles.

— Qu'est-ce que vous dites ? Je viens de le voir, ajoutai-je en montrant le plus petit des deux chiens, sur le point de suffoquer à force de tirer sur sa laisse.

— Non, ce n'est pas Corky qui a fait ça. Il n'y est pour rien.

— J'étais sur le pas de ma porte. J'ai tout vu.

— Ce n'est pas lui qui a fait ça.

— Écoutez, pourquoi ne pas admettre que c'est lui, ramasser ses crottes et partir ? Ne me prenez pas pour une idiote.

— Mais vous l'êtes ! marmonna-t-elle, suffisamment fort pour que je l'entende.

Je n'en revenais pas.

— Qu'avez-vous dit ?

— J'ai dit que vous étiez idiote, répéta-t-elle sans aucun scrupule. D'abord, vous commencez par chasser le pauvre

Cedric à coups de balai de votre jardin et maintenant vous accusez Corky de faire ses crottes sur votre précieuse allée. Vous savez ce qui vous manque, hein ?

— Je vous écoute.

— Un homme ! Alors trouvez-en un et cessez de harceler mes chiens.

— Ne les laissez pas entrer chez moi ou je les aplatis !

Le ton montait et nos voix résonnaient dans la rue. Du coin de l'œil, je vis Alison arriver à pied avec son frère.

— Terry ! s'écria-t-elle en se précipitant vers moi.

— Que se passe-t-il ? s'enquit Lance.

— Cette femme est folle, cria Bettye McCoy en battant en retraite.

— Elle refuse de ramasser les crottes de son chien.

Je me sentais minable.

— C'est son chien qui a fait ça ? demanda Lance en montrant le petit tas dans lequel il avait failli marcher.

Je hochai la tête et le vis, avec horreur, le ramasser et le jeter, avec une précision stupéfiante, à la tête de Bettye McCoy. Les crottes s'écrasèrent sur sa nuque et restèrent accrochées dans ses cheveux blonds.

Bettye McCoy pila net, ses épaules remontèrent jusqu'à ses oreilles tandis qu'elle faisait volte-face, bouche bée, aussi stupéfaite que moi.

— Vous feriez mieux de fermer la bouche, l'avertit Lance. Ce n'est peut-être pas fini.

— Vous êtes complètement cinglés. Tous autant que vous êtes, bredouilla-t-elle.

Elle recula, trébucha dans les laisses de ses chiens, faillit tomber et fondit en larmes.

Nous la regardâmes s'extirper des laisses, une crotte dégringola le long de son épaule et atterrit sur le bout de sa chaussure rouge. Elle poussa un cri outré, se déchaussa en lançant des coups de pied, prit un chien sous chaque bras et détala sans demander son reste.

— Vous croyez qu'elle va appeler la police ? s'inquiéta Alison.

— Non, elle aura trop peur que cette histoire fasse le tour du quartier.

Je regardai Lance qui souriait comme le fameux chat du Cheshire. Avait-il vraiment pris les crottes à main nue pour les jeter sur ma persécutrice ? Mon héros ! pensai-je en riant.

— Merci.

— Tout le plaisir fut pour moi.

Nous regagnâmes la maison en silence.

— Votre dîner s'est bien passé ?

— C'était beaucoup moins palpitant qu'ici, répondit Alison. Mon Dieu, je ne peux pas vous laisser seule une seconde ! À propos, qu'avez-vous décidé pour demain ?

Je souris avant de finir par éclater de rire.

— À quelle heure venez-vous me prendre ?

13.

Lance frappa à la porte de la cuisine à midi moins dix, le lendemain, tout de noir vêtu. J'étais tout en blanc. Nous avions l'air de deux pions face à face sur un échiquier.

— Je croyais que vous aviez dit onze heures, remarquai-je en essayant de ne pas prendre le ton de ma mère.

— Une panne de réveil, répondit-il sans s'excuser. Vous êtes prête ?

— Où est Alison ?

— Encore au lit. Elle a la migraine.

— Oh, non ! Elle souffre beaucoup ?

— Elle ira mieux dans une heure ou deux.

On ne pouvait pas lui reprocher d'être bavard, songeai-je en le regardant dévorer ma cuisine des yeux.

— Je vais aller la voir.

— Pas la peine. (Il attrapa mon sac en paille sur la table et me le passa au bras.) Elle m'a demandé de vous emmener déjeuner. Elle nous rejoindra dès qu'elle pourra tenir debout.

— Je voudrais quand même la voir avant de partir, protestai-je en me rappelant comme elle avait été malade la dernière fois.

Mais Lance me poussait déjà dans l'allée et m'entraînait vers la rue en me tenant par le coude.

— Elle va se remettre. Cessez de vous inquiéter.

— Ça m'ennuie de la laisser comme ça.

— Allez. Ce sera l'occasion de mieux nous connaître.

Je scrutai la rue plombée de soleil. Les ombres des grands arbres dessinaient des flaques sur la chaussée. Des ondes de chaleur montaient de l'asphalte. Une aigrette se tenait raide comme une statue de sel sur le gazon manucuré d'une maison, un peu plus bas.

— Où allons-nous ?

— Aux Everglades ?

— Quoi !

— Je plaisante. La nature, c'est pas mon truc. Je pensais vous emmener à Elwood's. Nous pourrons y aller à pied sans crainte des serpents.

— N'en soyez pas si sûr.

Elwood's était une ancienne station-service transformée en rendez-vous de motards, spécialisée dans les barbecues et décorée de souvenirs d'Elvis. Elle se trouvait sur Atlantic Avenue, à deux ou trois rues de la galerie Lorelli.

— D'où connaissez-vous ce restaurant ?

— Alison me l'a montré hier soir. Il a l'air sympa.

Je haussai les épaules en me souvenant que, la dernière fois que j'y étais allée, c'était avec Erica Hollander. Je faillis proposer une autre adresse et me ravisai à l'idée que Lance devait être aussi têtu que sa sœur. Ils n'aimaient pas qu'on les contrarie dans cette famille.

— Il fait rarement aussi chaud en décembre, remarquai-je pour passer le temps, tandis que nous avancions côte à côte sous une chape de plomb.

Mais Lance ne m'écoutait pas, son regard scrutait la rue, comme s'il craignait que quelqu'un ne surgisse de derrière les haies soigneusement taillées.

— Vous cherchez quelque chose ?

— C'est quoi comme arbre ? (Il me frôla le nez de son index en m'indiquant un gros palmier planté au milieu du jardin de mon voisin.) On dirait un buisson de pénis.

— Je vous demande pardon !

Lance courut s'agenouiller devant l'arbre en question et me montra les nombreuses protubérances de diverses longueurs qui jaillissaient de son tronc.

— Vous ne trouvez pas qu'on dirait des sexes non circoncis ? Regardez bien !

— Vous êtes fou ! (Je me forçai à examiner l'arbre avec plus d'attention.) Oh, mon Dieu, vous avez raison !

Lance partit d'un tel fou rire que l'aigrette, effrayée, s'envola gracieusement dans le ciel, tel un avion géant en papier.

— La nature n'est-elle pas magnifique ?

— Ça s'appelle un pandanus, murmurai-je.

— Quoi ?

— Vous avez bien entendu.

— Vous vous fichez de moi ?

— Non, je vous assure.

— Un pandanus ?

— Un nom pareil, ça ne s'invente pas.

Lance me reprit par le coude en secouant la tête et me ramena sur le trottoir.

— Venez. Parler de sexe, ça me donne faim.

— Vous auriez vu cette ville il y a vingt ans ! dis-je entre deux bouchées de hamburger. La moitié des magasins étaient fermés, le système scolaire un désastre, et nous avions de gros problèmes de racisme. Le seul commerce florissant, c'était le trafic de drogue.

— Vraiment ? (C'était la première fois que Lance s'intéressait à ce que je disais.) Et, à présent, comment se porte-t-il ? demanda-t-il les yeux fixés sur la rangée de motos garées devant la terrasse où nous étions installés. Enfin, je veux dire, où vont les gens qui s'y intéressent maintenant ?

— En prison, vraisemblablement.

Il me décocha un sourire narquois.

— Vous êtes mignonne. Très mignonne.

À mon tour de sourire. Mignonne n'était pas exactement l'adjectif qui venait à l'idée pour me décrire.

Un homme d'un certain âge, avec une queue de cheval qui lui tombait au milieu du dos, et vêtu d'un gros blouson de cuir noir, se fraya un chemin entre les tables, sa bedaine en avant. Comment pouvait-on porter une veste par une chaleur pareille ?

— Maintenant, bien sûr, la ville a complètement changé.

— Et qu'est-ce qui l'a transformée exactement ?

Je choisis d'être brève.

— L'argent.

— Eh oui, gloussa-t-il, c'est l'argent qui fait tourner le monde.

— Je croyais que c'était l'amour.

— Parce que vous êtes une incurable romantique.

— Moi ?

— Non ?

— Peut-être, admis-je, très gênée par la façon dont il m'observait tout à coup. Oui, je suis sans doute romantique.

— N'oubliez pas incurable.

Il se pencha et écarta quelques cheveux moites de mon front d'un geste doux mais assuré, comme s'il jouait avec la bretelle de mon soutien-gorge.

Je baissai les yeux, sentant encore le bout de ses doigts sur ma peau même après qu'il eut enlevé la main.

— Et vous ?

Il porta une côtelette couverte de sauce à sa bouche et en arracha la chair d'un seul coup de dents.

— Eh bien, répondit-il avec un clin d'œil, j'aime l'argent. Ma réponse vous satisfait ?

Je bus une gorgée de bière et plaquai le verre glacé contre ma gorge, en essayant d'ignorer la sueur qui dégoulinait dans le profond décolleté de mon t-shirt.

— Waouh ! Vous avez vu ces beautés ! (Deux motos noires avec de hauts guidons et qui brillaient de tous leurs chromes venaient de s'arrêter devant le restaurant.) Vous ne les trouvez pas magnifiques ?

— Ce sont des Harley-Davidson ? m'enquis-je, énonçant la seule marque que je connaissais, faisant mine de m'y m'intéresser.

— Non, des Yamaha Virago 750.

Il ponctua sa phrase d'un sifflement admiratif.

— Vous avez l'air de vous y connaître.

— Un peu.

Il porta une nouvelle côtelette à ses lèvres et la mangea avec lenteur.

Alison aurait terminé l'assiette depuis longtemps, pensai-je soudain.

— Nous devrions appeler Alison pour prendre de ses nouvelles.

— Elle connaît mon numéro.

Lance tapota son portable posé sur la table devant lui.

— Ça fait déjà plus d'une heure.

— Elle nous appellera.

Je me frottai le bas de la nuque et la sueur me couvrit les doigts comme du vernis.

— Vos parents ne se font pas de soucis à son sujet ?

Il haussa les épaules.

— Non. Ils savent à quoi s'attendre, depuis le temps.

— Mais encore ?

— Elle n'en fait jamais qu'à sa tête. Inutile de discuter. Inutile de se mettre en colère contre elle.

— Vous vous êtes pourtant senti suffisamment inquiet pour venir jusqu'ici.

— Je voulais juste m'assurer qu'elle allait bien. Enfin, quoi, elle est partie en Floride sans y connaître âme qui vive…

— Si, son amie Rita Bishop.

— Qui ça ?

— Rita Bishop.

Était-ce bien ce nom-là ? Je n'en étais plus certaine.

Il me parut perplexe, quoiqu'il cherchât à le cacher en mordant dans une nouvelle côtelette.

— Ah, oui ! Rita. Qu'est-ce qu'elle devient ?

Je m'aperçus que j'avais complètement oublié de me renseigner auprès du service du personnel.

— Je ne sais pas. Alison a perdu sa trace.

— Ça ne m'étonne pas. Qu'il fait chaud ! soupira-t-il comme s'il prenait seulement conscience de la température.

— En tout cas, c'est très gentil de vous préoccuper de votre sœur. J'ignorais que vous étiez si proches.

— Assez pour m'inquiéter, fit-il en haussant une fois de plus les épaules. Que voulez-vous ? Je suis probablement romantique, moi aussi.

Je ne pus m'empêcher de sourire. Je lui savais gré de se soucier de sa sœur.

— Vous avez eu de la chance de pouvoir prendre des vacances.

— Ça ne pose aucun problème quand on travaille à son compte.

— Que faites-vous ? Je ne me souvenais plus si Alison avait mentionné son métier.

Il parut surpris de ma question. Il toussa et passa une main dans ses cheveux.

— Je suis analyste en informatique, répondit-il d'une voix si basse que je faillis ne pas l'entendre.

Ce fut à mon tour d'être surprise.

— Ils enseignent ce genre de chose à Brown ?

— Brown ?

— Alison m'a dit que vous en étiez sorti avec la mention très bien.

Il rit et toussa à nouveau.

— Il y a si longtemps. Tant d'eau a coulé sous les ponts depuis.

Il souleva sa chope devant son visage, la vida et pivota sur son siège à la recherche du serveur.

— Vous en prenez une autre ?

La mienne était encore à moitié pleine.

— Ça va pour le moment.

— Une autre pression ! lança-t-il au serveur chauve, couvert de tatouages, appuyé contre le mur du restaurant.

Il avait écrit en grosses lettres bleues sur le bras droit JE N'AI PEUR et DE PERSONNE sur le gauche. Charmant ! Mon regard fut ensuite attiré par un homme qui sirotait une bière à une petite table ronde, en retrait, un bandana rouge autour du front qui me fit penser à un bandage ensanglanté. Je le regardai gratter sa barbe hirsute de ses longs doigts calleux avec la désagréable impression de l'avoir déjà vu quelque part, lorsque je m'aperçus que lui aussi me dévisageait.

— Comment est votre hamburger ? demanda Lance, en chassant d'un geste un insecte qui lui tournait autour du visage.

— Bon.

— C'est tout ? Mes côtelettes étaient fantastiques. Je vais en commander d'autres.

— Vous êtes sérieux ? demandai-je en contemplant son assiette vide.

— Je ne plaisante jamais avec ce que je mets dans ma bouche.

Il enleva d'un petit coup de langue un reste de sauce sur sa lèvre supérieure.

Flirtait-il avec moi ? Ou la chaleur finissait-elle par me monter à la tête ? *Tu aurais dû prendre un chapeau,* me murmura ma mère.

Je détournai les yeux et mon regard revint sur l'homme au bandana. Il pencha la tête de côté, leva son verre de bière et me porta un toast silencieux, comme s'il s'attendait à ce que je le regarde. Où l'avais-je déjà vu ?

— Alors, si vous me disiez un peu ce que vous pensez de ma sœurette ? jeta Lance au moment où le serveur lui apportait sa bière. Il aspira la mousse et la mâcha comme si c'était un aliment solide.

— Je la trouve adorable.

— Elle a un copain en ce moment ?

— Pas à ma connaissance.

— Elle vous a parlé de son ex-mari ?

— Elle m'a juste dit qu'il n'était pas fait pour elle.

Il se mit à rire en secouant la tête.

— Vous n'êtes pas d'accord.

— Il me paraissait plutôt sympa. Enfin, ça m'est difficile de juger. C'est elle qui vivait avec. Mais elle ne sait pas ce qui est bon pour elle, ajouta-t-il, et son visage s'assombrit tandis qu'un nuage passait au-dessus de sa tête.

— Je ne suis pas tout à fait d'accord avec vous.

— Vous la connaissez moins bien que moi.

— Peut-être. (Je décidai de changer de sujet.) Et vous ? Pas de jolie fille en vue ?

— Pas vraiment. (Un petit sourire retroussa lentement ses lèvres.) En fait, j'aurais plutôt un faible pour les femmes plus âgées.

J'éclatai de rire.

— Vous devriez m'accompagner à la clinique un de ces quatre. Je vous présenterai certaines de mes patientes.

Lance renversa la tête en arrière et s'étira le cou, puis il vida la moitié de sa bière d'une traite.

— Vous avez entendu parler de ce type qui chante ici le jeudi soir ? demanda-t-il, comme si c'était le plus naturel des enchaînements.

Je jetai un coup d'œil vers l'entrée du restaurant où l'on voyait la grande silhouette en carton du transformiste qui imitait Elvis, style Las Vegas (grosses rouflaquettes, combinaison blanche à paillettes, pose de karatéka).

— C'est un policier de Delray. Incroyable, non ?

— Et il est bon ?

— Excellent.

J'avais assisté à son spectacle, ici même, avec Erica. J'ouvris la bouche en retrouvant brusquement où j'avais vu l'homme au bandana. C'était avec Erica. Je me retournai aussitôt vers la table qu'il occupait. Il n'était plus là.

— Un problème ?

Lance fit signe au serveur de nous apporter deux bières et une autre assiette de côtelettes. Nous n'étions pas près de nous en aller.

— Excusez-moi une minute !

Je me dirigeai vers les toilettes, au fond du restaurant. J'avais besoin de me passer de l'eau froide sur le visage. La chaleur commençait réellement à m'incommoder.

L'intérieur du restaurant était agréablement sombre et nettement plus frais que la terrasse. Je longeai le bar avec ses tabourets fabriqués à partir des vieux palans de la station. La plupart des gens mangeaient dehors, mais quelques tables en bois entourées de sièges en cuir accueillaient ceux qui préféraient se restaurer sans voir ce qu'ils avaient dans leur assiette. Elwood's était affectueusement surnommé « La Maison des cochons ». En croisant un autre motard ventru, je me demandai si c'était en référence à sa carte ou à sa clientèle.

Je passai quelques minutes dans les toilettes à essayer de me convaincre que seule la chaleur, jointe à mon imagination fertile, pouvait me porter à croire que je connaissais l'homme au bandana. Je ne l'avais jamais vu. Et encore moins en compagnie d'Erica Hollander.

Mais j'avais beau vouloir me persuader que j'avais des hallucinations, je savais au fond de moi que je l'avais déjà croisé, et avec Erica, et plus d'une fois. Et pas seulement ici. Une série d'images que j'avais refoulées remontèrent soudain dans mon esprit survolté. Ne l'avais-je pas aperçu à plusieurs reprises sortant du pavillon au petit matin, son bras enroulé autour de la taille de la jeune femme ? N'avais-je pas entendu maintes fois sa moto s'en aller en pleine nuit ? Et, s'il était de retour, cela signifiait-il qu'Erica était revenue, elle aussi ?

Je m'aspergeai le cou d'eau fraîche et me dévisageai dans le miroir crasseux, au-dessus du lavabo. On aurait dit ma mère. Mon Dieu ! Ses traits commençaient à supplanter les miens !

À un détail près. *Inutile d'essayer de me tromper*, me répétait-elle, quand j'étais petite. *Je vois tout. J'ai des yeux derrière la tête.*

Dommage que je n'en aie pas hérité, pensai-je en regagnant la terrasse.

Notre table était vide. Je cherchai Lance.

Ce fut l'homme au bandana rouge que je vis en premier. Il se tenait devant les motos garées le long du trottoir, une main posée sur un guidon, en grande conversation avec Lance. Il lui murmura quelque chose à l'oreille puis monta sur son engin et démarra, avant de me montrer, d'un imperceptible hochement de tête, qu'il avait noté ma présence. Lance ne bougea pas, les poings crispés, aussi immobile que le faux Elvis en carton.

— Que vous voulait-il ? lui demandai-je quand il revint à notre table.

— Qui ça ?

— Le type à moto.

— Comment ça ?

— D'où le connaissez-vous ?

— Je ne le connais pas.

Il cligna des yeux sous le soleil.

— Vous lui parliez.

— Je me lie facilement.

— Ne jouez pas avec moi, Lance.

— Mais où voulez-vous en venir ?

Il se renfonça sur son siège et passa la langue sur sa lèvre inférieure.

— Écoutez, ce type ne me dit rien qui vaille. Il fréquentait ma précédente locataire. Et je crois que c'est lui qui me harcèle au téléphone.

— Vous croyez ? Vous n'en êtes pas sûre ?

Mon trouble avait l'air de l'amuser.

— J'ai des doutes, éludai-je, n'osant me fier, une fois de plus, à mon intuition.

— Désolé, mon ange, j'ai du mal à vous suivre.

— Pourquoi lui parliez-vous ?

— Pourquoi tenez-vous tant à le savoir ?

— De quoi parliez-vous ? insistai-je en haussant le ton.

— Holà ! protesta-t-il d'une voix douce en me caressant le bras. Il ne faut pas vous mettre dans cet état. Je lui ai seulement dit qu'il avait une belle moto. C'est tout. Ça va ?

Je hochai la tête, plus ou moins calmée. Je m'en voulais déjà de cet éclat déplacé.

— Il est temps d'appeler Alison, dit-il en prenant son portable.

14.

Alison nous rejoignit quelques minutes après l'appel de Lance, heureusement débarrassée de sa migraine.

— Ces comprimés que vous m'avez donnés sont miraculeux, me dit-elle à plusieurs reprises, radieuse dans sa robe bleue.

Je la regardai engloutir une assiette de côtelettes et une autre de frites, émerveillée qu'elle pût manger si vite avec tant de grâce. Et surtout que son mal de tête n'eût en rien affecté son appétit. En fait, elle semblait bien plus en forme que moi.

— Ça va ? me demanda-t-elle pendant que Lance réglait l'addition.

— Moi ? Très bien.

— Vous êtes bien silencieuse.

— Terry croit avoir aperçu un type qui sortait avec son ancienne locataire, dit Lance.

— Vraiment ? Qui donc ?

Je secouai la tête.

— J'ai dû me tromper. C'est la chaleur, expliquai-je, pratiquement convaincue de mon erreur.

— Quelle canicule ! (Alison balaya du regard la terrasse encore bondée à trois heures de l'après-midi.) Bon, alors, qu'est-ce qu'on fait ?

Je suggérai de visiter le Morikami Museum et les jardins japonais, deux endroits qui me semblaient à la fois intéressants et reposants, mais Alison déclara que ça ne lui disait rien et Lance répéta que la nature, « c'était pas son truc ». Nous finîmes par opter pour une longue promenade le long de l'Intracoastal Waterway[1]. Puis nous fîmes une balade en bateau sur le Ramblin' Rose II, avant de nous asseoir sur la digue au coucher du soleil afin de regarder le pont s'ouvrir et libérer une flottille de voiliers de rêve en partance pour les Bahamas.

— Vous saviez que les alligators sont extrêmement rapides ? nous demanda inopinément Alison, tandis que nous descendions la Deuxième Avenue, sur le chemin du retour. Si on est poursuivi par un alligator, il faut courir en zigzag, parce qu'il ne se déplace qu'en ligne droite.

— J'y penserai.

— Quelle est la différence entre un alligator et un crocodile ? demanda Lance.

— Les crocos sont plus méchants, répondit Alison avec un adorable sourire. (Elle tendit les bras vers le ciel comme si elle voulait décrocher la pleine lune qui se balançait au-dessus de nos têtes.)

— Je meurs de faim.

— Vous venez de manger.

— Ça remonte à une éternité. Je suis affamée. Si on allait au Boston's ?

— Bonne idée ! dit Lance.

— Allez-y tous les deux. Je suis épuisée.

— Oh ! Terry, vous n'allez pas nous abandonner comme ça !

— Désolée, Alison. Je dois me lever très tôt demain matin. Tout ce qu'il me faut maintenant, c'est une tisane, un bon bain moussant et mon lit.

— Laisse-la rentrer, intercéda doucement Lance.

---

1. Réseau de canaux navigables qui longe tout le littoral américain. *(N.d.T.)*

— Alors, dites-moi si cette journée vous a plu ? En trois mots.

Alison me dévisageait avidement, la lune se reflétait dans son regard d'enfant.

— Oui, oui, oui ! répondis-je du fond du cœur, chassant une fois de plus l'image de l'homme au bandana rouge qui n'avait cessé de hanter mes pensées.

Alison me serra dans ses bras, quelques boucles me chatouillèrent la joue et se glissèrent entre mes lèvres.

— Attention aux alligators, dit-elle en m'embrassant sur le front.

— Et vous, méfiez-vous des crocodiles.

Je les regardai tourner au coin et disparaître dans la nuit. En entendant Alison rire, je me demandai brièvement ce qu'elle pouvait trouver de si drôle.

Quelle différence y a-t-il entre les alligators et les crocodiles ? avait demandé Lance.

Les crocodiles sont plus méchants, avait répondu Alison. Je trouvai ma maison totalement plongée dans l'obscurité. Normalement, je laisse toujours de la lumière mais Lance m'avait enlevée si vite que j'avais oublié. J'avançais avec précaution, les yeux rivés sur le sol au cas où Bettye McCoy serait revenue avec ses satanés chiens, et en zigzaguant au cas où un alligator affamé se serait dangereusement écarté de son territoire.

J'ouvris ma porte avec soulagement, un soulagement sans doute absurde. J'appuyai sur l'interrupteur et parcourus des yeux le canapé, les bergères, le tableau aux pivoines, l'arbre de Noël, les cadeaux et la collection de pères Noël et de rennes qu'Alison avait amoureusement constituée.

— Joyeux Noël, tout le monde ! lançai-je en refermant la porte derrière moi avant de me diriger vers la cuisine. Et joyeux Noël à vous, mesdames ! Soixante-cinq têtes de porcelaine me toisaient d'un regard indifférent. J'espère que vous avez été sages pendant mon absence.

Je remplis la bouilloire d'eau, me fis une tasse de thé à la pêche et au gingembre et la montai à la salle de bains.

Je remplis la baignoire, puis m'enfonçai voluptueusement sous la couche de bulles parfumées au jasmin et appuyai la tête contre l'émail frais.

Je me souvins d'un jour, j'étais toute petite, où ma mère m'avait trouvée dans le bain, en train de rire, les jambes écartées tandis que l'eau clapotait entre mes cuisses. J'avais reçu la fessée la plus monumentale de ma vie, d'autant plus mémorable que j'étais trempée et que j'ignorais la cause de cette correction. J'eus beau supplier ma mère de me dire ce que j'avais fait de mal, elle resta muette. Je sens, aujourd'hui encore, la brûlure de ses mains sur mes fesses nues, ma peau mouillée reflétant et amplifiant ma douleur et mon humiliation. Et surtout je me souviens du bruit des claques qui résonnaient sur mon derrière et ricochaient contre les murs. Il m'arrive encore de les entendre lorsque je ferme les yeux pour m'endormir.

Je chassai ces souvenirs désagréables et me laissai glisser au fond de la baignoire en plongeant la tête sous l'eau. Mes cheveux flottèrent autour de mon visage comme des algues. Immédiatement, un autre souvenir déplaisant défila sous mes paupières : celui de trois petits chatons gris et blanc, que j'avais trouvés abandonnés dans un coin de notre garage, tout galeux et « probablement rongés de vermine » ainsi que l'avait proclamé ma mère avant de me les arracher et de les noyer dans un seau d'eau au fond du jardin.

J'essayai vainement de repousser cette vision alors que l'eau me recouvrait tel un linceul. Que m'arrivait-il ? Pourquoi pensais-je tant à ma mère ces derniers temps ?

Depuis l'arrivée d'Alison, j'avais l'impression qu'elle était revenue s'installer non seulement dans la maison mais aussi dans mon cerveau. Cela devait venir d'Alison, de ses questions et des photos que nous avions regardées ensemble. Depuis, je faisais de drôles de rêves, j'étais assaillie de réminiscences importunes. Il y avait des années que je n'avais plus songé à ces fichus chatons. Pourquoi aujourd'hui, pour l'amour du ciel ? Ne m'étais-je pas réconciliée avec ma mère pendant sa longue et terrible maladie ? Ne m'avait-elle pas suppliée de lui pardonner ? Ne l'avais-je pas fait de bon cœur ?

Elle avait une présence redoutable, mais je serais bien incapable de dire pourquoi. Avec son petit mètre cinquante-huit, on ne pouvait pas dire qu'elle était d'une stature imposante. Son énorme poitrine pigeonnante lui donnait même un air presque comique. Quant à ses traits, ils étaient étonnamment fins et quelconques.

En fait, je crois qu'elle se distinguait par sa façon de se tenir, les épaules droites, raides, la tête haute et fière, si bien que son petit nez retroussé semblait toujours vous toiser avec dédain.

Cette attitude se ressentait dans tous les aspects de sa vie. L'esprit vif, la langue acérée, elle affichait des opinions arrêtées, même sur des sujets auxquels elle ne connaissait rien. J'avais vite compris qu'il était inutile de défendre mon point de vue, seul le sien importait.

Quant à mon père, elle le consultait rarement. S'il avait un avis, il le gardait pour lui. J'avais également très vite appris à ne pas compter sur lui et, sur ce plan-là, il ne m'a jamais déçue. S'il a un jour éprouvé de quelconques regrets, ils sont morts avec lui.

Ma mère était devenue encore plus agressive après le décès de mon père, elle n'arrêtait pas de m'invectiver. *Que tu es bête, ma pauvre fille !* me criait-elle à la moindre étourderie.

Plus tard, bien sûr, lorsque l'âge avait fini par fléchir ses épaules obstinées et que l'infirmité avait adouci ses angles les plus rudes, elle avait perdu de sa morgue, de son assurance, de son venin. Ou peut-être était-elle seulement diminuée. Après son attaque, elle n'avait plus été que l'ombre d'elle-même.

Mais ce qu'elle avait perdu d'un côté, elle l'avait gagné de l'autre : elle était devenue plus tolérante, plus agréable, plus vulnérable. Elle s'était humanisée.

Tu sais que tout ce que j'ai fait, je l'ai fait pour toi, me répétait-elle souvent les derniers mois de sa vie.

— *Bien sûr. Je le sais,* lui répondais-je.

— *Je ne voulais pas être cruelle.*

— *Je sais.*

— *Cela vient de mon éducation. Ma mère était pareille avec moi.*

— *Tu as été une bonne mère,* la rassurais-je.

— *J'ai fait beaucoup d'erreurs.*

— *Nous en faisons tous.*

— *Tu me pardonnes ?*

— *Mais bien sûr.* J'embrassais son front sec et desséché. *Tu es ma mère. Je t'aime.*

— *Je t'aime,* me chuchotait-elle.

Avait-elle réellement prononcé ces trois mots, je n'en suis pas certaine. Peut-être souhaitais-je tellement les entendre que j'ai fini par les imaginer.

Pourquoi revenait-elle me hanter maintenant ?

Je remontai la tête à la surface et sentis les minuscules bulles de savon s'évaporer sur ma peau. Qu'essayait-elle de me dire ? Voulait-elle, morte, m'avertir, me protéger plus qu'elle ne l'avait jamais fait de son vivant ?

Et de quoi ?

J'ouvris la vidange de la baignoire avec les orteils et écoutai l'eau s'écouler dans les canalisations. Je mis quelque temps à prendre conscience d'autres bruits puis à les identifier. C'étaient les clochettes de l'entrée, réalisai-je en entendant la porte s'ouvrir et se refermer, tandis que mon cœur disparaissait dans le siphon avec les dernières bulles.

Il y avait quelqu'un dans la maison.

Je sortis silencieusement de la baignoire, enfilai mon peignoir et m'étirai pour fermer la porte de la salle de bains à clé. Mais il y avait plus d'un an que la serrure était cassée et je ne trouvais pour toute arme qu'un rasoir jetable. J'en aurais ri si je n'avais pas été aussi terrifiée.

— Hou ! hou ! Il y a quelqu'un ? criai-je en sortant dans le couloir. Alison ? C'est vous ? (Je m'avançai vers l'escalier, en laissant des empreintes mouillées sur le plancher.) Alison ? Lance ? C'est vous ?

Rien.

Me serais-je trompée ?

Je jetai un rapide coup d'œil dans les chambres avant de descendre au rez-de-chaussée, m'attendant à chaque pas à ce qu'on me saute dessus. Mais personne ne m'attaqua et rien ne semblait dérangé dans le salon. Tout était à sa place, exactement comme avant.

Je secouai la poignée de la porte d'entrée et soupirai de soulagement en constatant qu'elle était bien fermée à clé.

— Hou ! hou ! appelai-je encore en me dirigeant vers la cuisine. Il y a quelqu'un ?

Mais la pièce était aussi vide que le reste de la maison.

— Voilà que j'ai des hallucinations maintenant, marmonnai-je en posant la main sur la clenche de la porte du jardin. Oh, mon Dieu !

Elle s'ouvrit. Je reculai d'horreur tandis que la chaleur de l'extérieur se ruait dans la cuisine. Je ne devais pas m'affoler. N'avais-je pas vérifié toutes les chambres ?

Vous n'avez pas regardé dans les placards, ni sous les lits, entendis-je Alison me dire.

Que tu es bête, ma pauvre fille ! ajouta ma mère pour faire bonne mesure.

— Les croquemitaines n'existent pas ! leur répondis-je d'une voix forte, décidant que j'avais très bien pu oublier de fermer la porte du jardin à clé avant de quitter la maison.

Je revoyais Lance arriver en retard, prendre mon sac et me pousser dehors. Sans que je pense à laisser la lumière ni à fermer le loquet de la cuisine.

— J'ai oublié de fermer la porte, informai-je la rangée de têtes de femmes. Voilà tout. Et les croquemitaines n'existent pas.

Le téléphone sonna.

— Ne savez-vous pas que c'est imprudent de laisser votre porte ouverte ? demanda une voix avant même que j'aie pu dire allô. N'importe qui aurait pu entrer.

Je tournoyai sur moi-même, ma main glissa sur le comptoir et alla heurter le bloc de couteaux. Je pris le plus gros et le brandis en l'air comme un fanion.

— Qui êtes-vous ?

— Faites de beaux rêves, Terry. Soyez prudente.

— Allô ! Allô ! Merde ! (Je raccrochai violemment le combiné et le repris aussitôt pour composer le 911.)

— Les urgences, me dit une voix de femme après plusieurs minutes d'attente.

— Eh bien, je ne sais pas si c'est une urgence, commençai-je.

— Vous êtes au 911, m'dame. Si c'est pas une urgence, appelez votre commissariat local.

— Eh bien, je ne suis pas sûre que ça les concerne.

— M'dame, c'est urgent ou pas ?

— Non, avouai-je, en laissant retomber mon bras qui tenait le couteau.

— Vous feriez bien d'appeler votre commissariat si vous avez un problème.

— Merci. Je vais le faire.

Mais je n'en fis rien. Que leur dire ? Que je croyais qu'on était entré par effraction chez moi, mais que j'avais oublié de verrouiller ma porte et que rien n'avait disparu ? Que j'avais reçu un appel vaguement inquiétant d'un inconnu qui s'était montré plus attentionné que menaçant. *Ne savez-vous pas que c'est imprudent de laisser votre porte ouverte ? N'importe qui aurait pu entrer.*

Ben voyons ! La police ne se déplacerait pas pour si peu.

Je reposai le combiné sur son socle et m'affalai sur une chaise pour réfléchir. Devais-je néanmoins les appeler, quitte à essuyer leur mépris, ou, pire encore, leur indifférence ? Si seulement j'avais eu quelque chose de plus concret à leur offrir, pour leur prouver qu'ils n'avaient pas simplement affaire à une femme seule, désœuvrée et débordante d'imagination. Si au moins j'avais reconnu la voix au bout du fil.

Je me repassai ses paroles tel un enregistrement. *Faites de beaux rêves. Soyez prudente.* Même si cette voix m'avait paru vaguement familière, je n'aurais su dire si elle appartenait au copain motard d'Erica, que j'avais vu converser avec Lance chez Elwood's. À y bien réfléchir, leur expression sérieuse traduisait plus qu'un intérêt commun pour les motos. Existait-il un lien entre les deux hommes ? Entre Lance et Erica ? Entre Erica et Alison ?

Était-ce une pure coïncidence si ces appels anonymes avaient commencé à l'époque où Alison avait fait son apparition ?

Bon sang, que se passait-il ?

Et soudain je le vis.

Il était debout devant la fenêtre de la cuisine et, le front appuyé contre la vitre, ensanglantait le carreau du rouge de son bandana.

— Oh, mon Dieu !

Et, tout aussi soudainement qu'il était apparu, il s'évanouit, absorbé par la nuit comme par un buvard.

L'avais-je réellement vu ?

Je courus à la fenêtre et scrutai l'obscurité.

Rien.

Personne.

Je fouillai fébrilement le tiroir de la cuisine à la recherche du trousseau de secours du pavillon. *Que tu es bête, ma pauvre fille !* me tança ma mère, et, pour une fois, j'étais bien d'accord avec elle. Mais j'avais besoin de comprendre et seul le journal d'Alison pourrait m'apporter la solution. Je devais avoir encore une demi-heure devant moi avant qu'ils ne reviennent, elle et son frère. Plus de temps qu'il ne m'en fallait si je me dépêchais.

Serrant les clés entre mes doigts, j'ouvris ma porte à toute volée et sortis, pieds nus.

— Tu es folle ou quoi ? Qu'est-ce que tu fais ? marmonnai-je en refermant la porte derrière moi avant de me diriger vers le pavillon, la clé tendue vers la serrure. Soudain, j'entendis un craquement derrière moi.

Je pivotai sur moi-même en poussant un cri.

— Bonsoir ! me dit une voix dans la nuit.

Lentement, presque par magie, un homme se matérialisa dans le fond de mon jardin et s'avança d'un pas délibéré vers un endroit éclairé par la lune. Il était grand, maigre, bien rasé. Pas de barbe négligée, pas de bandana rouge.

— Vous vous souvenez de moi ?

— KC, murmurai-je dans un souffle.

— Le diminutif de Kenneth Charles. Mais personne ne… enfin, vous connaissez la suite.

— Qu'est-ce que vous faites là ?

— Je venais voir Alison.

— Elle n'est pas là.

— Ah bon ! Mais où allez-vous alors ?

Je glissai la clé du pavillon dans la poche de mon peignoir, en espérant qu'il ne l'avait pas vue.

— J'ai cru entendre un bruit. Je venais voir si tout allait bien, répondis-je sans savoir pourquoi je rendais des comptes à ce garçon que je connaissais à peine.

— C'est moi que vous avez dû entendre.

— C'est vous qui venez de m'appeler ? demandai-je plus sèchement que je ne l'aurais voulu.

KC sortit un portable de sa poche et me sourit d'un air désinvolte.

— J'aurais dû ?

— Vous n'avez pas répondu à ma question.

— Non, ce n'est pas moi. (Il plissa les yeux.) Ça ne va pas ?

— Si, si.

— Vous paraissez nerveuse.

— Non. (Je fis semblant de bâiller.) Je suis juste un peu fatiguée. J'ai eu une rude journée.

Je baissai les yeux et m'aperçus que ma robe de chambre s'était ouverte. Je la resserrai rapidement autour de moi en ignorant le rictus qui s'étalait sur le visage de KC.

— Je dirai à Alison que vous êtes passé.

— Si ça ne vous ennuie pas, je crois que je vais l'attendre.

— Comme vous voulez.

Je le laissai planté là.

— Terry !

Je m'arrêtai et me retournai vers lui.

— Je voulais encore vous remercier pour le délicieux repas de Thanksgiving.

— Je suis ravie qu'il vous ait plu.

— De nos jours, il est rare que les gens ouvrent aussi gentiment leur porte à des inconnus.

Ou aussi bêtement, ajouta la voix de ma mère tandis que je sentais la clé du pavillon peser lourdement dans ma poche.

— Ce fut un plaisir pour moi.

Je repartis vers la maison.

— Terry ! m'appela-t-il à nouveau alors que j'entrais chez moi. Soyez prudente !

Je refermai la porte derrière moi.

15.

— Joyeux Noël !

Alison se leva d'un bond au premier coup de minuit en tapant des mains avec une joie enfantine.

— Joyeux Noël !

Lance se pencha et fit tinter son verre de lait de poule contre celui d'Alison, puis contre le mien.

— Que Dieu nous bénisse tous ! ajoutai-je avant de boire une gorgée du liquide épais, et le parfum puissant de la muscade tourbillonna dans mes narines.

La soirée avait été fort agréable, nous avions bien mangé tout en bavardant agréablement. Juste tous les trois. Sans invité inattendu. Sans apparition derrière les vitres. Sans coup de fil indésirable. J'avais interrogé Alison au sujet de KC. Elle prétendait ne pas avoir eu de ses nouvelles depuis Thanksgiving. Je lui racontai notre rencontre.

— C'est bizarre, je me demande ce qu'il voulait, avait-elle répondu en haussant les épaules.

Du coup, j'avais fini par me convaincre que je m'étais fait des idées, et j'avais décidé de ne plus y penser.

— D'où ça vient ? demanda Alison.

— Quoi ?

— Cette phrase que vous venez de dire, « Que Dieu nous bénisse tous », j'ai l'impression de l'avoir déjà entendue quelque part.

— C'est de Charles Dickens. Dans *Les Contes de Noël.*

— C'est vrai, dit Lance. On a vu le film. Tu te souviens ? C'était avec Bill Murray.

— Vous devriez lire le livre.

Lance haussa les épaules.

— Je ne lis pas beaucoup.

— Pourquoi ?

— Ça ne m'intéresse pas.

— Lance a été saturé de lecture à Brown, s'empressa de préciser Alison.

— Et qu'est-ce qui vous intéresse alors ?

Lance jeta un regard à sa sœur avant de se retourner vers moi.

— Vous.

— Moi ?

— Oui, madame. Vous m'intéressez beaucoup.

J'éclatai de rire.

— Vous vous moquez de moi.

— Pas du tout. Je vous trouve fascinante.

Ce fut à mon tour de dévisager Alison. Elle semblait retenir son souffle.

— Et en quoi je vous fascine, exactement ?

— Je ne sais pas, répondit-il en secouant la tête. Que dit-on des eaux dormantes ?

Je retins ma respiration à mon tour.

— Juste qu'il faut s'en méfier.

— Eh bien, moi, j'aimerais être là quand elles se réveilleront.

Il avala une gorgée de lait de poule et, sans me quitter des yeux, lécha lentement la petite moustache que le liquide avait dessinée sur sa lèvre supérieure.

— Je devrais lire davantage, soupira Alison.

— Tu n'as jamais ouvert un livre.

Elle devint aussi rouge que son pull.

— Vous pourriez peut-être me recommander quelques bons bouquins, Terry. Histoire de m'y remettre.

— Bien sûr. Moi non plus, je ne lis pas assez.

— Nous devrions tous lire plus.

— Il y a des tas de choses que nous devrions faire, dit Lance d'un ton lourd de sous-entendus.

— Citez-m'en trois, répondis-je, et Alison sourit, mi-figue, mi-raisin, comme si elle redoutait ce que son frère allait répondre.

— Nous devrions cesser de remettre certaines choses à plus tard.

— Quoi, par exemple ? demandai-je.

— Nous devrions arrêter ce petit jeu, continua-t-il, éludant ma question.

— De quoi parlez-vous ?

Le sourire s'était figé sur les lèvres d'Alison.

— Ou on se décide ou on laisse faire les autres.

Lance finit son verre et jeta sa serviette sur la table comme s'il voulait provoquer sa sœur en duel.

— J'ai du mal à vous suivre.

— Et si on décidait plutôt d'ouvrir les cadeaux ?

Alison se leva d'un bond et courut au salon sans attendre ma réponse. Je la suivis.

— Prenez celui-ci en premier, me dit-elle en me tendant un petit paquet. Ce n'est qu'une babiole. Il vaut mieux commencer par les petites choses et garder les plus importantes pour la fin.

Je déballai avec précaution le papier de soie et découvris un petit bloc de cristal.

— C'est un presse-papiers. Je l'ai trouvé trop joli.

— Il est ravissant. Merci.

Je m'assis par terre à côté d'elle, toujours préoccupée par nos derniers propos. Qu'avaient-ils remis à plus tard ? De quel jeu parlait Lance ?

— Il me plaît vraiment beaucoup, dis-je en caressant les angles du cristal rose.

— C'est vrai ?

— Il est magnifique.

Je me penchai pour prendre une petite boîte carrée, enveloppée de rouge et de vert, et la lui tendis.

— À votre tour.

Elle déchira le papier d'une main impatiente.

— Qu'est-ce que c'est ?

— Ouvrez-le et vous le saurez.

— Que c'est amusant, vous ne trouvez pas ? (Alison débarrassa la boîte de son emballage et souleva le couvercle.) Regarde, Lance ! Regarde ! Du vernis à ongles. En six teintes, toutes plus jolies les unes que les autres !

— J'en ai des palpitations, plaisanta Lance depuis le canapé.

— Milk-shake à la vanille, Folie de mangue, Fleurs des champs... C'est génial !

— Faites-en bon usage.

— Nous referons une séance de soins.

— Alors ça, ça me plairait. Je pourrais venir ? dit Lance.

— Seulement si vous vous laissez peindre les orteils en Folie de mangue, répondis-je.

— Belle dame, je vous abandonne la partie de mon anatomie qui vous plaira. (Il s'arracha du canapé et vint vers nous.) Y aurait-il quelque chose pour moi sous cet arbre ?

Alison se mit à fouiller avec de grands gestes.

— J'ai bien peur que non. Oh, attends ! Je crois voir quelque chose. (Elle sortit une longue boîte enveloppée d'un papier doré.) C'est une chemise de golf, annonça-t-elle sans attendre qu'il ait fini de l'ouvrir. Je l'ai prise en extralarge ; le vendeur m'a dit qu'elle taillait petit. Tu crois qu'elle t'ira ?

— Oui, parfaitement, répondit-il en dépliant la chemise beige et noir devant lui. Qu'en pensez-vous, Terry ?

— Votre sœur a vraiment très bon goût.

— C'est bien la première fois qu'on l'accuse d'une chose pareille, s'esclaffa-t-il.

— Très drôle. Au cas où tu l'ignorerais, ce sont des tees, ajouta Alison en montrant le motif imprimé.

— Il va falloir que je reste ici si je dois me mettre au golf, lança-t-il d'un ton détaché.

Alison baissa les yeux et prit un autre paquet. Elle lut l'étiquette et jeta un regard inquiet à son frère.

— Celui-ci est pour vous, Terry. De la part de Lance ! Tu ne m'avais pas dit que tu avais un cadeau pour Terry !

— Quoi ! Tu me prends vraiment pour un plouc !

J'ouvris le paquet, embarrassée de ne rien avoir à lui offrir, et découvris une longue chemise de nuit en dentelle lilas profondément décolletée.

— Oh ! s'exclama Alison.

— C'est de la soie.

— Elle est ravissante. Mais je ne peux pas accepter un tel cadeau, dis-je de la voix de ma mère.

C'est totalement déplacé, l'entendis-je renchérir.

— Qu'est-ce que vous racontez ! Bien sûr que si ! Et vous devriez l'essayer tout de suite qu'on voie comment elle vous va.

Il glissa les doigts dans la longue fente qui s'ouvrait sur le côté de la chemise de nuit et un frisson me parcourut comme s'il avait passé la main sur ma jambe.

— Vous devriez la garder pour le retour de Josh, dit Alison sans quitter son frère des yeux.

— Josh ? (Il se redressa brusquement.) Je n'avais jamais entendu parler de ce Josh !

— C'est un ami de Terry.

— J'ai comme l'impression qu'il est plus qu'un ami.

— Sa mère est l'une de mes patientes, éludai-je, peu encline à parler de Josh avec le frère d'Alison.

Que pouvait-il faire en ce moment ? Il était trois heures plus tôt en Californie. Il devait être en plein repas de famille, ou peut-être courait-il encore les magasins. Lui manquais-je ? Pensait-il à moi ?

— Et de quoi souffre-t-elle ?

Je m'imaginai Myra Wylie couchée dans son lit d'hôpital.

— De tout, répondis-je tristement.

— Elle a sans doute dépassé sa date de péremption, lâcha Lance en haussant les épaules.

— Quoi ?

— Lance estime qu'on devrait mettre sur les gens un tampon « à consommer de préférence avant telle date », comme sur les produits laitiers.

Je ris malgré moi.

— Vous n'avez jamais envie de débrancher vos malades ?

— Quoi !

— Vous leur rendriez vraiment service dans certains cas. Et à vous aussi, en y réfléchissant.

— Là, je ne vous suis plus du tout.

— Oh, je pensais simplement tout haut. Vous devez finir par vous sentir très proche de ces vieilles bonnes femmes. Est-ce que je me trompe ?

Je hochai la tête en me demandant où il voulait en venir.

— Et certaines ont dû amasser un petit magot. Vous ne devriez avoir aucun mal à vous faire coucher sur leur testament, ou même à vous faire léguer la totalité de leurs biens, vous, l'humble soignante. Ensuite, après un laps de temps décent pour ne pas éveiller les soupçons, il ne vous resterait plus qu'à aider discrètement la nature. Juste une petite bulle d'air dans leur intraveineuse, ou une dose un peu forte de somnifère. Bon sang, ce n'est pas à moi de vous donner des leçons ! C'est vous l'infirmière. Vous savez ce qu'il faut faire, non ?

Je cherchai l'habituel éclair de malice dans son regard, mais il me dévisageait avec autant d'humour et de chaleur qu'un cadavre. Parlait-il sérieusement ?

— Qu'en pensez-vous, Terry, c'est un bon plan, non ?

— Je pense que ce sont les plans de ce genre qui remplissent nos prisons.

— Lance plaisantait, intervint Alison.

— Tu crois ? ricana-t-il.

— L'argent a-t-il réellement tant d'importance à vos yeux ?

— Oui.

— Au point d'envisager la mort d'un de vos congénères.

— Ça dépend.

— Il plaisante, le coupa à nouveau Alison. Ça suffit, Lance. Terry ne comprend pas ce genre d'humour.

— Je crois qu'elle me comprend parfaitement bien.

— C'est à mon tour d'ouvrir un cadeau ! lança Alison en tirant un paquet si violemment qu'elle faillit renverser le sapin. Regardez, c'est de la part de Denise.

— Au fait, où est-elle, en ce moment ? enchaînai-je aussi impatiente qu'elle de changer de conversation.

— Elle passe Noël en famille, dans le Nord. Mais elle reviendra pour le Nouvel An. Tiens, à propos, si on parlait de ce qu'on va faire pour le réveillon ?

— Je travaille ce soir-là.

— Non, ce n'est pas vrai !

— Si, malheureusement.

— Mais c'est le début de la nouvelle année. Je ne peux pas le croire. C'est trop injuste !

— Ouvrez votre paquet, dis-je en riant.

Alison le déballa lentement et nous montra une paire de boucles d'oreilles roses en forme de cœurs. Je me demandai malgré moi si Denise les avait payées ou si elle s'était simplement servie dans le stock de sa tante. Alison ne dit rien. Elle referma la petite boîte en carton et la posa par terre.

— Elles ne vous plaisent pas ?

— Si, elles sont très jolies.

— La pauvre Alison est triste que vous ne passiez pas le réveillon avec nous.

— Je suis déçue, c'est tout.

— Il n'y a pas de quoi. C'est un soir comme les autres, dis-je sans vraiment y croire. (N'avais-je pas été tout aussi désappointée lorsque Josh m'avait annoncé qu'il serait absent ?) Attendez, j'ai oublié de mettre le cadeau de Lance sous l'arbre.

Je me levai d'un bond et courus à la cuisine prendre le sac qui contenait le stylo que j'avais acheté pour Josh. Quelle importance, je lui trouverai un autre cadeau encore plus beau, plus personnel !

— Qu'est-ce qui t'a pris ! entendis-je Alison chuchoter à Lance alors que je revenais au salon.

— Décontracte !

— Qu'est-ce que tu cherches ?

— Je voulais juste la taquiner.

— Ça ne me plaît pas.

— Détends-toi.

— Je te préviens…

— Serait-ce un ultimatum ? Parce que tu sais l'effet que ça me fait, les ultimatums !

— Je l'ai retrouvé ! m'écriai-je afin de les prévenir de mon retour avant d'entrer dans la pièce.

Lance se pencha par-dessus le dossier du sofa et prit le petit paquet que je tenais à la main.

— C'est exactement ce que je voulais, dit-il sans la moindre trace d'ironie lorsqu'il sortit le gros stylo noir de ses couches de papier de soie. Merci, Terry. Je suis très touché.

Il se leva, contourna le canapé et me tendit la main.

Je lui tendis la mienne croyant qu'il allait simplement la serrer en signe de gratitude mais il m'attira à lui et approcha son visage si près du mien que je sentis son haleine dans ma bouche. Je détournai la tête mais il devait avoir anticipé ma réaction car il pivota avec moi et m'embrassa droit sur les lèvres.

— Que faites-vous ? m'écriai-je avec un petit rire forcé tout en m'écartant de lui.

Il me lança un regard surpris comme s'il ne voyait pas de quoi je parlais. Pensait-il que je ne remarquerais rien ?

— Ce stylo est magnifique, dit-il.

— Bon, les copains, nous n'avons pas terminé ! appela Alison. À mon tour.

— C'est toujours ton tour.

Lance reprit sa place sur le canapé.

Alison sortit d'un sac une casquette de base-ball qui portait le logo des Astros de Houston.

— Regardez, c'est un cadeau de KC, dit-elle sans consulter la carte. C'est gentil, non ? (Elle mit la casquette.) Il est passé cet après-midi, expliqua-t-elle, devançant ma question. Il m'a dit qu'il était venu me l'apporter l'autre soir mais que je n'étais pas là.

Je hochai la tête tout en songeant que je ne lui avais pas vu de paquet à la main.

— Que savez-vous de lui ? demandai-je d'un ton qui se voulait détaché.

— Pas grand-chose. Pourquoi ?

— Simple curiosité.

— Il est persuadé qu'il vous est antipathique.

— Il a raison.

— Mais pourquoi ?

— Il ne m'inspire aucune confiance.

— Je le trouve pourtant assez sympa, protesta Lance.

— Moi aussi, renchérit Alison.

— Nommez trois choses qui vous plaisent en lui, la défiai-je.

Elle sourit.

— Réfléchissons. J'aime son accent.

Les inflexions texanes de KC résonnèrent à mes oreilles.

— J'aime ses yeux.

Je détestais son regard, pensai-je en le revoyant se moquer de moi dans l'obscurité, l'autre soir.

— Et son cadeau m'a fait très plaisir.

— Et quelles sont les trois choses qui vous attirent chez moi ? demanda brusquement Lance en se tournant vers moi.

— Je ne suis pas sûre de vous trouver la moindre séduction, rétorquai-je.

Il éclata de rire, pourtant c'était la vérité et il le savait.

— Allons. Réfléchissez bien.

— Je n'en vois aucune.

— Vous n'aurez plus de cadeau tant que vous n'aurez rien trouvé.

— Bon, d'accord. J'ai bien aimé la façon dont vous avez jeté les crottes à la tête de Bettye McCoy.

Il se mit à rire.

— Voulez-vous dire que vous appréciez mon courage ?

— Terry voulait juste dire que tu ne manquais pas de culot, corrigea Alison.

— Et quoi d'autre encore ? continua Lance, ignorant sa sœur.

— Vous avez un goût très sûr en chemises de nuit, reconnus-je et je vis ma mère secouer la tête dans le reflet de la fenêtre.

— Vous voulez dire que vous aimez mon goût, traduisit-il, ses yeux bleus pétillant.

Je secouai la tête, refusant tout commentaire.

— J'aime votre ceinture, conclus-je.

— Vous aimez ma ceinture ?

— Elle est très belle.

Lance Palmay regarda la ceinture noire à grosse boucle d'argent qui lui ceignait la taille.

— Vous aimez ma ceinture ! répéta-t-il avec émerveillement. Vous a-t-on déjà dit que vous étiez une femme vraiment étrange, Terry Painter ?

Nous ouvrîmes les derniers paquets en silence. Un t-shirt que j'offrais à Alison, un album de photos qu'elle m'avait choisi. Des billets de cinéma, une boîte de biscuits au beurre, un réveil de voyage, une paire de mules roses vaporeuses.

— Le dernier, dis-je en me penchant sous le sapin pour extirper un petit paquet orné d'un gros nœud blanc.

— Qu'est-ce que c'est ?

Alison avait l'air presque effrayé de l'ouvrir.

— J'espère que ça vous plaira.

Je la regardai défaire doucement le ruban puis écarter le papier et soulever le couvercle de la boîte.

— Il est grand temps que vous en ayez un bien à vous, dis-je tandis qu'elle soulevait le petit collier en or avec son prénom en pendentif.

Les larmes lui montèrent aux yeux et roulèrent sur ses joues. Sans un mot, elle enleva la chaîne avec le petit cœur et la remplaça par le nouveau bijou.

— Il est magnifique. Je ne l'enlèverai jamais.

Je me mis à rire, mais j'avais les larmes aux yeux, moi aussi.

Alison se leva d'un bond et tira de derrière l'arbre un grand paquet rectangulaire, emballé d'un papier vert foncé.

— C'est pour vous, dit-elle en le posant sur mes genoux.

Avant même de l'ouvrir, je sus ce qu'il contenait.

— C'est trop ! murmurai-je, en contemplant le portrait de la jeune femme au chapeau de soleil sur la plage de sable rose. Beaucoup trop.

— Il vous plaît, n'est-ce pas ?

— Bien sûr qu'il me plaît. Je l'adore. Mais il coûte bien trop cher.

— J'ai eu ma réduction d'employée. C'était avant de me faire renvoyer, bien sûr.

Nous éclatâmes de rire, toutes les deux, mais nous pleurions en même temps.

— Même avec…

— Il n'y a pas de même qui tienne. Il est fait pour ici. (Alison montra l'espace libre au-dessus du canapé.) Lance vous l'accrochera. C'est le roi du bricolage.

— Que veux-tu insinuer ? Que je plante bien mon clou ? demanda Lance en se levant.

— Lance !

Mais je les entendais à peine.

— Jamais personne ne m'a fait un tel cadeau, murmurai-je.

Et quelles que fussent mes réticences, mes questions restées sans réponses et les suspicions qui m'assaillaient encore, elles s'évanouirent à cet instant.

— Moi non plus, dit Alison.

Elle caressa son collier et me tendit les bras.

— Attention, vous deux. Vous allez finir par me rendre jaloux.

Alison me serra dans ses bras à m'étouffer sans s'occuper de lui. Je sentis ses larmes sur mes joues et le battement de son cœur contre le mien. À cet instant, il n'y avait plus de limite définie entre mon corps et le sien.

— Joyeux Noël, Terry, me dit-elle doucement en pleurant.

— Joyeux Noël, Alison.

16.

— Joyeux Noël, lançai-je en poussant la porte de la chambre de Myra Wylie.

Il était à peine huit heures du matin, et Myra était couchée dans son lit, la tête tournée vers la fenêtre. Elle ne bougea pas. Je refermai la porte et m'approchai sur la pointe des pieds, en retenant ma respiration. J'étais déjà venue deux fois, et, l'ayant trouvée profondément endormie, je ne l'avais pas dérangée. Il y avait longtemps qu'elle n'avait pas connu une bonne nuit de sommeil.

Les derniers mois de la vie de ma mère avaient été marqués par une agitation fébrile. Elle passait ses nuits à se retourner dans son lit. Si Noël pouvait apporter un peu de soulagement aux souffrances de Myra, de quel droit l'en aurais-je privée ?

Sauf qu'il y avait quelque chose de différent dans sa posture ce matin, quelque chose d'inquiétant dans l'affaissement de ses épaules sous le drap et dans l'angle de sa tête.

— Myra ?

Je pris son poignet squelettique, en priant le ciel d'y sentir battre son pouls.

— Tout va bien, me rassura-t-elle d'une voix claire mais terne, comme si elle avait été dépouillée de son éclat naturel par un abrasif puissant. Je ne suis pas encore morte.

Lance estime qu'on devrait mettre sur les gens un tampon « à consommer de préférence avant telle date », dit la voix d'Alison dans ma tête.

Je fis le tour du lit pour faire face à la vieille dame et m'aperçus qu'elle avait pleuré.

— Myra, qu'est-ce qui ne va pas ? Il est arrivé quelque chose ? Vous souffrez ? Que se passe-t-il ?

— Tout va bien.

— Allons, je vois bien que ça ne va pas.

Elle haussa les épaules, et ce geste suffit à déclencher une terrible quinte de toux. Je saisis le verre sur la table de chevet, glissai la paille entre les lèvres de la vieille dame et la regardai aspirer le liquide tiède.

— Voulez-vous que j'appelle le médecin ?

Elle secoua la tête sans rien dire.

— Qu'est-ce qui vous tracasse ? Vous pouvez me le dire.

— Je ne suis qu'une vieille idiote, déclara-t-elle en me regardant dans les yeux pour la première fois depuis que j'étais entrée.

Elle voulut sourire mais sa mâchoire se mit à tressauter comme celle d'une poupée de ventriloque.

— Non, pas du tout, protestai-je. (J'écartai doucement quelques mèches clairsemées de son front.) Vous êtes juste un peu triste, c'est tout.

— Je ne suis qu'une vieille idiote.

— Je vous ai apporté un cadeau.

Ses yeux se remplirent d'une joie enfantine. Il n'y a pas d'âge pour aimer les cadeaux, pensai-je en sortant le petit paquet de ma blouse d'infirmière.

Myra se débattit avec le papier et finit par me le rendre.

— Aidez-moi, me dit-elle d'une voix impatiente, et je déballai une paire de chaussettes de Noël d'un vert et d'un rouge éclatants.

— Elles vous garderont les pieds bien au chaud.

Elle porta une main à son cœur, comme si je lui avais offert des diamants.

— Vous voulez bien me les mettre ?

— Avec plaisir. (Je soulevai les draps et sentis ses pieds gelés contre mes paumes.) Qu'en dites-vous ? demandai-je en lui enfilant la première puis la seconde chaussette.

— Merveilleux. Absolument merveilleux.

— Joyeux Noël, Myra.

Une ombre voila son regard.

— Je n'ai rien pour vous.

— Je n'attendais rien.

L'ombre se dissipa aussi vite qu'elle était apparue et ses yeux s'éclairèrent.

— Je dois avoir de l'argent dans mon porte-monnaie, dit-elle en indiquant la table de nuit d'un hochement de tête. Prenez ce que vous voulez et achetez-vous un joli cadeau de ma part.

Vous devez finir par vous sentir très proche de ces vieilles bonnes femmes, me dit la voix de Lance. *Ça ne devrait pas être difficile de vous faire coucher sur leur testament, ou même de vous faire léguer la totalité de leurs biens.*

Il avait raison, réalisai-je brusquement. Ce ne serait pas dur du tout.

Et, une fois que j'aurais leur argent, que devrais-je faire ? S'attendaient-ils à ce que je lègue mes biens à Alison ? C'était ça leur plan ?

Était-ce à moi qu'il pensait en parlant de vieille bonne femme ? Était-ce moi qu'il visait finalement ?

Pourquoi pas ? Je possédais une maison, un pavillon, une assurance-vie.

Ça me paraît un bon plan, dit Lance.

Tout se passe exactement comme prévu, avait dit Alison à son frère, juste après Thanksgiving.

Qu'est-ce qui me prenait ? m'énervai-je brusquement. Où allais-je chercher des idées pareilles ? N'avais-je pas décidé de les bannir définitivement de mon esprit ?

— Terry, dit Myra. Ma chère Terry, que vous arrive-t-il ?

— Je suis désolée, m'excusai-je, revenant instantanément au présent. Vous disiez ?

— Je vous demandais de prendre mon porte-monnaie dans le tiroir.

— Myra, il y a des mois que Josh l'a remporté chez vous. Vous ne vous souvenez pas ?

Elle secoua la tête, ses yeux se remplirent de larmes.

— Josh vous manque, n'est-ce pas ? C'est cela qui vous déprime.

Elle tourna la tête vers l'oreiller.

— À moi aussi, il me manque, avouai-je d'une voix qui se voulait optimiste et enjouée. Mais il va bientôt rentrer.

Elle hocha la tête.

Je regardai ma montre.

— Il n'est que cinq heures du matin en Californie. Je suis sûre qu'il vous téléphonera dès son réveil.

— Il m'a appelée hier soir.

— Il vous a appelée ! Comme c'est gentil ! Comment va-t-il ?

— Bien. Très bien.

Sa voix me parut bizarrement plate, laminée même.

— Myra, vous êtes sûre que ça va ? Vous ne souffrez pas ?

— Non. Vous êtes là. J'ai les pieds au chaud. Que souhaiter de plus ?

— Que diriez-vous d'un morceau de pâte d'amandes ? demandai-je en sortant une minuscule banane de ma poche.

— Oh, j'adore ça ! Comment le saviez-vous ?

— On se reconnaît entre amateurs.

Je déballai la confiserie et la glissai entre ses lèvres. Myra se mit à la grignoter comme un écureuil.

— C'est délicieux. (Elle posa une main tremblante sur mon visage.) Merci, ma chérie.

— Il n'y a pas de quoi.

— Terry...

— Oui ?

Elle se pencha vers mon oreille.

— Vous êtes un amour. Vous êtes la fille que je n'ai pas eue.

Vous êtes un amour, répétai-je en moi-même. *Vous êtes la mère que je n'ai pas eue.*

— Je veux que vous sachiez combien je vous suis reconnaissante de ce que vous faites pour moi.

— Je le sais.

— Je vous aime beaucoup.

— Je vous aime beaucoup, moi aussi, chuchotai-je en noyant mes larmes dans la soie argentée de ses cheveux.

On frappa à la porte et je me retournai, m'attendant presque à voir entrer Josh. Si c'était un film, ai-je alors pensé, Josh Wylie aurait surgi dans la chambre de sa mère le matin de Noël. Et, me voyant debout à son chevet, il se serait aperçu que j'étais l'amour de sa vie et se serait jeté à mes pieds en me suppliant de l'épouser. Mais nous n'étions pas dans un film, et lorsque je me tournai vers la porte, en guise de prince charmant, je ne vis entrer qu'un aide-soignant qui mâchonnait du chewing-gum.

— Oui ?

— Y a un appel pour vous au bureau.

— Pour moi ? Vous êtes sûr ?

— Beverley a dit que c'était important.

Qui pouvait me téléphoner à la clinique un matin de Noël ? Ça ne pouvait être qu'Alison. Lui serait-il arrivé quelque chose ?

— Allez-y, ma chérie, dit Myra. À plus tard.

— Vous êtes sûre que tout va bien ?

— Ça va toujours quand vous êtes là.

— Alors je reviens tout de suite.

Je me précipitai à l'office.

— Sur la deux ! me lança Beverley dès qu'elle me vit. Il a dit que c'était urgent.

Il ? Josh ? M'appelait-il de San Francisco pour me souhaiter un bon Noël et me dire que je lui manquais, qu'il rentrerait plus tôt ? Ou alors, était-ce Lance pour m'annoncer qu'Alison avait eu un accident, qu'elle était gravement blessée ?

— Allô ?

— Joyeux Noël !

— Joyeux Noël à vous ! répondis-je, à la fois déçue que ce ne fût pas Josh et soulagée que ce ne fût pas Lance.

— Erica vous envoie ses amitiés, elle est désolée de ne pas pouvoir être avec vous pendant les fêtes.

— Qui êtes-vous ? criai-je, sans me soucier des gens autour de moi. Ça suffit ! Je ne sais pas à quoi vous jouez mais…

— Terry !

Beverley mit un doigt sur sa bouche. Je raccrochai rageusement.

— Désolée. Je ne voulais pas crier.

— Qui était-ce ?

— Je ne sais pas.

— Comment ça ?

— Ça fait plusieurs coups de fil anonymes que je reçois.

— Je connais !

Beverley hocha la tête d'un air entendu et tapota le bureau de ses doigts grassouillets tout en cherchant la fiche d'un malade. Elle était trois fois divorcée et deux fois trop grosse. Elle avait des cheveux trop courts, trop permanentés et trop décolorés. C'était visiblement une femme portée aux extrêmes, ce qui expliquait peut-être ses trois divorces, mais qui étais-je pour la juger ? Elle m'avait toujours vaguement fait pitié. Je me demandai brusquement si elle n'éprouvait pas la même chose envers moi.

— Après mon premier divorce, mon ex-mari m'appelait cinquante fois par jour. J'ai changé quatre fois de numéro pour des prunes. J'ai dû finir par porter plainte chez les flics pour qu'il arrête.

— Je vais être obligée de faire la même chose.

— C'est encore plus pénible quand on ne sait pas qui c'est. Tu n'as pas la moindre idée ?

Un trio sympathique apparut devant mes yeux, Lance et KC, flanqués de l'homme au bandana rouge.

— Non.

— Dommage. Il a prononcé ton nom avec une telle sensualité. On aurait dit qu'il ronronnait. J'ai cru qu'il y avait quelque chose entre vous. (Elle haussa les épaules et ramena son attention sur la pile de papiers posés devant elle.) C'est sans doute un gamin qui s'amuse à faire des blagues.

— Eh bien, si jamais il rappelle, dis-lui que… je fais confiance à ton imagination.

— Ne t'inquiète pas. Je trouverai.

Je l'entendis rire tandis que je repartais dans le couloir sans but précis. Je me retrouvai devant la porte de Sheena O'Connor. Je glissai un coup d'œil dans sa chambre et vis qu'elle était au téléphone. J'allais repartir lorsqu'elle m'appela.

— Non, attendez. (Elle me fit signe d'entrer.) Venez. J'ai presque terminé.

Pendant qu'elle finissait sa conversation, je fis le tour des nombreux bouquets de fleurs et des poinsettias qui remplissaient la pièce, et les comptai tout en arrosant ceux qui manquaient d'eau. Je m'arrêtai à quinze. *Nous t'aimons, papa et maman. Joyeux Noël, Munchkin ! de la part de tante Kathy et d'oncle Steve. Bravo ! Avec toute ma tendresse, Annie.* Je m'arrêtai devant deux douzaines de roses jaunes à longues tiges en pensant à celles que Josh m'avait envoyées pour Thanksgiving. Peut-être qu'un bouquet m'attendait à la maison.

— On se croirait dans une chambre mortuaire, s'esclaffa Sheena en reposant le récepteur.

Qu'elle était belle ! Ses doux yeux bruns ressortaient sur la blancheur de son teint. Elle avait encore le visage gonflé par les opérations esthétiques mais de ses profondes blessures ne restaient que de fines rides autour de la bouche, et seul un léger renflement permettait de deviner qu'elle avait eu le nez brisé, une imperfection qui me plaisait mais qu'elle détesterait sans doute.

— Je trouve que ça sent très bon, dis-je. Je le pensais sincèrement.

— Moi aussi. C'étaient mes parents, annonça-t-elle avec un geste vers le téléphone. Ils arrivent avec une tonne de cadeaux.

— Ça ne m'étonne pas.

— J'aimerais tant rentrer à la maison.

— Ça ne saurait tarder. Tu vas beaucoup mieux.

— Mais asseyez-vous donc. Parlez-moi. À moins que vous ne soyez débordée.

Je tirai une chaise et me laissai tomber dessus.

— Non, c'est calme.

— Comment se fait-il que vous travailliez aujourd'hui ? Ça n'ennuie pas votre famille ?

— Non, répondis-je, sachant que les détails de ma vie privée ne devaient guère l'intéresser et qu'elle ne me faisait la conversation qu'afin de passer le temps en attendant l'arrivée de ses parents.

— Vous êtes mariée ? me demanda-t-elle en regardant mon annulaire sans alliance.

Je me représentai Josh, ses yeux chaleureux et ses lèvres chaudes. Je sentis sa bouche effleurer la mienne tandis que ses cils caressaient ma joue.

— Oui.

— Et vous avez des enfants, sans doute ?

— Une fille, m'entendis-je répondre et je faillis m'étrangler de surprise. (Que m'arrivait-il ? J'essayais d'imaginer à quoi Alison avait pu ressembler quand elle était petite.) Elle est plus âgée que toi.

— Une fille unique ?

— Oui.

— C'est étonnant. Je vous voyais avec au moins trois enfants.

— Vraiment ! Mais pourquoi ?

— Parce que vous devez être une merveilleuse maman. (Elle me sourit timidement.) Vous vous souvenez de cette berceuse que vous m'avez chantée ? Comment était-ce ?

— *Tou-ra-lou-ra-lou-ra... tou-ra-lou-ra-li...*

— C'est ça. C'était tellement beau. C'est ce qui m'a ramenée à la vie.

— Que ressentais-tu ?

— Pendant mon coma ?

Je hochai la tête.

— J'avais l'impression de dormir. Je ne me souviens de rien de précis. Juste des voix dans le lointain, comme si je rêvais, mais sans aucune image. Et soudain j'ai entendu chanter quelqu'un. C'était vous, ajouta-t-elle avec un sourire. Vous m'avez ramenée à la vie.

— As-tu des souvenirs de ton agression ?

Elle frissonna et le sourire s'effaça de ses lèvres.

— Je suis désolée. Je n'aurais pas dû te poser cette question.

— Non, ce n'est pas grave. La police m'a interrogée des centaines de fois. Je regrette de n'avoir rien pu leur dire. En fait, je ne me souviens de rien. Mes parents étaient sortis et ma sœur était à la plage. Je me rappelle seulement que je me faisais bronzer dans le jardin. J'attendais le coup de fil d'un copain, c'est pour ça que je n'étais pas sortie. J'avais étendu une serviette dans l'herbe et j'étais à plat ventre. Je me souviens que j'avais détaché le haut de mon maillot de bain. Notre jardin est très bien protégé. Je ne pensais pas qu'on pouvait me voir. Je sommeillais presque lorsque j'ai entendu un bruit.

Elle s'arrêta, les yeux fixés sur un énorme poinsettia rouge posé derrière ma tête.

— Quel genre de bruit ?

— Des feuilles qui frissonnaient. Non. Ce n'était pas aussi fort que ça. C'était plus doux.

— Elles chuchotaient, dis-je en baissant la voix.

— Oui ! Exactement. Et ça m'a paru bizarre parce qu'il n'y avait pas le moindre souffle de vent. Et, quand j'ai senti une présence derrière moi, il était trop tard.

— Quelle horreur !

— Pourtant mon instinct m'avait prévenue, mais je ne l'ai pas écouté.

Je hochai la tête. Combien de fois refusons-nous d'écouter notre intuition. Et le chuchotement des feuilles…

— Vous voulez bien chanter encore ? Elle se laissa retomber sur son oreiller et ferma les yeux.

— *Tou-ra-lou-ra-lou-ra…*

— *Tou-ra-lou-ra-li…*

Elle se mit à fredonner avec moi.

— *Tou-ra-lou-ra-lou-ra… tou-ra-lou-ra-li…*

Nos deux voix prirent de l'ampleur. Et, pendant quelques minutes fugaces, je réussis à croire que les feuilles avaient cessé de bruire et que tout allait pour le mieux dans le meilleur des mondes.

17.

— Il a encore appelé, m'annonça Beverley quand je revins au bureau.

Inutile de demander à qui elle faisait allusion.

— Quand ?

Elle lança un rapide coup d'œil à la pendule murale.

— Il y a trois quarts d'heure environ. Je lui ai dit que tu étais morte.

Je ne pus m'empêcher de rire.

— Qu'a-t-il répondu ?

— Qu'il t'aurait plus tard. (Elle haussa les épaules d'un air désabusé.) La période des fêtes a toujours excité les cinglés.

— Tu as raison.

Mais était-ce la bonne explication ?

Mon instinct m'avait prévenue, mais je ne l'ai pas écouté, répéta Sheena à mon oreille, tandis que je me dirigeais vers les ascenseurs comme un automate, et je restai le doigt appuyé sur le bouton jusqu'à ce que les portes s'ouvrent.

L'ascenseur était déjà bien rempli et je dus me glisser entre deux hommes d'un certain âge dont l'un puait l'alcool et l'autre le manque d'hygiène corporelle. Je regardai les portes se refermer et l'appareil entama péniblement sa longue descente.

— Joyeux Noël ! lança l'un des deux hommes et des relents de whisky envahirent l'espace confiné comme un gaz toxique.

Je retins ma respiration et hochai la tête en priant le Ciel qu'on ne s'arrête pas à tous les étages. Hélas, je ne fus pas exaucée et d'autres personnes continuèrent à s'amasser à l'intérieur. L'homme à côté de moi gratifiait chaque nouvel arrivant d'un « Joyeux Noël » et tenta même une révérence. Il perdit l'équilibre, s'affala contre moi, et sa main effleura ma poitrine tandis qu'il essayait de se rattraper.

— Je suis désolé, s'excusa-t-il avec un sourire de demeuré tandis que je refoulai une brusque envie de lui vomir dessus, ne souffrant d'aucun blocage sur ce plan-là, contrairement à Alison.

L'ascenseur atteignit enfin le rez-de-chaussée et rebondit comme s'il était surpris d'arriver entier. Ses portes s'ouvrirent et il expulsa sa cargaison d'un bloc. Une main passa sur mes fesses et je considérai que ce n'était qu'un geste malencontreux, inévitable dans une presse pareille, jusqu'à ce que je sente des doigts progresser vers mon entrejambe. Je repoussai la main d'un geste brutal et fusillai du regard l'ivrogne à côté de moi, au sourire maintenant béat.

— Connard ! lâchai-je entre mes dents.

Une fois dans le couloir, je vidai enfin mes poumons et tentai de chasser le souvenir de ce contact répugnant.

— Terry !

Je me retournai et reconnus une séduisante femme au teint mat, dont le nom me resta sur le bout de la langue.

— Luisa, précisa-t-elle comme si elle avait deviné mon désarroi. Je travaille aux admissions. J'ai cru vous reconnaître quand vous êtes montée dans l'ascenseur mais il y avait tant de monde...

— Et d'odeurs...

Elle éclata de rire.

— Quelle horreur ! Vous travaillez aujourd'hui ?

— Oui. Et vous ?

Elle secoua la tête. Des mèches brunes lui tombèrent sur le front.

— Non. Je suis venue rendre visite à ma grand-mère. Elle est tombée dans la rue, la semaine dernière, et s'est cassé le col du fémur. Une vraie poisse !

— Je suis désolée.

— C'est dur de vieillir.

Je pensai à ma mère, à Myra Wylie, à tous les vieillards malades et impotents qui avaient franchi leur « date de péremption ».

— Enfin, passez un joyeux Noël. Et, si je ne vous revois pas d'ici là, bonne et heureuse année.

— À vous aussi. (Je la regardai s'éloigner.) Luisa ! la rappelai-je brusquement, d'un ton pressant qui nous surprit autant l'une que l'autre.

Elle me jeta un regard intrigué tandis que je la rattrapais en courant.

— Excusez-moi, mais je viens juste de me souvenir que j'avais une question à vous poser.

Elle me regarda et attendit que je poursuive.

— L'une de mes amies recherche une fille qui a travaillé ici. Une certaine Rita Bishop.

Pourquoi m'en soucier maintenant ? Alison ne m'avait-elle pas demandé de laisser tomber ?

Luisa fronça les sourcils.

— Ce nom ne me dit rien du tout.

— Elle est partie il y a six ou sept mois.

— Savez-vous dans quel service elle travaillait ?

— Je crois qu'elle était secrétaire.

— Eh bien, ça fait trois ans que je suis là et je n'ai jamais entendu parler d'une Rita Bishop, mais je peux me tromper. Voulez-vous que je vérifie ?

— Je ne voudrais pas vous déranger.

— Ça ne prendra qu'une minute.

Je suivis Luisa jusqu'à son bureau. Je la regardai déverrouiller sa porte puis allumer les lumières et mettre son ordinateur en marche, et je songeai que j'étais ridicule. Mais ma conversation avec Sheena O'Connor m'avait troublée. *Mon instinct m'avait prévenue,* avait-elle dit et je l'avais chaudement approuvée en constatant que, moi aussi, j'avais étouffé le mien. Et maintenant, il se réveillait à nouveau, bien décidé à ne plus se laisser ignorer.

— J'ai sorti les fichiers du personnel, expliqua Luisa, les yeux fixés sur son écran. Je ne vois personne de ce nom-là. Vous dites qu'elle est partie il y a six ou sept mois.

— Peut-être huit.

— Non, toujours rien. (Elle introduisit de nouvelles informations.) Vous avez bien dit Rita Bishop, n'est-ce pas ?

— Oui.

— Je vois une Sally Pope[1].

— Bien tenté mais c'est raté, gloussai-je.

— Essayons autre chose. (Elle tapota le clavier.) Je lance la recherche dans tous les dossiers.

Je connaissais déjà la réponse. Nous ne découvririons aucune trace de cette Rita Bishop à Mission Care. En fait, il était même fort probable qu'elle n'avait jamais existé. Alison n'était pas venue à la clinique pour trouver une ancienne amie, mais pour me trouver, moi.

C'était la seule explication plausible.

Restait à savoir pourquoi.

— Non, ça ne donne rien. Je ne vois pas ce que je pourrais faire d'autre.

— Ça suffit. Vous vous êtes déjà donné assez de mal.

— Je suis désolée. (Luisa éteignit l'ordinateur.) Il y a, pas très loin d'ici, une maison de retraite qui s'appelle Manor Care. Votre amie a peut-être confondu.

— Peut-être, répondis-je, me raccrochant aussitôt à ce mince espoir pour faire taire mon instinct et le bruissement

1. Jeu de mots entre *Bishop* (évêque) et *Pope* (pape). *(N.d.T.)*

des feuilles, prête à croire qu'Alison était bien celle qu'elle prétendait être et qu'elle ne m'avait jamais menti. Merci d'avoir essayé.

Je proposai à Luisa de la ramener chez elle mais elle avait pris sa voiture et nous nous souhaitâmes une dernière fois un joyeux Noël sur le parking. Dix minutes plus tard, j'étais toujours immobile devant mon volant à essayer de comprendre ce que tout cela signifiait, et surtout ce que j'allais faire maintenant.

Il faisait presque nuit lorsque j'arrivai devant chez moi. La Lincoln blanche de Lance était garée dans la rue et j'hésitai à aller directement au pavillon confondre le frère et la sœur avec mes dernières découvertes. Mais j'étais épuisée, je me sentais trop vulnérable et je savais qu'Alison trouverait, comme d'habitude, une excellente explication. Qu'est-ce qui me chiffonnait ? D'être prise pour une idiote ? Ou de ne pas avoir encore compris à quel jeu nous jouions ?

Une chose était claire : je n'avais pas été choisie comme victime par hasard. J'avais été soigneusement sélectionnée, dans un but précis, même si j'ignorais encore lequel. Alison et son frère avaient consacré beaucoup de temps et d'argent à l'élaboration de leur plan (je pensais en particulier au tableau qu'elle m'avait offert). Mais pourquoi ? Qu'attendaient-ils de moi ? Et, bon sang, que venait faire Erica Hollander dans cette histoire ?

Je sortis de ma voiture et cherchai mes clés au fond de mon sac en me demandant si je ne ferais pas mieux de rappeler la police. Pour leur dire quoi, exactement ? Que j'avais loué le petit pavillon derrière chez moi à une jeune femme que je suspectais d'escroquerie. Ou pire encore.

Et qu'a-t-elle fait pour éveiller vos soupçons ? les entendais-je déjà demander. *Vous a-t-elle demandé de l'argent ? A-t-elle du retard dans son loyer ?*

— Eh bien, non. Elle paie toujours en temps et heure et elle ne m'a jamais rien demandé. Au contraire, elle m'offre des cadeaux coûteux et se met en quatre pour me faire plaisir.

— Je comprends votre méfiance. Vous avez bien fait de nous appeler !

— Vous ne comprenez pas. J'ai peur.

— Peur de quoi exactement ?

— Je ne sais pas.

— Écoutez, madame, vous êtes chez vous. Si cette jeune femme vous déplaît, dites-lui de s'en aller.

Exactement. C'était tellement simple. Il suffisait de lui demander de partir. C'était tout. Pourquoi ne l'avais-je pas fait plus tôt ? Qu'est-ce qui m'avait arrêtée ? Essayais-je de me persuader, contre toute évidence, qu'il y avait une justification à chacun de ses mensonges, qu'elle pouvait tout expliquer ? Voulais-je encore me convaincre qu'il n'existait aucun mobile, aucune conspiration, aucune menace contre moi ?

Je ne peux pas lui demander de partir.

— Pourquoi ?

— Parce que je n'ai pas envie qu'elle s'en aille, avouai-je silencieusement.

C'était son frère dont je voulais me débarrasser et, dans une semaine, il serait parti. Et là ce serait vraiment une bonne et heureuse année ! Nous pourrions reprendre nos habitudes. Et à nouveau prétendre qu'Alison était bien telle que je l'avais crue, au départ.

Soudain, j'eus la vision de Sheena O'Connor allongée sur une couverture, au milieu de ma pelouse. Elle tendit le bras en arrière pour détacher son soutien-gorge et se tourna paresseusement vers la lune impassible. J'entendis la brise dans les arbres et d'imperceptibles chuchotements la prévenir du danger, mais elle les écarta d'un geste nonchalant comme si elle chassait un moustique.

Pouvais-je me permettre d'agir avec autant de désinvolture ?

Je n'avais qu'une solution : parler à Alison. Si elle pouvait me fournir une explication crédible, je considérerais l'affaire classée. Sinon, j'insisterais pour qu'elle s'en aille.

Sans me laisser le temps de changer d'avis, je contournai la maison, fonçai vers le pavillon et frappai impérieusement à sa porte. Je le regrettai aussitôt. Ma démarche était précipitée, irréfléchie, trop naïve. J'aurais dû prévenir quelqu'un de mes intentions. Peut-être pas la police, mais au moins Josh ou une collègue de travail. Seulement Josh était en voyage et mes collègues avaient d'autres chats à fouetter. De plus, c'était Noël. Je pensais à tous les adorables cadeaux que m'avait offerts Alison, au tableau magnifique, au vase tête de femme. Le jour de Noël n'était guère indiqué pour mettre en doute sa sincérité et l'accuser d'ourdir un plan démoniaque.

Démoniaque, l'entendis-je remarquer. *Voilà un joli mot.*

J'aurais bien d'autres occasions de la confronter à la vérité, décidai-je en tournant les talons.

— C'est ouvert ! cria Lance de l'intérieur du pavillon.

Je poussai le battant à contrecœur. Que pouvais-je faire d'autre ? Je refermai derrière moi et embrassai d'un regard le salon vide et le lit défait dans la pièce à l'arrière. *Comme on fait son lit*…, entendis-je ma mère chantonner.

— Que se passe-t-il ? Vous avez oublié votre clé ? demanda Lance en émergeant de la salle de bains, vêtu en tout et pour tout d'une serviette enroulée autour de sa taille mince.

Ses cheveux dégoulinaient. Des gouttes d'eau brillaient sur son torse musclé.

— Oh !

— Oh ! répéta-t-il avec un sourire coquin.

— Je suis désolée. Je ne savais pas que…

— Que quoi ? Que j'étais nu ?

Il fit deux pas vers moi.

Je reculai d'autant.

— Je vous dérange, c'est évident.

— J'ai fini. (Il leva deux bras musclés.) Vous voyez. Je suis tout propre.

Il se tourna, la serviette se souleva, révélant l'intérieur de sa cuisse.

Je fis celle qui n'avait rien vu.

— Alison est là ?

Question idiote, pensai-je en me mordant la langue. Il était évident que non.

— Elle est allée faire un tour.

— Ah bon ?

— Elle avait besoin de prendre l'air.

— Elle va bien ?

— Oui. Pourquoi ?

— Elle n'a pas de migraine ?

Il éclata de rire.

— Elle est en pleine forme. (Il s'avança encore d'un pas vers moi.) Que puis-je faire pour vous ? Voulez-vous que je m'occupe de vous en attendant son retour ?

Je reculai et m'arrêtai contre la poignée de la porte.

— Non, je voulais juste la remercier encore pour la magnifique peinture.

— Je peux venir vous l'accrocher tout de suite, dit-il en glissant un pouce entre la serviette et sa peau.

— Ça peut attendre demain.

— Il vaut mieux faire certaines choses la nuit.

Il passa sa langue sur ses lèvres.

— Il vaut mieux laisser certaines choses à l'imagination, rétorquai-je.

— Et je parie que vous n'en manquez pas.

— Qu'est-ce qui vous fait dire cela ?

Ses yeux descendirent le long de mon pull blanc, ralentirent sur ma poitrine, et glissèrent sur mon pantalon noir, avant de s'arrêter sur mon entrejambe.

— Je vous ai observée.

— Vous m'avez observée, répétai-je, craignant d'en dire plus, pendant qu'un frisson importun me parcourait les cuisses.

— J'essaie de vous comprendre.

Je levai les mains, prise d'une curieuse envie de me joindre à ce petit jeu.

— Je n'ai rien à cacher.

— Vraiment ?

Je hochai la tête ; il vint si près de moi que je sentis l'humidité qui se dégageait de sa peau.

— Aucun secret ?

Je secouai la tête, son haleine m'effleura la joue tel un baiser furtif.

— Je suis sans intérêt, je le crains.

— Que craignez-vous *exactement* ?

J'aurais éclaté de rire s'il ne m'avait pas coincée de la sorte.

— Qu'attendez-vous exactement de moi ? demandai-je d'une voix qui n'était pas la mienne.

— Et vous, qu'attendez-vous de moi ?

Cette fois, mon rire fusa.

— Je n'ai jamais été douée pour ce genre de petit jeu.

— Moi, j'adore. Avez-vous déjà vu un chat jouer avec une souris ? Il finit toujours par la coincer, elle est fichue, mais il n'est pas pressé de la tuer. C'est la phase la moins intéressante, pour lui tout au moins. Il préfère s'amuser.

— C'est ce que vous faites ? Vous jouez avec moi ?

— C'est ce que *vous* faites ? répéta-t-il lentement. *Vous* jouez avec *moi* ?

J'entendis des pas dehors, sentis la poignée tourner dans mon dos. La porte s'ouvrit et me projeta dans les bras de Lance qui, profitant de l'occasion, me saisit la main et la glissa sous sa serviette. Je sentis malgré moi les boucles moites de son pubis et son membre se raidir sous mes doigts. Sans réfléchir, je le giflai à toute volée de ma main libre.

— Ça suffit maintenant ! Je veux que vous partiez d'ici immédiatement !

— Terry !

Alison entra. J'essayai de retrouver mes esprits.

— Que se passe-t-il ? (Elle regarda son frère.) Qu'est-ce qu'il y a ? Qu'est-ce que tu as dit à Terry ? Qu'est-ce que tu as fait ?

— Ce n'est qu'un malentendu.

Il se laissa tomber sur le fauteuil et posa une jambe sur l'accoudoir, révélant à nouveau l'intérieur de sa cuisse. Ma gifle avait laissé une grosse marque rouge sur sa joue.

— N'est-ce pas, Terry ?

— Je disais à votre frère qu'il était grand temps qu'il s'en aille !

L'expression d'Alison vacilla entre l'embarras et la colère tandis qu'elle nous dévisageait l'un après l'autre.

— Quoi qu'il ait fait, permettez-moi de vous présenter des excuses...

— Hé ! la coupa Lance en posant les pieds par terre. Tu n'as pas à t'excuser. Je sortais de la douche quand elle est venue se pavaner devant moi.

— J'ai frappé, corrigeai-je aussitôt. Il m'a dit d'entrer, que la porte était ouverte.

— Garde tes explications, Lance, rétorqua Alison en le fusillant du regard. Quoi que tu aies dit ou fait, je veux que tu présentes tes excuses immédiatement.

— Je n'ai rien à me reprocher.

— Excuse-toi quand même.

Lance lui jeta un regard furieux, mais, le temps de se tourner vers moi, il réussit à prendre une expression dûment contrite.

— Je suis désolé, Terry, dit-il d'un ton convaincu. Je voulais juste plaisanter. Je suis allé trop loin. Je suis sincèrement désolé.

J'acceptai ses excuses d'un hochement de tête.

— Je dois y aller.

— J'aurai débarrassé le plancher dans quelques jours. Ça vous va ? lança-t-il alors que je sortais du pavillon.

J'opinai à nouveau et refermai la porte derrière moi, espérant surprendre la suite de leur conversation, mais ils restèrent silencieux. Je traversai la pelouse d'un pas chancelant. Dans la fraîcheur de la nuit, je m'aperçus que j'avais la peau encore humide d'avoir été serrée de si près. Le bout de mes doigts me picotaient encore au souvenir du frôlement inopportun de son sexe. *Avez-vous déjà vu un chat jouer avec une souris ?* l'entendis-je murmurer à mon oreille.

— Il n'est pas pressé de la tuer, articulai-je à voix haute, tout en entrant dans ma douche, quelques minutes plus tard, pour chasser son odeur.

Il préfère s'amuser.

18.

— La dernière fois que j'ai fait l'amour, c'était la nuit du Nouvel An, commença Myra Wylie, la voix épaissie par l'âge et l'infirmité, tandis que son regard pétillait d'une lueur juvénile.

Je tirai ma chaise plus près de son lit et me penchai vers elle pour ne pas manquer un seul mot.

— C'était il y a dix ans. Steve et moi (Steve, c'était mon mari) avions été invités à une soirée mortelle, un de ces grands tralalas où il y a beaucoup trop de monde et personne ne se connaît, et où les gens boivent trop, rient trop fort et font semblant de s'amuser alors qu'ils s'ennuient comme des rats morts. Vous voyez ce que je veux dire.

J'opinai sans bien savoir de quoi elle parlait. Je n'avais pas eu l'occasion d'assister à ce genre de fête. On ne m'avait jamais invitée à un réveillon de Nouvel An.

— Bref, je n'étais pas de bonne humeur car ça ne me disait rien et Steve le savait, mais la soirée se passait chez l'un de ses anciens associés et nous ne pouvions pas refuser. Vous savez comment c'est.

Je ne savais toujours pas mais acquiesçai néanmoins.

— J'étais donc sur mon trente et un avec une robe du soir toute neuve et Steve s'était mis en smoking. Je le trouvais magnifique dans cette tenue et pourtant je me suis bien gardée de le lui dire. (Son regard soudain mélancolique se remplit de larmes.) Je le regrette maintenant.

Je pris un mouchoir en papier sur la table de chevet et tamponnai doucement ses paupières boursouflées.

— Je suis sûre qu'il l'a deviné.

— Oh, bien sûr. Mais j'aurais dû quand même le lui dire. Ça n'a jamais fait de mal à personne de se sentir aimé.

— Vous êtes donc allés à cette soirée…

— Oui, et elle fut aussi pénible que je l'avais prévu. Nous avons bu trop de champagne et ri de blagues qui n'étaient même pas drôles en faisant semblant de nous amuser comme des fous. À minuit, nous avons hurlé « Bonne année » comme de vieux idiots un peu éméchés que nous étions et nous avons embrassé tout le monde autour de nous. Nous sommes partis peu après. J'étais très angoissée. Un de mes oncles avait été tué par un conducteur en état d'ivresse quand j'étais petite et, comme c'était le soir du réveillon, eh bien…

Une quinte de toux l'interrompit. Je pris le verre sur sa table et le portai à ses lèvres.

— Ce n'est pas du champagne, malheureusement, dis-je en la regardant déglutir péniblement.

— C'est bien meilleur. (Elle but jusqu'à la dernière goutte et se laissa retomber sur ses oreillers.) Je ne devrais pas me mettre dans cet état. C'est sans doute de parler de sexe.

— J'ai dû rater quelque chose, dis-je, et elle éclata de rire.

— Je ne suis pas encore arrivée au passage intéressant. (Elle s'éclaircit la gorge.) Enfin, ne vous attendez pas non plus à un truc extraordinaire.

— Non ?

— Oh, ce n'était pas si mal que ça. Que dit-on du sexe ? Quand c'est bon, c'est vraiment bon, et, quand c'est raté, c'est bon quand même. Vous voyez ce que je veux dire.

J'opinai une fois de plus, bien que ma propre expérience sexuelle ait été, elle aussi, plus ratée qu'autre chose.

— Bref, nous sommes rentrés à la maison assez tard, en tout cas plus tard que d'habitude et nous étions épuisés. Je ne sais pas d'où nous tenions cette idée qu'il fallait absolument faire l'amour le soir du réveillon. Nous n'étions plus des gamins. Bon sang, nous avions plus de soixante-dix ans ! Nous n'allions pas non plus nous quitter le lendemain matin. Et nous n'étions pas en manque après cinquante ans de vie commune ! (Elle s'arrêta.) J'espère que je ne vous mets pas mal à l'aise ?

Je secouai la tête.

— Tant mieux. Ça me fait du bien d'en parler. C'est la première fois que ça m'arrive. Enfin, ouvertement. Vous êtes sûre que ça ne vous ennuie pas ?

— Non, non.

— En général, les jeunes n'aiment pas que les vieux leur racontent leur vie sexuelle. Ils trouvent ça... comment dire... beurk beurk.

J'éclatai de rire.

— Beurk beurk ?

Joli mot, entendis-je Alison remarquer.

Je la chassai de mon esprit. Je n'avais pratiquement pas eu de nouvelles ni d'elle ni de son frère, depuis l'incident de l'autre soir. Elle était passée le lendemain matin pour s'excuser du comportement déplacé de Lance et m'assurer que le départ de son frère n'était plus qu'une question de jours. Mais la voiture de location de Lance était toujours garée dans mon allée lorsque j'étais partie travailler ce soir, et le tableau qu'Alison m'avait offert à Noël attendait encore d'être accroché dans mon salon.

— Les enfants, en particulier, n'aiment pas imaginer que leurs parents font l'amour, même quand ils sont suffisamment grands pour regarder la vérité en face. Ils préfèrent considérer que leur conception a été miraculeuse ou que leur parents n'ont fait ça que le temps d'avoir la progéniture souhaitée. Mais, Seigneur, Steve et moi, nous n'arrêtions pas de faire l'amour ! Excusez-moi, je vois que je vous ai choquée.

— Non, bien sûr que non, balbutiai-je, en repoussant une mèche imaginaire de mon front, essayant de garder un visage imperturbable. Je pensais à mes propres parents, à ma certitude que ma conception n'était qu'un accident, qu'ils n'avaient jamais refait l'amour après cette expérience désagréable, ce qui expliquait que je fusse fille unique. Et voilà que Myra m'affirmait le contraire.

— Je me perds dans les détails, plaisanta la vieille dame. Josh me le répète constamment.

— Il va bientôt rentrer.

— Oui, dit-elle en tournant les yeux vers la fenêtre. Où en étais-je ?

— Vous faisiez tout le temps l'amour.

Elle éclata de rire. Je ne l'avais jamais vue aussi animée.

— Oh, j'étais vraiment une vilaine fille. Elle rit encore plus fort. Puis-je vous confier une chose que je n'ai jamais osé dire à personne ?

— Bien sûr. (Je retins mon souffle, presque effrayée par ce qu'elle allait me révéler.)

— Steve n'a pas été le seul homme de ma vie.

Sincèrement, je me sentis presque soulagée. Myra était tellement imprévisible, ce soir, que je m'attendais au pire.

— Non, il y en a eu plusieurs avant lui. Et c'était à l'époque où il n'y avait aucun contrôle des naissances, quand les jeunes filles qui avaient des relations sexuelles avant le mariage étaient considérées comme des traînées, même si ça n'a jamais empêché personne de le faire. Vous savez ce que c'est.

Je hochai la tête. Cette fois, je connaissais.

— Bref, j'ai connu quelques jeunes gens avant de rencontrer Steve, même si je lui ai dit qu'il était le premier, et il m'a crue.

— Étiez-vous sa première ?

Elle se pencha vers moi, mit ses mains ridées en entonnoir autour de sa bouche et se mit à chuchoter, comme si elle avait peur que son défunt mari n'écoute derrière la porte.

— Oui, je crois. (Un sourire plissa sa peau parcheminée.) Steve faisait si bien l'amour. Beaucoup mieux que ceux avec qui j'avais couché avant lui.

— Et vous en avez connu d'autres, une fois mariée ?

— Grands dieux, non ! Dès que j'ai fait vœu de fidélité, j'ai arrêté. Pourtant ce ne sont pas les occasions qui m'ont manqué. Mais, une fois mariée, ça ne m'intéressait plus. J'avais mon Stevie, et il me suffisait largement.

Sa voix s'éteignit. Elle leva les yeux vers le plafond. Je crus qu'elle allait s'endormir.

— Nous sommes donc rentrés, reprit-elle, le regard toujours fixé au plafond comme si elle y voyait la projection de son passé. Une fois couchés, nous nous sommes embrassés en nous souhaitant à nouveau une bonne année. Et Steve m'a demandé : « Ça te dirait ? Tu n'es pas trop fatiguée ? » Je l'étais mais j'ai répondu : « Non, ça va. Et toi ? » Il m'a évidemment rétorqué qu'il était en pleine forme, lui aussi, et nous avons fait l'amour. Pourtant aucun de nous n'en avait réellement envie et cela nous a demandé de sacrés efforts, si vous voyez ce que je veux dire.

Je m'empressai d'acquiescer, espérant qu'elle m'épargnerait les détails.

— Enfin, nous y sommes arrivés. Nous nous sentions tenus de le faire, vu que c'était la nuit du premier janvier. C'est comme l'anniversaire de mariage ou les grandes occasions. On se croit obligé. Quoi qu'il en soit, nous avons fait l'amour et nous nous sommes endormis. J'ai toujours dormi à poings fermés après. (Elle rit.) Et, plus tard, j'ai été ravie d'avoir fait l'amour cette nuit-là car ce fut la dernière fois. Steve a eu une attaque la semaine suivante et il est mort un mois après.

— Il doit vous manquer terriblement.

— Il ne se passe pas un jour sans que je pense à lui. Mais je vais bientôt le rejoindre, ajouta-t-elle d'un ton enjoué.

— Eh bien, pas tout de suite, j'espère.

Je lui tapotai le bras et me levai, puis réajustai ses couvertures, bien que ce fût inutile. Je regardai ma montre. Encore vingt minutes et ce serait la nouvelle année.

— Vous voulez bien rester avec moi jusqu'à minuit ? Je vous promets de dormir comme un ange après.

Je me rassis. Ses yeux papillonnèrent et se fermèrent.

— Je ne dors pas, me prévint-elle. Je me repose juste les yeux.

— Je ne bouge pas, la rassurai-je en regardant le drap se soulever régulièrement au rythme de sa respiration.

Un sourire de satisfaction s'attardait sur son visage ridé. À soixante-dix-sept ans, elle faisait encore l'amour. Et, à quatre-vingt-sept, ce souvenir la réjouissait encore. Quand l'acte sexuel m'avait-il jamais fait sourire ? Quand m'avait-il apporté autre chose que du dégoût et de la honte ?

La première fois avait été rapide, inconfortable et pas particulièrement agréable. Je revoyais Roger Stillman se débattant pour m'écarter les jambes après m'avoir brièvement pétri les seins en guise de prémices. Puis la douleur soudaine quand il m'avait pénétrée et le poids inattendu de son corps lorsqu'il s'était effondré sur moi, soulagé.

La dernière fois que j'avais fait l'amour ne valait guère mieux, pensai-je en frissonnant, enviant une fois de plus la vieille femme mourante allongée près de moi. Elle avait été si ouverte, si honnête avec moi. Comment réagirait-elle si je me montrais aussi franche avec elle ?

Pouvais-je lui dire que la dernière fois que j'avais eu des rapports sexuels, des vrais, pas seulement les allusions de Josh ou les sous-entendus de Lance, c'était la nuit où ma mère était morte. Je secouai la tête. Doux Seigneur, comment avais-je pu faire une chose aussi abjecte ? Bon sang, qu'est-ce qui m'avait pris ?

En fait, j'avais enfoui cette nuit au fond de ma mémoire. Mais les souvenirs de Myra avaient réveillé les miens. Je me renfonçai dans mon siège, me tournai vers la fenêtre et vis les fantômes de mon passé défiler sur la vitre.

Je me revis, assise au chevet de ma mère, sa mort déjà inscrite dans la pâleur de son teint grisâtre, l'immobilité gainant son corps comme une fine couche de cire. Elle avait la bouche et les yeux ouverts, je m'étais penchée pour les fermer, sa peau déjà glaciale sous mes doigts. Même morte, elle irradiait encore cette colère qui l'avait nourrie sa vie entière. Même les yeux clos et le souffle éteint, une certaine férocité émanait de ses traits. Elle était encore imposante, ai-je pensé en l'embrassant sur les lèvres que je fus surprise de trouver si douces et si souples. M'avaient-elles jamais paru tendres ? M'avaient-elles jamais embrassée quand j'étais bébé ou enfant ? S'étaient-elles jamais posées sur mon front pour voir si j'avais de la fièvre ? M'avaient-elles jamais chuchoté « Je t'aime » pendant mon sommeil ?

Le plus triste, c'est que je haïssais ma mère presque autant que je l'aimais. J'avais passé ma vie entière à essayer de lui plaire, à vouloir redresser mes torts, réels ou imaginaires. Après son attaque, je m'étais battue pour qu'elle guérisse, et, quand il était devenu évident que son état ne s'améliorerait pas, j'avais tenu à lui assurer tout le confort possible. Je lui avais sacrifié ma vie et voilà qu'elle disparaissait brusquement et que je me retrouvais sans rien. Ni personne. Elle me laissait dans un tel dénuement affectif que je ne savais plus quoi faire.

Je me souviens d'avoir arpenté sa chambre. Je la sentais qui m'observait derrière ses yeux clos, morts, elle m'écrasait du poids de sa désapprobation. *Quelle infirmière es-tu pour ne pas pouvoir garder ta propre mère en vie ?* semblaient me dire ses lèvres glacées et sans vie. Et c'était vrai. Je l'avais déçue. Une fois de plus. Comme toujours.

— Je suis vraiment désolée, avais-je crié. Vraiment !

Une bien mauvaise infirmière. Et, comme fille, n'en parlons pas !

Je ne me rappelle pas avoir quitté la maison, mais, à l'évidence, je suis sortie. J'avais dû prendre une douche et me changer, même s'il ne m'en reste aucun souvenir. Je me revois très bien, en revanche, dans ce bar d'Atlantic Avenue, en train de boire plusieurs tequilas tout en flirtant avec le barman particulièrement insignifiant jusqu'à ce qu'il me laisse tomber pour une fille qui n'arrêtait pas de secouer ses longs cheveux blonds, au bout du comptoir. Je tournai alors mon attention vers un bellâtre tout aussi quelconque, un grand brun aux yeux verts et aux cheveux de jais, vêtu d'une chemise hawaïenne, qui fit glisser discrètement son alliance dans la poche de son jean moulant avant de venir s'asseoir près de moi.

— Je ne crois pas vous avoir déjà vue ici, me dit-il.

Oui, il avait dit ça. Peut-être parce que c'était la vérité, à moins qu'il n'eût la flemme de chercher une ouverture plus originale, ou qu'il n'eût senti que c'était gagné d'avance.

— C'est la première fois que je viens, avais-je répondu en essayant vainement d'agiter mes cheveux comme la blonde au bar.

— C'est vrai ? (Il fit signe au serveur de remplir nos verres.) J'aime bien les premières fois, pas vous ?

Je lui décochai un sourire qui se voulait mystérieux et, pour toute réponse, me contentai de redresser les épaules et de croiser les jambes, sous son regard appuyé. Je portais un pull rayé qui soulignait ma poitrine, et des sandales à brides que je balançais d'un air provocateur au bout de mes pieds.

Il fit la conversation presque à lui tout seul ; je ne me souviens pas de quoi il a parlé. Je suis sûre qu'il m'a dit son nom, mais j'ai réussi à le chasser de ma mémoire. Jack, John, Jerrod... Ça commençait par un J. Je ne crois pas lui avoir dit le mien. Il n'a pas dû me le demander.

Après quelques verres, il m'a proposé d'aller dans un endroit plus tranquille. Sans un mot, je me suis laissée glisser de mon tabouret et je me suis dirigée vers la porte. Bizarrement, je marchais d'un pas assuré, malgré la quantité d'alcool que j'avais absorbée. En fait, je ne me sentais pas le moins du monde éméchée, même si, plus tard, je réussis à me convaincre que j'étais complètement ivre. Mais, aujourd'hui, je n'ose plus imputer ma conduite à l'alcool ni au chagrin. En fait, je n'étais pas ivre, en tout cas pas au point d'ignorer ce que je faisais quand j'ai quitté ce bar pour un coin plus tranquille, quand j'ai laissé Jack, John ou Jerrod me peloter en allant vers sa voiture, et quand je lui ai murmuré que j'habitais juste au coin de la rue.

Il s'est garé devant la maison, et je l'ai conduit vers le pavillon, au fond du jardin.

— Qui vit dans l'habitation principale ? m'avait-il demandé pendant que j'ouvrais la porte et allumais les lampes.

— Ma mère, avais-je répondu en jetant un regard furtif vers la fenêtre de sa chambre.

— Vous n'avez pas peur qu'elle nous voie avec toutes ces lumières ?

— Elle a un sommeil de plomb.

Je retirai alors mon pull devant la fenêtre et crus entendre ma mère pousser un cri d'horreur.

Ensuite, nous n'avons presque plus parlé. En tout cas, si je m'étais attendue à des ébats inoubliables, je fus cruellement déçue. Et, si j'espérais me défouler, ce fut aussi raté. En fait, l'affaire se résuma à beaucoup de grognements et d'agitation pour rien et quand il eut terminé, rapidement mais pas encore assez vite à mon gré, je n'avais qu'une idée, qu'il enfile son jean et qu'il disparaisse.

— Je vous appellerai, m'avait-il lancé en partant.

J'avais hoché la tête en regardant la fenêtre de la chambre de ma mère, écrasée par sa réprobation, comme je l'avais été par l'homme qui venait de quitter ma couche. Puis j'avais pris une douche et m'étais rhabillée avant d'appeler une ambulance et de reprendre consciencieusement ma veillée mortuaire jusqu'à l'arrivée de la voiture. J'avais ensuite effacé cette nuit de ma mémoire comme si elle n'avait jamais existé et j'ai toujours refusé d'y repenser.

Jusqu'à aujourd'hui.

Je regardai ma montre. Il était minuit.

— Bonne année ! murmurai-je en embrassant la joue chaude de Myra.

— Bonne année !

Elle ouvrit les yeux brièvement et ses cils fins effleurèrent ma joue.

Quelques secondes plus tard, elle dormait et, une fois de plus, je me retrouvai seule.

19.

Je crus entendre un bruit en sortant de sa chambre. Je m'immobilisai, regardai autour de moi mais le couloir était vide. Je restai ainsi, une main encore sur la poignée, la tête penchée, comme un chien à l'arrêt, tendant l'oreille, guettant un pas, une respiration… bref, quelque chose d'inhabituel.

Rien.

Je repartis en secouant la tête et passai voir chacun de mes patients. La plupart dormaient ou semblaient dormir. Seul Eliot Winchell, un homme d'un certain âge retombé en enfance après une chute de vélo apparemment bénigne, restait éveillé. Il agita la main dès qu'il me vit.

— Bonne année, monsieur Winchell, dis-je en vérifiant machinalement son pouls. Avez-vous besoin de quelque chose ?

Il afficha son angoissant sourire d'enfant et ne dit rien.

— Voulez-vous aller aux toilettes ?

Il secoua la tête en souriant de plus belle, le blanc de ses dents brilla dans la pénombre.

— Alors, essayez de dormir maintenant, monsieur Winchell. Une grande journée vous attend.

J'en doutais, mais la belle affaire ! Toutes ses journées se ressembleraient jusqu'à la fin de sa vie.

— Pourquoi ne portiez-vous pas votre casque, Eliot ? le grondai-je de la voix de ma mère, et son sourire d'enfant disparut aussitôt. Dormez, ajoutai-je d'un ton radouci, en lui tapotant le bras et en rajustant ses couvertures. À demain.

J'entendis à nouveau le bruit mystérieux dès que je ressortis.

Je scrutai le couloir d'un bout à l'autre, mais toujours rien. J'attendis en retenant mon souffle, cherchant une explication, vaguement angoissée.

— Ce n'est rien, dis-je à voix haute en passant devant l'ancienne chambre de Sheena O'Connor qui avait quitté Mission Care l'avant-veille pour rentrer chez elle.

— N'est-ce pas génial ? Je serai chez moi pour le Nouvel An ! (Elle était folle de joie.)

— Il faudra faire attention à vous !

— On se reverra, n'est-ce pas ? Vous viendrez me voir ?

— Bien sûr, avais-je répondu mais nous savions toutes les deux qu'une fois qu'elle aurait quitté la clinique nous ne nous reverrions plus.

Elle m'avait serrée dans ses bras.

— Je vous appellerai chaque fois que je n'arriverai pas à m'endormir. Et vous viendrez me chanter votre berceuse.

— Je suis sûre que vous n'aurez aucun problème de sommeil.

Que faisait-elle maintenant ? me demandai-je en revenant au bureau des infirmières, soudain triste de ne plus avoir personne à qui fredonner mes berceuses.

Les jours fériés, le personnel était restreint. Il n'y avait que Beverley et moi de service à l'étage. Et, franchement, j'aurais préféré être seule. Cela m'aurait épargné de passer les premiers moments de la nouvelle année à échanger des banalités ou à faire semblant de m'intéresser aux problèmes consternants de ma collègue. Cela m'aurait aussi évité de lui donner des conseils qu'elle ne suivrait pas, c'était couru d'avance. Et j'aurais pu profiter de cette période de calme. Nous ne risquions guère d'avoir une urgence et il me suffirait d'appeler le médecin de garde, le cas échéant. *Tu n'es rien qu'une baby-sitter finalement*, chuchota ma mère à mon oreille.

— Tu n'as rien entendu ? demandai-je à Beverley, repoussant cette voix indésirable.

— Comment ça ? (Elle leva le nez de son magazine et tendit l'oreille.) Non, je n'entends rien.

Je haussai les épaules, peu convaincue. Le silence de la nuit me martelait les tympans.

— C'est encore ton imagination qui fait des heures sup, décréta-t-elle.

Ah, ça oui ! J'avais tout en imagination !

Et rien dans la réalité.

Les gens qui se mouraient dans les chambres autour de moi avaient une vie plus riche que la mienne. Myra Wylie, à quatre-vingt-sept ans, malgré sa leucémie et sa maladie de cœur, gardait encore la nostalgie de ses ébats amoureux. Dix ans auparavant, oui, dix ans auparavant, elle faisait encore l'amour ! Et moi, qui avais à peine la moitié de son âge, je n'avais pas connu l'ombre de ce qu'elle avait vécu ! Qu'est-ce que j'attendais ? Pendant combien de temps continuerais-je à me gâcher l'existence ?

Je n'avais encore jamais pris de résolutions de nouvelle année, mais je le fis à ce moment-là. Quoi qu'il advienne, cette année serait différente. Josh rentrerait de Californie dans quelques jours et je ne laisserais pas passer cette occasion.

— Avec qui préférerais-tu coucher ? me demanda Beverley, comme si elle lisait dans mes pensées. Tom Cruise ou Russell Crowe ?

Elle me tendit le magazine en tapotant de ses faux ongles orange les photos concernées.

— On ne peut pas prendre George Clooney ?

Elle éclata de rire et je me figeai en percevant un autre rire en écho.

— Là, ne me dis pas que tu n'as rien entendu ?

Beverley jeta son journal sur le comptoir et se leva.

— Ça doit être Larry Foster à la 415. On dirait sa façon de glousser. Je vais voir.

— On devrait peut-être appeler la sécurité.

Elle balaya mon inquiétude d'un battement d'ongles et sortit dans le couloir.

Je ramassai son magazine et le feuilletai. Et, afin de me convaincre que je n'avais aucune raison de m'inquiéter, je me plongeai dans un article supputant quels artistes avaient subi des opérations de chirurgie esthétique au cours de l'année écoulée.

— Alors toi, c'est sûr ! m'exclamai-je en regardant une starlette vieillissante qui n'avait gardé de son ancienne allure que son excessive crinière blonde, au point que je dus lire le nom sous sa photo pour la reconnaître.

C'est alors que le bruit retentit une fois de plus.

Je me levai d'un bond et le journal me tomba des mains.

— Qui est là ? demandai-je en cherchant des yeux le bouton de l'alarme.

Un homme émergea de derrière un pilier et s'avança lentement vers moi, les doigts crochetés aux poches de son jean noir, un sourire cruel aux lèvres. Grand, maigre, vêtu entièrement de noir, les yeux marron narquois, le nez de rapace. Je n'avais pas besoin de nom sous sa photo pour l'identifier.

— KC !

— Bonne année, Terry !

J'avais le souffle coupé.

— Que faites-vous là ? Comment avez-vous réussi à franchir la sécurité ?

— Vous voulez parler de mon ami Sylvester ?

— Que lui avez-vous fait ?

Son sourire s'effaça.

— Après lui avoir coupé la gorge ?

Ma voix flancha.

— Oh, mon Dieu !

Il éclata de rire en se tapant sur la hanche.

— Quoi ! Vous ne m'avez pas pris au sérieux, quand même ? Vous me croyez capable de faire du mal à mon ami Sylvester ? Mais quel genre de gens fréquentez-vous, belle dame ? Voyons, je ne lui ai fait aucun mal. Je lui ai juste expliqué que je trouvais injuste que vous manquiez les fêtes et que je vous avais préparé une petite surprise. Il s'est montré très compréhensif, surtout quand je lui ai offert une jolie petite bouteille de scotch de dix ans d'âge. Qu'est-ce qui ne va pas, Terry ? Vous n'avez pas l'air ravie de me voir.

— Vous êtes seul ?

— Qu'est-ce que vous croyez ?

Il leva la main droite et visa mon cœur. C'est seulement à ce moment-là que je vis le revolver.

Un coup de feu retentit et, dans un flash éblouissant, le monde explosa autour de moi. Je tombai en arrière en hurlant et regardai ma poitrine, m'attendant à voir ma blouse trempée de sang.

— Mon Dieu, mais que se passe-t-il ici ? s'exclama Beverley alors que ma vision se brouillait. Qui êtes-vous ? demanda-t-elle à KC tandis que le goût du sang me remplissait la bouche.

— Nous sommes des amis de Terry, répondit-il, très à l'aise, sans que j'eusse la force de protester.

Alison se matérialisa soudain derrière lui.

— Bonne année !

— Bonne année ! lança à son tour Denise, surgissant à ses côtés.

— Bienvenue dans le premier jour du reste de votre vie ! s'écria Lance, et il éclata de rire en voyant jaillir le champagne de la grosse bouteille qu'il brandissait. Eh bien, il a fait du bruit ce bouchon ! Quelqu'un a vu où il a atterri ?

— Que se passe-t-il ? répéta Beverley, d'une voix où l'on sentait déjà pointer un sourire.

— Nous fêtons la nouvelle année, répondit Lance. Il n'y a pas de raison que vous ne participiez pas à l'allégresse générale, anges de miséricorde.

— Oh, que c'est gentil ! Ah, au fait, je m'appelle Beverley.

— Ravie de vous rencontrer, Beverley. Moi, c'est Lance. Voici Alison, Denise et KC.

— Les amis de Terry sont mes…

Beverley s'arrêta brusquement en voyant mon expression.

— J'ai cru mourir de peur, dis-je, constatant que personne ne m'avait tiré dessus, finalement.

— Ça ne vous fera pas de mal, gloussa Lance. Ça fait circuler l'adrénaline.

— Nous ne voulions pas vous effrayer, s'excusa Alison. Nous voulions juste vous faire une surprise.

— Vous n'aimez donc pas les surprises ? demanda Denise en s'approchant du bureau.

Ses cheveux noirs avaient repoussé et retombaient maintenant mollement autour de son visage comme la cendre d'une cigarette. Ses yeux cerclés de noir lui donnaient un air plus macabre que sophistiqué, ce qui n'était probablement pas l'effet recherché, quoique, connaissant Denise, je n'oserais l'affirmer.

— Je vous en prie, ne touchez à rien, m'écriai-je, le souffle encore court.

— Nous avons apporté des verres, dit Alison en sortant des coupes du gros sac à provisions qu'elle tenait à la main.

— Nous avons pensé à tout, ajouta KC.

— Où rangez-vous les drogues ? s'enquit Denise.

— Quoi ?

— Je plaisantais.

— Que vous êtes-vous fait à la lèvre ? s'inquiéta Alison.

Je touchai le coin de ma bouche. J'avais dû me mordre. Lance se rua sur mon doigt taché de sang et le lécha avec une délectation de vampire de cinéma.

— Hum ! 2002. Un excellent cru.

Je retirai ma main.

— Bas les pattes, Dracula !

J'essayai de les garder tous dans ma ligne de mire. Beverley avait déjà un verre à la main.

— Ne soyez pas fâchée, Terry.

Alison était habillée tout en blanc. Avec ses cheveux blonds qui cascadaient sur ses épaules, elle ressemblait à la Vénus de Botticelli sans sa coquille.

— Je ne suis pas sûre que ce soit une bonne idée.

— Bien sûr que si, protesta Beverley en me tapotant le bras, tandis que Lance s'appliquait à nous servir exactement la même quantité de liquide. Je remarquai qu'il était, lui aussi, vêtu de blanc.

— Nous ne pouvions pas vous laisser seule le soir de réveillon, dit KC.

— Ce n'aurait guère été gentil de notre part, renchérit Denise en feuilletant les fiches de malades empilées devant elle que je m'empressai de lui retirer des mains.

— Vous n'avez pas le droit d'entrer ici.

— Pourquoi ?

— Denise ! la rappela à l'ordre Alison.

Denise ressortit du bureau et prit une coupe sur le comptoir.

— À la vôtre.

— Attendez. Il faut porter un toast. (Alison attendit que tout le monde ait un verre.)

— À quoi buvons-nous ? lui demanda Lance.

Elle leva son champagne.

— À la meilleure année de tous les temps.

— À la meilleure année de tous les temps ! reprîmes-nous à l'unisson.

Ne voulant pas jouer les rabat-joie, je bus une gorgée, puis une autre. Le champagne me parut étonnamment frais et je bus encore, le nez picoté par le pétillement des bulles.

— Bonne santé à tous ! murmurai-je à mi-voix.

— Et des sous, ajouta Denise.

— Que cette nouvelle année apporte à chacun ce qu'il souhaite, continua Lance.

— Uniquement des choses agréables, renchérit KC en me souriant par-dessus son verre pendant que les autres prenaient une nouvelle gorgée de champagne.

— Qu'elle nous apporte tout ce que nous méritons, poursuivit Denise.

— Tout ce dont nous avons besoin, ajouta Alison.

— Et quoi par exemple ? la défia son frère.

Alison éluda sa question en plongeant le nez dans son verre. Je finis le mien d'une traite.

— Eh bien, moi, je sais ce qu'il me faut. J'ai besoin de changer d'air, déclara Denise.

— Mais tu rentres à peine de New York !

— Ça ne compte pas. J'étais avec ma mère.

— Et qu'est-ce que tu lui reproches à ta mère ?

— Rien si tu aimes les vieux schnocks snobs et constipés, s'écria Denise en éclatant de rire.

— Alison les aime bien, dit Lance en me regardant droit dans les yeux. N'est-ce pas, Alison ?

— J'aime tout le monde.

Elle finit son verre et s'en servit un autre. Je vis à son léger vacillement qu'elle n'en était pas à son premier verre de la soirée, comme les autres d'ailleurs.

— Terry, votre coupe est vide. (Elle la remplit sans me laisser le temps de protester.) Buvez, insista-t-elle et elle me regarda porter le champagne à mes lèvres.

— Je suis sérieuse, continuait Denise. J'en ai marre de la côte Est. J'ai envie d'aller voir ailleurs.

— C'est peut-être parce que tu t'es fait virer par ta tante, non ? insinua KC.

— Ce n'est qu'une vieille schnock constipée.

— Pourquoi vous a-t-elle renvoyée ? demanda Beverley en tendant son verre pour qu'on le remplisse.

Denise haussa les épaules.

— Elle était jalouse de moi. Elle l'a toujours été.

— Je croyais qu'elle t'avait surprise en train de piquer dans la caisse.

Denise chassa d'un revers de la main la remarque inopportune de KC.

— Ça ne serait pas arrivé si cette radine m'avait payée décemment. Elle me filait une misère, bon sang ! Avec tout l'argent qu'elle a. En plus, je suis de sa famille, quoi !

Elle aurait pu faire un effort. Je déteste les gens comme ça. Pas vous, Terry ?

— Je pense seulement qu'ils ont le droit de faire ce qu'ils veulent avec leur argent.

Je bus une nouvelle gorgée de champagne en essayant de garder l'esprit clair.

— Oui, eh bien, ce n'est qu'une…

— Vieille schnock snob et constipée ? demanda malicieusement Lance.

— Exactement. (Denise s'approcha de lui d'un pas chancelant et se plaqua contre son torse.) J'avais envie de tenter le Nouveau-Mexique. Tu veux venir avec moi ?

— Pourquoi pas ? (Il lui passa les bras autour de la taille et regarda Alison par-dessus sa tête.) Je commence à en avoir ras le bol de la Floride, moi aussi.

Alison détourna les yeux et me sourit, mais d'un petit air pincé comme si elle retenait un torrent d'insultes.

Un bip retentit.

— Qu'est-ce que c'est ? demanda Denise en écartant la tête de Lance.

Je regardai le tableau derrière moi. Le voyant d'Eliot Winchell venait de s'allumer.

— Un de mes malades m'appelle. Je dois y aller.

— Nous venons avec vous, dit Lance.

Je secouai la tête pour m'éclaircir les idées mais ne réussis qu'à faire danser la pièce autour de moi.

— Non. Vous devez partir, maintenant.

Le bip sonna à nouveau.

— Allez, on s'en va, dit Alison. Vous ne voulez pas attirer des ennuis à Terry, n'est-ce pas ?

— Oh ! arrête, protesta Denise. Tu ne vas pas te mettre à jouer les vieux schnocks…

— … coincés, continua KC.

— … et constipés, conclut Lance, et ils éclatèrent de rire à l'unisson, sauf Alison qui eut la décence de paraître à la fois contrariée et confuse.

Le bip résonna une troisième fois.

— C'est qu'il insiste ! remarqua Beverley, visiblement pas décidée à répondre à cet appel.

— Bon, les enfants, c'est très gentil d'être venus boire le champagne avec nous, mais il faut vraiment que j'y aille. Et vous aussi.

— Nous comprenons, acquiesça KC.

— Nous retrouverons notre chemin tout seuls, dit Lance en guidant les autres vers l'ascenseur pendant que le bip sonnait encore une fois.

— Merci de votre visite, leur lança Beverley pendant que je me dirigeais vers la chambre.

Le sol glissait sous mes pas comme un trottoir roulant et je m'appuyai au mur, essayant vainement d'empêcher ma tête de tourner. Étais-je ivre ? Avec seulement deux verres de champagne ? Je m'aperçus brusquement que la seule autre fois où j'avais aussi mal supporté l'alcool, j'étais aussi avec Alison.

Je poussai la porte d'Eliot Winchell. Il était assis sur son lit, ses couvertures repoussées sur ses chevilles, le devant de son pyjama trempé.

— Je suis navré, s'excusa-t-il d'un air piteux.

— Ce n'est pas votre faute.

— Vraiment ? demanda Lance en passant devant moi, suivi par Denise et KC. (Alison resta sur le seuil pendant que les autres s'approchaient du lit.) Alors, qui faut-il blâmer ? Bonjour, je suis le Dr Palmay, continua-t-il sans me laisser le temps de réagir. Et voici mes confrères, les docteurs Austin et Powers[1].

Denise éclata de rire et Eliot se mit à rire lui aussi, bien que je doute qu'il ait compris la plaisanterie.

— Qu'il est mignon ! dit Denise. Qu'est-ce qu'il a ?

— Vous ne voyez pas qu'il a fait dans son froc, répondit Lance. Mais quel médecin êtes-vous ?

— Qu'il est vulgaire !

---

1. Du nom d'Austin Powers, héros de films comiques à grand succès. *(N.d.T.)*

— Vous devez partir, maintenant, réussis-je enfin à bredouiller.

J'avais la bouche sèche. Mes idées tourbillonnaient dans ma tête. Je me raccrochai au lit d'Eliot Winchell.

— Oui, tout de suite, acquiesça Alison du pas de la porte. Venez, docteurs. Allons-nous-en. Laissons Terry travailler.

— Elle n'a pas l'air dans son assiette, remarqua KC. Elle est blanche comme un linge.

— Je suis désolée, Terry. Je n'imaginais pas que ça dégénérerait ainsi.

— Qu'est-ce que tu racontes ? rétorqua sèchement Lance. C'était ton idée.

Et ils s'en allèrent. Dans le silence miséricordieux qui suivit, je changeai Eliot et le réinstallai dans un lit propre. Je fis tout cela mécaniquement, sans cesser d'avoir des vertiges et des éblouissements. Mon verre aurait-il contenu autre chose que du champagne ?

Je revins au bureau des infirmières en me tenant aux murs, lorsque, soudain, des gloussements d'adolescente jaillirent de ma gorge comme du pop-corn sautant dans une poêle, balayant toutes mes angoisses. Quelques secondes plus tard, je me laissai tomber sur ma chaise, en me demandant à quel instant précis j'avais perdu le contrôle de ma vie, sachant pertinemment que c'était au moment où Alison avait sonné à ma porte.

20.

Ils m'attendaient sur le parking à la fin de mon service.

Je vis d'abord Denise. Elle était juchée sur le capot d'une voiture et buvait du vin à la bouteille, en balançant les jambes comme si elle était assise au bout de la jetée, sur l'Intracoastal Waterway. Un petit anneau d'or brilla à sa narine droite. C'était la première fois que je le remarquais.

KC se tenait debout devant elle, les mains enfoncées dans les poches de son jean moulant, les yeux baissés. On aurait dit qu'il venait de vomir ou qu'il était sur le point de le faire, mais, quand il leva la tête dans ma direction, il sourit. Bizarrement, je lui souris à mon tour, comme si je n'étais plus maîtresse de mes réflexes et que, réduite à l'état de marionnette, j'obéissais aux ficelles qui me tiraient. Alors que les effets du champagne auraient dû être dissipés depuis longtemps, je me sentais plus vaseuse que jamais. De drôles d'images dansaient dans ma tête, trop vite pour que je pusse les identifier. Des éclats de couleurs vives continuaient à flotter comme des ballons de baudruche devant mes yeux. Poser un pied devant l'autre exigeait toute ma concentration.

Alison et Lance goûtaient la fraîcheur du petit matin, assis, jambes dehors, dans la Lincoln, garée quelques places plus loin, portes ouvertes. Lance était à l'avant, Alison à l'arrière et, quand elle se pencha, je vis qu'elle avait les yeux bouffis et embués comme si elle avait pleuré. Peut-être était-elle simplement défoncée, pensai-je, en reconnaissant l'odeur caractéristique de la marijuana qui venait de la cigarette roulée à la main que Lance tenait négligemment entre le pouce et l'index.

— Regardez qui arrive, dit Denise.

— Il était temps.

KC se redressa et leva les bras au-dessus de sa tête pour s'étirer longuement tel un chat, comme s'il s'apprêtait à bondir.

— Que faites-vous encore ici ?

Ma vision se brouilla tandis que je cherchais du regard s'il n'y avait personne d'autre sur le parking, mais nous étions seuls. Bravo pour la sécurité ! Qui m'entendrait si je criais ?

Alison s'essuya les yeux du revers de la main et descendit de la Lincoln.

— Je ne voulais pas que vous rentriez seule le jour du Nouvel An.

— La fête ne fait que commencer.

Lance tira longuement sur sa cigarette.

— La fête est terminée, rétorquai-je en essayant de me souvenir où j'avais garé ma voiture. Je suis crevée. Je n'ai qu'une envie, aller me coucher.

— En voilà une bonne idée ! dit Lance.

Il me tendit son joint. L'odeur entêtante me monta au nez.

Je fis non de la tête mais je dois avouer que le parfum me plut assez.

— Alors, uniquement pour des raisons médicales, dit Denise en se laissant glisser du capot pour venir tirer goulûment sur le joint qui rougeoyait entre les doigts de Lance.

— KC, toi et Denise, vous prenez ma voiture, ordonna-t-il. Alison et moi, nous allons avec Terry. (Sans me demander mon avis, il décrocha mon sac de mon épaule et y pêcha mes clés.) Je conduirai.

Les paroles tombèrent le long du joint qui lui pendait maintenant des lèvres.

— Je ne sais pas si c'est une bonne idée.

— Vous ne pouvez pas conduire dans votre état.

Il éclata de rire, comme s'il savait une chose que j'ignorais, et je sentis mes jambes flageoler.

Ils avaient vraiment drogué mon champagne. Sans doute un hallucinogène, décidai-je en me raccrochant à la réalité comme un enfant se cramponne au guidon d'un vélo incontrôlable. Relaxe, murmura une petite voix au fond de moi. Laisse tomber.

Une vague d'euphorie me balaya dès que je lâchai prise avec le présent. Je m'imaginai volant sur le dos, sans casque, les cheveux au vent. Au lieu de quoi, je me retrouvai coincée à côté d'Alison, sur le siège du passager, son bras passé autour de mes épaules d'un geste protecteur, presque étouffant. Le parfum entêtant de la marijuana m'enveloppa la tête comme un turban et s'insinua dans mes narines.

— Qu'est-ce que vous avez mis dans mon verre ? demanda une voix, et je compris que c'était la mienne seulement aux vibrations qui résonnèrent dans mon crâne.

— Vous voulez dire en dehors du LSD ?

Lance sortit du parking et prit Jog Road, suivi par la Lincoln blanche.

— Ferme-la, Lance, dit Alison. Elle croit que tu parles sérieusement.

— Je suis sérieux. Je suis même très sérieux. Allez, Terry. (Il agita la fin de son joint devant mon visage.) Lorsque le vin est tiré, il faut le boire. C'est bien ce qu'on dit.

— Elle n'a pas envie de t'entendre.

— Non, ce n'est pas grave, déclarai-je à notre stupéfaction à tous les trois.

Tant pis ! ai-je alors pensé. Ma vie ne m'appartenait plus. Advienne que pourra. Je n'avais plus voix au chapitre, et, au lieu d'éprouver de l'angoisse, je me sentis soulagée et même excitée. Je jouais les funambules sans filet. J'étais libre.

J'acceptai donc en riant le joint que Lance me tendait, et l'inhalai lentement, en bloquant ma respiration comme j'avais vu Denise le faire sur le parking, jusqu'à ce que ma gorge me brûle et mes poumons menacent d'exploser.

— Regardez-moi ça ! gloussa Lance. Une vrai pro.

Je pris une autre bouffée, encore plus longue, et regardai avec indifférence le papier se consumer vers le bout de mes doigts. Un sentiment inconnu de bien-être m'envahit le corps, telle une transfusion sanguine. Je n'avais encore jamais fumé de marijuana, même si j'avais été tentée, adolescente. Et, si je ne l'avais pas fait, c'était plus par peur de ma mère que par forte intégrité morale.

J'aspirai encore et sombrai dans un état de sérénité totale et profonde, sans le moindre désir de refaire surface. Je m'accrochai à cette sensation, comme une femme qui se noie s'agrippe à une bouée de sauvetage, en retenant la fumée dans mes poumons le plus longtemps possible.

— Doucement ! me mit en garde Lance en me voyant tirer à nouveau sur le joint, tandis qu'un petit cylindre de cendre remplaçait peu à peu le papier.

Je poussai un cri lorsqu'il me brûla les doigts.

— Vous avez mal ? s'inquiéta Alison. Vous vous êtes brûlée ?

— Faites-moi voir.

Lance m'attrapa la main, glissa malgré moi mes doigts dans sa bouche et en suça avidement le bout.

— Oh, pour l'amour du ciel ! (Alison gifla la main de son frère si violemment que ses dents heurtèrent mes articulations.) Terry, ça va ?

Je regardai mes doigts qui picotaient.

— C'est de l'herbe de première qualité, hein ? remarqua fièrement Lance.

— Où l'avez-vous trouvée ?

— Faites-moi confiance. Le trafic de drogue n'est pas près de disparaître de Delray Beach.

Je regardai autour de moi, sans reconnaître les environs qui auraient dû m'être familiers.

— Où sommes-nous ? demandai-je alors que nous tournions dans Lincoln Boulevard.

— Devant le golf de Lakeview, annonça Lance en lisant le grand panneau sur notre gauche. Vous avez déjà joué au golf, Terry ?

Je secouai la tête.

— J'ai essayé une fois, reprit-il. Un vrai désastre. Les balles partaient dans tous les sens. C'est beaucoup moins facile que ça paraît à la télé, je peux vous le dire.

— On ne peut pas pratiquer ce genre de sport sans prendre de leçons, m'entendis-je déclarer d'une voix étonnamment assurée pour quelqu'un qui n'y connaissait rien.

— Je ne supporte pas les cours.

— Lance ne supporte rien. (Alison se tourna vers la vitre. Était-ce des larmes dans ses yeux ?)

— Ça va ? Je me demandai si Lance n'aurait pas une autre de ses cigarettes magiques pour sa sœur, qu'elle se décontracte un peu. Pourquoi était-elle aussi tendue ?

Elle hocha la tête.

— Et vous ?

— Je vais très bien.

J'appuyai ma tête contre son épaule, me serrai contre elle et fermai les yeux.

— Terry ? Vous dormez ? Elle dort ? continua Lance sans me laisser le temps de répondre.

Je sentis Alison pivoter vers moi, et son haleine chaude caresser mon visage quand elle parla.

— Tu peux être fier de toi ! dit-elle de la voix de ma mère, et je sursautai, persuadée que c'était à moi qu'elle parlait.

— Alors vous ne dormiez pas ! s'écria Lance. Vous vouliez nous rouler, c'est ça ?

— Où sommes-nous ? (Combien de fois avais-je déjà posé cette question ?) Où allons-nous ?

— J'avais envie d'aller faire un petit plongeon de Nouvel An dans l'océan.

— Tu es fou ! Au milieu de la nuit. Il fait noir comme dans un four, dehors.

Une soudaine angoisse rongea ma toute nouvelle sérénité, comme une souris qui grignote une corde. Je me redressai sur le siège et me frottai le front. Quoique, un petit plongeon ne me ferait pas de mal ! C'était exactement ce qu'il me fallait. J'éclatai de rire.

— Qu'y a-t-il de si drôle ? s'enquit Lance en riant avec moi.

Alison boudait dans son coin, l'air inquiet. Qu'est-ce qui lui prend ? songeai-je avec une irritation grandissante.

Je regardai la route pratiquement déserte devant nous. Où étaient passés les gens ? C'était la nuit du Nouvel An, bonté divine ! Où étaient les fêtards bourrés et les flics censés patrouiller les rues ? Nous étions là, tous les trois, bien éméchés, tassés sur la banquette avant d'une voiture qui fonçait vers l'océan. Nous méritions une citation, pensai-je en gloussant de l'absurdité de mon raisonnement.

— On devrait rentrer à la maison, dit Alison. Terry a eu assez d'émotions pour la soirée.

— Comme boute-en-train tu te poses un peu là, chantonna Lance.

— Boute-en-train ! (Je partis d'un tel fou rire que je faillis m'étrangler.)

Toutes mes appréhensions avaient disparu, balayées par des vagues d'intense euphorie. Et elles m'emporteraient au bout de l'océan, songeai-je en voyant les flots surgir miraculeusement devant nous.

Lance s'arrêta sur le bord de la route, et la Lincoln blanche se gara derrière nous.

Les quatre portières s'ouvrirent ensemble et tout le monde descendit. Puis ce fut une course folle vers la plage déserte, où l'obscurité était si profonde qu'il était presque impossible de voir la limite entre le sable et l'eau. Quelques pétards isolés explosèrent dans le lointain et je relevai la tête à temps pour voir une gerbe d'étincelles rose et vert traverser le ciel. En dehors de ça, et du grondement d'une moto qui passa sur la route, tout était calme. Je réprimai un frisson en sentant une petite brise fraîche me soulever les cheveux avant de s'enrouler autour de mon cou, comme un tourniquet.

— C'est génial ! s'exclama Denise, en me prenant par les épaules pour m'entraîner. Hein, que c'est génial, Terry ?

— À poil ! cria Lance en jetant ses chaussures au loin avant de passer sa chemise par-dessus sa tête.

— Ah, non ! protesta Alison. Qu'est-ce que tu veux, Lance ? Nous faire remarquer ?

— Oui, c'est une mauvaise idée, reconnut-il aussitôt. Bon, d'accord, on se rhabille !

Il voulut renfiler sa chemise mais il se coinça la tête dans une emmanchure. Il la jeta par terre et se mit à la piétiner en riant.

— Je n'ai jamais aimé cette fichue liquette ! s'écria-t-il et nous nous esclaffâmes comme si c'était très drôle.

Tous sauf Alison. Elle ne riait pas.

Je retirai mes lourdes chaussures d'infirmière et regardai l'océan qui s'étendait devant moi, froid, sombre, fascinant. Il m'attirait comme un aimant et, telle une possédée, je courus en chaussettes vers ses vagues tumultueuses et sentis mes pieds s'enfoncer dans l'eau écumeuse.

— Bravo, Terry ! cria Lance dans le noir.

— Attendez-nous ! lança Denise au moment où une vague me frappait le dos d'un uppercut géant.

Je regardai la rive et vis plusieurs ombres avancer lentement vers moi en balançant les bras, comme des arbres graciles agités par le vent. Je leur fis signe à mon tour, trébuchai sur une pierre et perdis l'équilibre. L'obscurité se mit à tournoyer autour de moi et je me demandai fugitivement ce que je fichais là. Une fois ne m'avait pas suffi ? N'avais-je pas déjà failli me noyer ?

— Terry, faites attention ! cria Alison en sautant une vague. Vous êtes trop loin. Revenez.

— Bonne année ! criai-je en soulevant une gerbe d'eau.

— J'en connais une qui a trop bu, chantonna Lance en s'approchant de moi.

Je venais à peine de retrouver mon équilibre qu'une autre vague s'abattait sur moi en m'expédiant à plat ventre. La bouche pleine d'eau de mer, j'éclatai de rire en pensant au jour où j'avais mis par erreur du sel dans mon bol de céréales. Ma mère m'avait forcée à le manger en disant que ça me servirait de leçon et que ça m'éviterait de recommencer. Mais je refaisais toujours les mêmes bêtises, réalisai-je en riant de plus belle.

J'essayai une fois de plus de me redresser, mais je n'avais plus pied. Et je m'écartais de plus en plus des autres.

— Au secours ! criai-je juste avant que l'eau ne me recouvre la tête.

Au même moment, des mains invisibles m'attrapèrent dans le noir.

— Arrêtez de vous débattre, m'enjoignit Lance d'une voix aussi glaciale que l'océan. Vous ne m'aidez pas.

Je me laissai aller dans ses bras, ma joue collée contre les poils mouillés de son torse, les battements de son cœur résonnant à mon oreille. Soudain une nouvelle vague nous sépara et s'abattit sur moi telle une toile de tente. Je hurlai de terreur, la bouche pleine d'eau, et cherchai avidement quelque chose à quoi me raccrocher. Je sentis un gros poisson me cogner les mollets et le chassai d'un coup de pied.

— Qu'est-ce qui vous prend ? hurla Lance au-dessus du bruit des rouleaux. Calmez-vous !

— Au secours !

L'eau s'enroulait autour de mes jambes et m'aspirait vers le fond. Je devinai Lance non loin de moi et cherchai désespérément à m'accrocher à lui.

C'est alors que quelqu'un m'appuya sur la tête pour me maintenir sous l'eau.

Non ! criai-je sans émettre un seul son. J'ouvris les yeux sous l'eau, vis Lance à côté de moi, ses mains quelque part au-dessus de mon crâne.

Que voulait-il ? Me sauver ou me tuer ?

— Arrêtez de vous débattre !

Je luttais éperdument pour remonter à la surface, mais mes forces faiblissaient et mes jambes étaient entravées par mon uniforme. J'avais l'impression que mes poumons allaient exploser, je retrouvais l'étrange sensation que j'avais éprouvée en fumant ma première cigarette de marijuana. Voilà donc ce que l'on ressent quand on se noie, pensai-je en me souvenant du triste sort des chatons entre les mains cruelles de ma mère. Avaient-ils eu peur ? S'étaient-ils débattus ? Avaient-ils lutté en griffant ses mains meurtrières ? Ou avaient-ils tranquillement accepté leur destin comme Lance me sommait de le faire ?

— Arrêtez de vous débattre, bon sang ! beugla-t-il lorsque ma tête creva enfin la surface de l'eau.

Une lumière intense fut alors braquée sur moi et, l'espace d'une seconde insensée, je me demandai si je n'étais pas morte, si ce n'était pas la lueur éblouissante dont parlaient certains patients qui avaient frôlé la mort.

— Police ! entendis-je alors dans le lointain. Que se passe-t-il ici ?

— Punaise ! (Lance me souleva, me coinça sous un bras et me ramena vigoureusement vers le rivage.)

— Que se passe-t-il ? s'enquit à nouveau le policier tandis que je m'effondrais à ses pieds, en aspirant goulûment l'air, incapable de parler.

Alison se jeta à genoux et me prit dans ses bras. KC et Denise restèrent à côté sans rien dire.

— Désolé, monsieur l'agent, dit Lance en secouant ses cheveux ruisselants. Notre amie a oublié qu'elle ne savait pas nager.

— Comment vous sentez-vous ? me demanda le policier.

Au timbre de sa voix, je devinai qu'il était plus amusé qu'inquiet.

— Elle va bien, répondit Lance en secouant encore la tête. C'est de moi que vous devriez vous soucier. Elle a failli me tuer. C'est bien la dernière fois que je joue les héros, moi, je vous le dis.

— C'est pas très malin ce que vous avez fait, ma petite dame, me dit le second policier en me regardant droit dans les yeux.

Je compris à son ton que la nuit avait été longue et qu'il n'avait aucune envie de faire des heures supplémentaires.

— Vous feriez bien de la ramener chez elle. Elle a assez fait la fête pour cette nuit.

J'ouvris la bouche pour m'expliquer mais aucun son n'en sortit. Que pouvais-je leur dire ? Que je m'étais enivrée au champagne et que j'avais fumé de la marijuana ? Que je soupçonnais mes amis de m'avoir fait prendre du LSD ? En étais-je convaincue ? Franchement, à ce moment-là, je ne savais que penser. Je n'étais plus sûre de rien, ni de ce qui s'était passé avant, ni de ce qui se passait maintenant.

— Merci, messieurs, leur jeta Lance alors qu'ils s'éloignaient déjà. Bonne année !

Quand ils eurent disparu de notre vue, il se retourna vers moi, et je sentis Alison resserrer son bras autour de ma taille.

— Vous avez entendu ce qu'il a dit. Il est temps de vous ramener à la maison.

21.

Le reste de la nuit se noie dans un brouillard.

Je me souviens de quelques images : les articulations de Lance, blanches sur le noir du volant ; les cheveux mouillés d'Alison plaqués sur son visage ruisselant de larmes ; mon uniforme, trempé et froid, remonté sur mes cuisses, mes collants filés, mouchetés de sable.

Je me souviens de quelques sons : le chuintement de nos vêtements mouillés sur le cuir des sièges ; un coup de klaxon tandis qu'une voiture nous doublait sur la file de droite ; le tapotement nerveux du pied de Lance sur la pédale de frein pendant que nous attendions que le feu passe au vert.

Je me souviens du silence.

Puis ce fut brusquement notre arrivée à la maison et tout le monde se mit à parler en même temps.

— Quelle soirée !

— Comment va-t-elle ?

— Qu'est-ce qu'on fait maintenant ?

Ils m'ont à moitié portée jusqu'à ma porte.

— Qu'allez-vous me faire ? leur ai-je chuchoté.

— Qu'est-ce qu'elle dit ?

— Que voulez-vous qu'on vous fasse ?

— Qu'est-ce qu'elle raconte ?

Et enfin Alison avait claironné :

— Vous pouvez partir. On s'en sortira, maintenant.

Je me souviens d'avoir monté péniblement l'escalier, Alison me guidait par le coude, Lance me soutenait, un bras autour de la taille. La chambre tournait autour de moi. J'avais l'impression d'être sur un paquebot en pleine tempête. Je faillis tomber lorsque Alison me lâcha pour se mettre brusquement à quatre pattes devant le lit.

— Mais qu'est-ce que tu fais ! cria Lance en me rattrapant *in extremis.*

— Tu le sais bien !

À l'idée qu'elle regardait s'il n'y avait pas de croquemitaine, j'éclatai de rire.

— Super ! Me voilà avec deux folles.

Il se tourna vers moi et entreprit de défaire le premier bouton de mon uniforme pendant qu'Alison quittait la pièce.

— Non, protestai-je faiblement.

— Vous voulez vous coucher trempée ?

— Je peux me déshabiller toute seule.

Il recula d'un pas.

— Comme vous voulez. Je serai ravi de vous regarder.

— Je préférerais que vous sortiez.

— Eh bien, en voilà une façon de traiter vos amis, dit-il d'un ton blessé. Surtout quand ils viennent de vous sauver la vie.

De la sauver ou de tenter d'y mettre fin ? m'interrogeai-je une fois de plus.

Alison réapparut avec une pile de serviettes blanches. Elle en jeta une à Lance. Allaient-ils m'attacher et me bâillonner avant de m'étouffer avec mon oreiller ?

Je sentis les serviettes sur mes cheveux, sur mes seins, entre mes jambes. Ils m'enlevèrent mon uniforme et le remplacèrent par une chemise de nuit sèche qu'ils m'enfilèrent par la tête, comme un linceul.

Des mains fortes me guidèrent vers le lit, me firent m'allonger et me recouvrirent avec les draps.

— Tu crois qu'elle se rend compte ? demanda Lance tandis que j'enfouissais ma tête dans mon oreiller avant de me rouler dans la position du fœtus.

— Non. Elle est dans les vapes.

— Alors qu'est-ce qu'on fait maintenant ?

Je devinai qu'ils m'observaient du pied du lit, comme s'ils décidaient de mon destin, en pesant le pour et le contre. Je feignis de dormir et émis un faible ronflement.

— Je ferais mieux de rester avec elle cette nuit, conclut Alison.

— Pourquoi ? Elle ne va pas s'en aller.

— Je sais, mais je préfère la surveiller.

— Parfait. Je te tiendrai compagnie.

— Non. Rentre. Dors un peu.

— Tu sais bien que j'ai du mal à dormir quand tu n'es pas près de moi.

Il dut s'approcher d'elle.

— Lance, non, je t'en prie.

— Allez, sœurette. Sois gentille.

Je soulevai mon menton et ouvris les yeux juste ce qu'il fallait pour voir entre mes cils et distinguai deux silhouettes enlacées.

— Non, je t'en prie, répéta Alison, avec cependant moins de conviction, tandis que Lance, debout derrière elle, lui caressait les seins.

Un cri monta dans ma gorge et je dus bloquer ma respiration pour le retenir.

— Tu sais, je t'ai vu flirter avec Denise, murmura Alison pendant qu'il l'embrassait dans le cou.

— Qu'est-ce qui t'arrive, sœurette ? Tu es jalouse ?

— Ce n'est pas bien, protesta-t-elle alors qu'il la tournait vers lui et l'embrassait à pleine bouche.

— Nous brûlerons en enfer, acquiesça-t-il, en continuant de l'embrasser.

J'enfonçai mon visage dans l'oreiller pour étouffer le nouveau cri qui me montait des tripes.

— Pas ici, protesta Alison d'une voix rauque et, prenant son frère par la main, elle l'entraîna hors de la pièce.

J'attendis d'être sûre qu'ils n'étaient plus là avant d'ouvrir les yeux. Étaient-ils partis ou faisaient-ils l'amour sur le canapé du salon ? Ou dans la pièce à côté ? Je tendis l'oreille à l'affût de bruits de voix, tout en redoutant ce que je pouvais entendre d'autre. Je restai ainsi allongée dans la semi-obscurité pendant ce qui me parut une éternité, sans oser bouger, baignée par la lueur de la première lune de la nouvelle année qui traversait les rideaux. J'étais prisonnière dans ma propre maison, attachée à mon lit par des liens invisibles. Aucune fuite n'était possible.

Je fermai les yeux, les rouvris, et mon regard plongea dans celui du vase tête de femme posé sur ma table de nuit. Elle me tenait à l'œil, songeai-je, et j'en aurais ri si je n'avais pas été bouleversée par la scène à laquelle je venais d'assister. Je m'assis, bien décidée à m'échapper.

Mais, alors même que je me voyais déjà descendre de mon lit, m'habiller, appeler un taxi et sortir de chez moi, je ne me sentais plus la force d'aller nulle part. Mes membres, inertes, pendaient à mes côtés comme des ancres. J'avais l'impression qu'un dentiste fou m'avait anesthésié la tête entière à la novocaïne. Je perdais pied et glissais peu à peu dans l'inconscience. Il ne me restait plus que quelques secondes avant de sombrer.

Je me jetai hors du lit en battant des bras, comme si je luttais encore contre les mains qui me maintenaient sous l'eau. Ma main heurta la lampe de chevet et j'entendis un énorme fracas. Le bruit me fit l'effet d'un coup de feu. Je me tournai vers la porte, m'attendant à voir Alison et son frère faire irruption dans la pièce. Mais personne ne vint et je m'écroulai sur mon lit, vidée de mes forces. Je fermai les yeux et m'abandonnai à mon destin.

Je fus réveillée par un soleil éblouissant et le son de la voix d'Alison.

— Bonjour, paresseuse. Bonne année !

Elle s'avançait vers moi, vêtue d'un pull et d'un jean roses. On aurait dit une barbe à papa géante. Je m'assis en essayant de rassembler mes idées, tandis que les événements de la veille défilaient par bribes dans ma tête.

Que s'était-il passé cette nuit ?

— Quelle heure est-il ?

— Midi passé. Bon appétit, continua-t-elle en posant sur mes genoux un plateau avec un jus d'orange pressée, du café et des croissants. Petit déjeuner au lit, ou plutôt déjeuner, corrigea-t-elle en riant. Peu importe. Les croissants sont tout frais. Lance est allé les chercher au supermarché.

Il apparut derrière l'épaule d'Alison.

— Comment vous sentez-vous ?

Je le dévisageai sans pouvoir parler. Avait-il tenté de me noyer ou m'avait-il sauvé la vie ? Les avais-je réellement vus s'embrasser au pied de mon lit ? Avais-je rêvé ? Était-ce possible ?

— Oh, non ! s'écria brusquement Alison. Que s'est-il passé ?

Elle s'agenouilla à la tête du lit et ramassa les débris du vase qu'elle m'avait offert pour Noël. Que s'est-il passé ? répéta-t-elle, en essayant de remettre les morceaux ensemble.

Je fis un effort de concentration. J'avais le vague souvenir d'avoir fait tomber quelque chose cette nuit.

— On pourrait peut-être la recoller.

— Inutile. Ce n'est pas une grande perte, si vous voulez mon avis. Ces vases me donnent la chair de poule, ajouta Lance en frissonnant, avant de lui retirer des mains les débris coupants et de les emporter hors de la pièce.

— Terry, est-ce que vous vous sentez bien ? insista Alison. Terry. Il y a quelque chose qui ne va pas ?

— Je sais, dis-je dans un souffle.

— Vous savez quoi ?

— Je vous ai vus, poursuivis-je courageusement. La nuit dernière. Avec votre frère.

— Oh, mon Dieu ! s'exclama Alison alors que son frère revenait un grand sourire aux lèvres, apparemment ravi de s'être débarrassé d'une première femme brisée. Serais-je la suivante ?

— Alors, Terry, remise de vos émotions ?

— Elle nous a vus, lui apprit Alison d'un ton monocorde.

— Elle nous a vus.

Le sourire s'effaça lentement du visage du garçon tandis que son regard allait de l'une à l'autre.

— Je vous ai vus vous embrasser.

— Vous nous avez vus nous embrasser. (Le sourire réapparut dans ses yeux, releva le coin de ses lèvres.) Et c'est tout ?

— Ça suffit.

Je repoussai le plateau et me levai du lit. Mais aussitôt une douleur me transperça le pied et je me laissai retomber en poussant un cri. Je remontai mon genou contre ma poitrine et vis un petit morceau de porcelaine planté entre mes orteils.

— La dame mord encore, on dirait, dit Lance en prenant mon pied blessé.

— Non, je vous en prie, protestai-je avec aussi peu de conviction qu'Alison, la nuit dernière.

Alison se précipita hors de la chambre et revint avec une serviette mouillée.

— Ne bougez pas, dit Lance. Détendez-vous.

Je le regardai retirer délicatement le morceau de porcelaine puis me tamponner le pied avec la serviette. Je saignais à peine.

— J'ai l'impression de passer ma vie à vous porter secours, dit-il sans la moindre ironie.

Je voulus retirer mon pied mais il le retint fermement.

— Je voudrais que vous partiez.

— Je vous en prie, Terry, dit Alison derrière moi. Je vais vous expliquer.

— C'est inutile.

— Je vous en prie. Ce n'est pas ce que vous croyez.

— Et qu'est-ce que je crois ?

Je voulus à nouveau retirer mon pied mais Lance s'était mis à le masser et je m'aperçus, non sans horreur, que je n'avais aucune envie qu'il arrête.

— Vous croyez que c'est mon frère.

Lance descendit vers mes orteils et pétrit ma peau calleuse en manipulant mes muscles aussi facilement qu'Alison manipulait mes émotions.

— Ce n'est pas mon frère.

Mon mari masse merveilleusement les pieds. C'est sans doute ce qui m'a poussée à l'épouser. Et la raison pour laquelle je lui retombe dans les bras à chaque fois. Il a des mains merveilleuses. S'il commence à me masser les pieds, je suis fichue.

— C'est votre mari, énonçai-je d'une voix plate.

Pourquoi ne m'en étais-je pas aperçue plus tôt ? Pourquoi m'avait-il fallu si longtemps pour me rendre à l'évidence ?

— Ex-mari, précisa Alison.

— Lance Palmay, dit-il en me tendant sa main droite. Ravi de vous rencontrer.

— Mais quand arrêterez-vous de me raconter des histoires ?

Je récupérai mon pied et passai devant Lance pour aller à ma penderie. J'enfilai ma robe de chambre et la nouai d'un geste sec. Je ne m'étais jamais sentie aussi vulnérable, aussi exposée.

— Je voulais vous dire la vérité, protesta Alison, mais j'avais peur.

— Et de quoi exactement ?

— Peur que vous me preniez pour une petite idiote sans volonté qui retombe dans les bras de son bon à rien de mari dès qu'il apparaît.

— Hé ! protesta Lance.

— Je voulais vous faire bonne impression. Je voulais vous plaire.

— En me mentant ?

— C'était stupide. Je m'en rends compte maintenant. Mais...

— … sur le moment, l'idée ne semblait pas mauvaise, termina Lance.

— Ferme-la, Lance !

— Vous êtes sûre que c'est son vrai nom ?

Alison me jeta un regard affligé, comme si je l'avais giflée.

— Je l'ai appelé après Thanksgiving. C'est vous qui avez insisté pour que je téléphone à ma famille…

— Vous voulez dire que c'est ma faute ?

— Non, bien sûr que non. Je voulais juste expliquer comment, dans un moment de faiblesse, j'ai appelé Lance et je lui ai dit où j'étais. Je ne pensais pas qu'il viendrait en Floride. Enfin, peut-être que si. Je ne sais pas. Tout ce que je sais, c'est que, lorsqu'il est apparu à ma porte, je n'ai pas pu résister. Il m'a promis de ne rester que quelques jours. Je ne voulais pas vous contrarier. Vous ne vouliez pas de deux personnes dans le pavillon. Et je savais combien vous étiez pointilleuse. Pointilleuse, répéta-t-elle doucement, avec un petit sourire plein d'espérance. Joli mot.

J'éprouvai un tiraillement familier, une envie de la prendre dans mes bras et de lui dire de ne pas s'inquiéter, que tout s'arrangerait. Mon Dieu, j'étais aussi faible avec elle qu'elle l'était avec son ex-mari. S'il s'agissait bien de son ex-mari, corrigeai-je en me demandant pourquoi je la croirais. Elle changeait d'histoire comme de chemise. Pourquoi cesserait-elle brusquement de me mentir ?

— Et je vous ai donc raconté des histoires, continua-t-elle comme si elle lisait dans mes pensées. Je vous ai dit que Lance était mon frère. Ça m'a paru plus facile.

— Vous n'avez pas de frère.

— Si, j'en ai un. Si, si, répéta-t-elle, en regardant le sol comme si elle avait peur de me laisser voir son visage.

— Vous me cachez encore quelque chose.

— Non. Rien. Je vous ai tout dit.

Elle mentait. Je le savais, et elle savait que je savais. Voilà pourquoi elle n'osait pas me regarder dans les yeux.

— Je nous croyais amies, dis-je d'une voix faible sans trop savoir ce que je pourrais ajouter.

— Mais nous sommes amies, protesta-t-elle d'un ton implorant.

— Les amis se disent la vérité. Ils n'ont pas de secrets l'un pour l'autre. Ils ne cachent pas de journal intime.

Elle braqua son regard sur moi. L'espace d'une seconde, je crus qu'elle allait craquer et tout m'avouer, me déballer l'horrible vérité, reconnaître le rôle qu'elle avait joué dans le numéro de la veille, et m'expliquer cette comédie. Mais elle resta muette.

— Vous devriez partir maintenant, lui dis-je.

Elle hocha la tête.

— Je vous appellerai plus tard, murmura-t-elle en s'en allant.

— Non, vous n'avez pas compris. Je veux que vous partiez définitivement.

— Quoi ?

— Je ne veux plus vous voir.

— Vous ne le pensez pas.

— Hé, Terry ! intervint Lance. Vous ne trouvez pas que vous dramatisez ?

— Est-ce que je dramatisais hier soir quand vous avez essayé de me tuer ?

— Quoi ! s'écria Lance.

— Quoi ! s'exclama Alison en écho.

— Mais de quoi diable parlez-vous ? (Le regard qu'il me lança hésitait entre l'amusement et la fureur.) Vous perdez la boule, bon sang ! Est-ce que vous vous rendez compte ?

— Je veux que vous quittiez le pavillon, insistai-je. Et que vous disparaissiez de ma vie.

— Non, je vous en prie ! s'écria Alison.

— Je vous donne jusqu'à la fin de la journée.

— C'est trop injuste !

— Je crois que, légalement, vous devez nous laisser au moins un mois de préavis, dit Lance. Et je ne sais pas en ce qui vous concerne, Terry, mais moi, je réagis très mal aux ultimatums.

— Si vous ne partez pas, j'appelle la police. Ça vous suffit comme ultimatum ?

— C'est nul. Vous feriez mieux d'appeler votre avocat.

— Lance sera parti dans moins d'une heure, déclara Alison d'un ton catégorique.

— Quoi ? Tu plaisantes !

— Va-t'en ! lui dit-elle sans me quitter des yeux. Immédiatement.

Il se balança nerveusement d'un pied sur l'autre, puis il fonça hors de la pièce.

— Si vous pouviez m'accorder quelques jours, le temps de trouver un autre logement, me supplia doucement Alison, je vous promets de débarrasser le plancher, si vous le souhaitez toujours.

En fait, je ne savais pas ce que je voulais. D'un côté, je désirais qu'elle parte immédiatement, d'un autre qu'elle reste. Je ne dis rien pendant quelques secondes, attendant qu'elle remplisse les blancs, comme elle l'avait toujours fait, qu'elle m'offre une ombre d'explication à laquelle je puisse m'accrocher. Même après ce qui s'était passé, je cherchais encore une raison de la croire.

— Parfait. (Je crachai le mot comme si c'était un bout de viande pourrie.) Vous avez jusqu'au week-end. Si vous restez passé ce délai, j'appelle la police.

— Merci.

Elle poussa un grand soupir de soulagement. Puis elle pivota sur elle-même, son visage disparut dans un tourbillon de boucles blondes. Je l'entendis descendre l'escalier, puis ouvrir et refermer la porte du jardin. Je la vis par la fenêtre courir vers le pavillon et, soudain, s'arrêter et se retourner. Je crus la voir sourire.

22.

Je ne la vis pas les jours suivants. Ni Lance. Mais je doutais qu'il fût réellement parti. Je savais que l'affaire était loin d'être réglée, qu'ils ne s'en iraient pas les mains vides, pas après tout le temps et l'argent qu'ils avaient investis en moi. Je passai la première nuit à me demander quelle était la part de vérité dans ce qu'elle m'avait raconté, s'il y en avait une petite parcelle.

Quelle différence cela faisait-il, d'ailleurs ?

En y réfléchissant aujourd'hui, je m'aperçois qu'Alison avait surtout le don de me faire douter de moi et de remettre en question l'évidence même. Elle me faisait voir ce qui n'était pas.

Pour que je ne voie pas ce qui était.

Et, malgré tout cela, je devais constamment me rappeler qu'elle n'était pas l'adorable jeune femme que j'avais accueillie dans ma vie, mais une menteuse, un escroc et peut-être même une tueuse sans pitié. Je n'étais pas une amie mais une cible, et soigneusement sélectionnée, de surcroît. Et, d'après ce que j'avais lu dans son journal, je n'étais pas sa première victime. Qu'était-il arrivé aux autres ?

Et pourquoi ?

C'était cette dernière question qui m'empêchait de dormir la nuit. Pas quand Alison et ses cohortes frapperaient, mais pourquoi ?

Pourquoi ?

Que cherchait-elle ?

Qu'attendez-vous de moi ? aurais-je dû lui demander. *Pourquoi m'avez-vous choisie et vous êtes-vous donné tant de mal pour devenir mon amie ?*

Quel intérêt ?

Que voulez-vous dire ? m'aurait-elle répondu, ses grands yeux verts écarquillés de surprise. *Je ne comprends pas où vous voulez en venir.*

Quand j'avais le moral, je me disais que j'étais hors de danger, qu'en lui enjoignant de vider les lieux, en menaçant d'appeler la police si elle n'était pas partie à la fin du week-end, j'avais fait avorter son petit complot. Mais, quand ça n'allait pas, j'avais l'impression d'avoir seulement réussi à lui faire retarder ou modifier ses plans, qu'elle n'attendait que l'instant propice pour frapper.

Quoi qu'il en soit, plusieurs jours s'écoulèrent sans autre incident. Alison n'essaya pas de me parler, la Lincoln blanche disparut de ma rue. Je continuai à aller travailler et à m'occuper de mes patients et finis par me convaincre que le pire était passé.

Le matin du 4 janvier, je me préparais à partir à la clinique lorsque le téléphone sonna. Je savais que Josh était revenu de Californie la veille au soir et j'attendais son coup de fil avec impatience. Je m'examinai dans le miroir de ma coiffeuse en essayant de me voir à travers son regard et remarquai que mes cheveux avaient repoussé depuis qu'Alison les avait coupés. J'avais besoin d'aller chez le coiffeur. Je les remis d'un geste irrité derrière mes oreilles, me pinçai les joues pour me donner des couleurs et attendis encore une sonnerie avant de décrocher, ne voulant pas montrer mon impatience.

— Allô, dis-je d'une voix rauque comme si je me réveillais alors que j'étais debout depuis des heures.

— Erica m'a chargé de vous souhaiter une bonne année, me dit une voix masculine.

— Allez au diable ! rétorquai-je, m'apprêtant à raccrocher.

— Je crois que vous avez quelque chose qui lui appartient, continua le mystérieux interlocuteur, sans se laisser démonter.

— Je ne vois pas ce que vous voulez dire.

— Je crois que si.

— Vous vous trompez. Je n'en ai aucune idée.

— Elle aimerait le récupérer.

— Mais de quoi s'agit-il ? (Je l'entendis raccrocher.) Attendez ! Comment ça, j'ai quelque chose qui appartient à Erica ? Attendez ! continuai-je à crier dans le vide.

De quoi voulait-il parler ?

Le collier ! me rappelai-je en sursautant. Le petit cœur qu'Alison avait trouvé sous son lit et qu'elle avait porté fièrement jusqu'à ce que je lui offre un bijou bien à elle. Il valait quelques centaines de dollars tout au plus, et Erica me devait bien davantage en arriérés de loyer. Elle ne m'avait jamais paru du genre sentimental. Mais je ne savais pas juger les gens. Il suffisait de voir la façon dont je m'étais fait berner par Alison.

Mon esprit s'emballait, mes pensées s'entrechoquaient telles des vagues sur l'océan déchaîné. Quel était le lien entre Erica et Alison ? Erica aurait-elle laissé autre chose derrière elle, aurait-elle caché un objet de grande valeur dans le pavillon ? Et était-ce la raison pour laquelle Alison avait surgi dans ma vie et s'était donné tant de mal pour gagner mon amitié ? Que croyait-elle que j'avais ?

Doux Jésus ! La tête me tournait. Je pris mon sac et descendis en courant jusqu'à la porte d'entrée. Pensais-je vraiment qu'Alison libérerait le pavillon à la fin de la semaine ? Que Lance et elle repartiraient les mains vides ?

Je restai paralysée près de ma voiture, sans savoir que faire, consciente seulement que le temps m'était compté, que je ne pouvais plus rester chez moi, qu'il fallait que je parle à quelqu'un.

Je devais tout raconter à Josh.

Je rebroussai chemin, armée d'une résolution nouvelle, refermai la porte à clé derrière moi et me dirigeai d'un pas décidé vers le téléphone de la cuisine. Je composai le numéro et écoutai la sonnerie retentir une, deux, trois fois.

— Bureau des infirmières du quatrième étage. Margot à l'appareil.

— Margot, c'est Terry, dis-je d'une voix exténuée.

— Que se passe-t-il ? Ça n'a pas l'air d'aller.

— Je ne pourrais pas venir travailler aujourd'hui.

— Ne me dis pas que tu as attrapé l'horrible grippe qui court en ce moment.

— Je ne sais pas. Peut-être. Vous pourrez vous en sortir sans moi ?

— Nous n'avons pas le choix. Il n'est pas question que tu viennes dans cet état.

— Je suis vraiment désolée. Ça m'a pris d'un coup.

— C'est souvent le cas avec ces saletés.

— Je me sentais bien hier soir, brodais-je, alors que je savais pertinemment qu'à force d'en rajouter je finirais par me trahir. N'était-ce pas ce qui avait perdu Alison ?

— Eh bien, retourne vite te coucher, prends deux Tylenol et bois beaucoup. Tu connais la musique.

— Je suis vraiment ennuyée.

— Remets-toi vite.

Je montai en courant jusqu'à ma chambre où j'échangeai ma tenue d'infirmière contre un pantalon marine et un pull assorti. Je flanquai mon uniforme, avec des vêtements de rechange, dans le gros sac de voyage que je gardais au fond de mon placard. Je ne savais pas combien de temps je m'absenterais, ni où j'allais vivre, mais une chose était claire comme de l'eau de roche, je ne resterais pas là.

Josh insisterait-il pour que je m'installe chez lui ? me demandai-je en ajoutant ma robe jaune au décolleté plongeant, au cas où il m'emmènerait dîner dans un endroit chic. À moins que je ne loge dans un de ces drôles de petits hôtels art déco sur South Beach. Josh viendrait m'y rejoindre, divaguais-je en ouvrant le tiroir du bas de ma commode pour y prendre la chemise de nuit sexy que Lance m'avait offerte à Noël. Je la fourrai dans le sac en songeant que ce serait assez drôle de porter un cadeau de mon assassin en puissance lors d'un rendez-vous galant avec mon amant potentiel. Et voilà, maintenant je délirais carrément !

Je tentai de me calmer en respirant profondément. Je trouvais mon comportement stupide, irrationnel même. Mais j'avais l'impression qu'en décidant de passer à l'action j'avais libéré un côté de moi-même trop longtemps réprimé et bien déterminé à profiter de la vie, à prendre des risques, à s'amuser.

Je finis mes bagages en me demandant si je devais prévenir Josh que j'arrivais. Non, je préférais le prendre par surprise. Je jugeai que je n'avais pas de temps à perdre en coups de fil inutiles, mais peut-être craignais-je simplement qu'il me dise de ne pas venir, qu'il était trop occupé pour me voir. Et je ne pouvais pas courir ce risque. J'avais besoin de lui.

J'étais dans ma voiture lorsque je m'aperçus que j'avais oublié mes chaussures d'uniforme au pied de mon lit. J'en aurais besoin si je décidais de retourner travailler le lendemain. Je jetai mon sac sur la banquette arrière, retournai à contrecœur à la maison et montai l'escalier quatre à quatre. J'arrivai dans ma chambre pliée en deux, hors d'haleine. Je ramassai mes chaussures et, juste au moment de quitter la pièce, tournai les yeux vers la fenêtre et vis Alison sortir de chez elle.

Je fonçai jusqu'en bas et pilai devant la porte d'entrée, pour reprendre mon souffle. Je ne voulais pas paraître affolée. Il fallait absolument que tout semble normal. Alison ne devait pas se douter que je prenais la poudre d'escampette.

Elle m'attendait devant la voiture.

— Vous partez ? me demanda-t-elle avec un petit signe de tête vers mon sac de voyage, sur le siège arrière.

— Je me suis inscrite à un cours de gym. J'ai envie de faire de l'exercice avant d'aller travailler.

Je soulevai mes chaussures d'uniforme pour appuyer mes dires.

Elle parut accepter mon explication.

— Terry…

— Je vais être en retard.

J'ouvris la portière, jetai mes chaussures à l'intérieur et revins vers le siège du conducteur.

— S'il vous plaît, je voudrais vous parler.

— Vraiment, Alison, je ne vois pas l'intérêt.

— Écoutez-moi seulement. Ensuite, si vous voulez toujours que je m'en aille, je partirai. Je vous le promets.

— J'ai déjà reloué le pavillon, mentis-je et je vis ses yeux s'écarquiller de frayeur. À une infirmière de Mission Care. Elle emménage samedi.

Alison tourna la tête brutalement, le souffle coupé.

— Écoutez, temporisai-je, craignant soudain qu'elle n'essaie de me retenir si elle sentait que le temps lui manquait. Si vous voulez réellement me parler, je vous verrai ce soir, après mon service.

Elle parut aussitôt soulagée.

— Ça serait génial.

— Je rentrerai probablement assez tard.

— Ce n'est pas grave. Je vous attendrai.

— Parfait. (Je montai dans ma voiture et démarrai.) À plus tard.

— À plus tard.

Elle donna une petite tape sur le capot tandis que je sortais de l'allée en marche arrière.

À plus tard, répétai-je mentalement.

Je ne sais pourquoi je choisis la I-95 plutôt que l'autoroute à péage. *Prends toujours l'autoroute,* disait sans cesse Myra Wylie à son fils. *Il suffit d'un accident sur la 95 pour rester bloqué toute la journée.*

Et elle avait raison, m'aperçus-je en tendant le cou par ma fenêtre pour voir la cause de cet embouteillage.

De longues files de voitures s'étiraient à l'infini, à l'arrêt et pas près de repartir.

— Mon Dieu, sortez-moi de là ! murmurai-je en tripotant les boutons de la radio à la recherche d'un bulletin de circulation. Ce n'est pas le moment.

J'écoutai Alan Jackson chanter son amour perdu sur une station, puis Janet Jackson clamer qu'elle l'avait retrouvé sur une autre. Peut-être était-ce le même. Peut-être étaient-ils frère et sœur. Ou mari et femme. Comme Alison et Lance. J'éclatai de rire. Le conducteur de la voiture à côté me jeta un regard intrigué.

— Il ne faut pas que je pense à elle, chuchotai-je, les dents serrées et je passai à une autre station, où un animateur mâle échangeait des propos ineptes avec son homologue féminin.

« Alors, Cathy, combien de bonnes résolutions avez-vous transgressées depuis le début de l'année ?

— Je ne prends jamais de résolutions, Dave.

— Pourquoi, Cathy ?

— Parce que je suis incapable de les tenir. »

Je changeai encore.

« Un accident impliquant quatre véhicules bloque la circulation avant la sortie de Broward Boulevard, sur la I-95, annonçait le présentateur, avec le flegme d'une personne habituée à annoncer des catastrophes. Les ambulances sont sur les lieux... »

— Génial !

J'éteignis la radio d'un geste las. Un carambolage entre quatre véhicules, avec ambulances et voitures de police à l'appui ! J'étais bloquée pour un bon moment. Je ne pouvais rien y faire, alors inutile de m'énerver. Dommage que je n'aie pas emporté un bouquin, songeai-je en me retournant vers le siège arrière pour voir s'il n'y aurait pas un magazine qui traînerait par terre...

Et c'est là que je l'aperçus.

— Oh, mon Dieu !

Il était à quelques voitures derrière moi, dans la file de droite. Passé mon premier choc, je me dis que je m'étais trompée, que mes yeux me jouaient encore des tours, que le soleil et mon imagination débordante se liguaient contre moi, que, si je regardais mieux, l'illusion se dissiperait.

Mais, quand je ramenai mes yeux dans sa direction, il était toujours là.

Grand, même assis, son corps décharné penché sur le volant, KC scrutait de ses petits yeux bruns l'horizon droit devant lui comme s'il ignorait mon existence. Pouvait-il ne pas savoir que j'étais là ? Notre présence simultanée sur ce tronçon de route n'était-elle due qu'au hasard ?

Il se pencha alors en avant, posa son menton sur le haut du volant et tourna son regard résolument vers moi tandis que ses lèvres minces ébauchaient un sourire. *Tiens, Terry Painter* ! l'entendis-je presque s'exclamer. *Quelle coïncidence !*

— Merde ! jurai-je à voix haute, en le voyant descendre de sa voiture et zigzaguer entre les véhicules qui nous séparaient, ses doigts crochetés dans les poches de son jean moulant.

Qu'allais-je faire ? Que pouvais-je faire ? Prendre la fuite ? Où irais-je ? Bon sang ! Pourquoi n'avais-je pas de téléphone portable ? Je devais être la dernière habitante de la planète à ne pas en posséder, à détester leur prolifération et à ne pas supporter leur ingérence dans chaque instant de notre vie. Étais-je la seule à me hérisser à la vue de ces adolescents qui déambulaient dans la rue, le téléphone collé à l'oreille, en accordant plus d'importance à la personne qu'ils avaient au bout du fil qu'à celle qui les accompagnait ? Je maudissais l'égoïsme et la grossièreté de ce comportement. Enfin, cela mis à part, je devais reconnaître que, vu le peu d'appels que je recevais, je n'en avais pas réellement besoin.

J'entendis frapper à ma portière et tournai la tête. KC me dévisageait à travers la glace teintée. Il me fit signe de baisser ma vitre et j'obtempérai. Je ne courais aucun risque ici, me raisonnai-je, en plein embouteillage, avec tous ces témoins.

— Bien, bien, bien, me dit-il.

Oui, il ne dit que ça. *Bien, bien, bien.*

— Croyez-vous que ce soit raisonnable de sortir de votre voiture ?

Il haussa les épaules.

— Nous ne sommes pas près d'avancer.

— Où allez-vous ? demandai-je sans le regarder, en faisant semblant de me concentrer sur le bouchon devant moi.

— Nulle part de précis. Et vous ?

— Moi non plus.

— Je pensais que vous alliez voir Josh, dit-il, me prenant au dépourvu : j'avais oublié qu'ils s'étaient rencontrés chez moi, au repas de Thanksgiving.

Il contempla mon sac de voyage à l'arrière et j'ignorai le sourire sournois qui lui plissa les yeux comme s'il pouvait voir la chemise de nuit en soie à l'intérieur.

— Enfin, vous m'avez l'air complètement remise de votre petite baignade du réveillon.

Un frisson me parcourut l'échine. Quel rôle jouait-il exactement dans cette histoire ?

— Oui, je vais bien. Merci.

— Vous nous avez fait une sacrée frousse.

— Ça va maintenant.

— Ouais, mais vous devriez vous montrer plus prudente. Vous ne voudriez pas qu'il vous arrive malheur, n'est-ce pas ?

— Je ne sais pas. Et vous ?

Le sourire descendit de ses yeux à ses lèvres. Il ne dit rien.

— Est-ce que vous me suivez ? demandai-je à brûle-pourpoint.

Son sourire gagna tous ses traits.

— Dans quel but ?

— À vous de me le dire.

— Vous vous faites des idées, Terry, répondit-il en secouant la tête.

Il se redressa, donna un coup du plat de la main sur le toit de ma voiture et recula d'un pas en regardant les véhicules qui commençaient à s'ébranler autour de nous.

J'entendis arriver une moto et retins mon souffle pendant que le motard passait devant nous à toute vitesse, bientôt suivi d'un autre. Je les regardai slalomer entre les files, leurs visages cachés par leurs casques noirs et luisants. L'homme au bandana rouge serait-il l'un d'eux ?

— Transmettez mon meilleur souvenir à Josh, me lança KC avant de repartir vers sa voiture.

Quelques minutes plus tard, quand je trouvai enfin le courage de regarder dans mon rétroviseur, je le vis qui continuait à m'épier, derrière son volant.

23.

Nous nous sommes traînés dans les embouteillages encore une heure. Lorsque j'atteignis la sortie de Broward Boulevard, les quatre voitures accidentées avaient été poussées sur le côté et les ambulances étaient parties. Vu ce qui restait de deux des automobiles, dont une Porsche rouge vif qui ressemblait maintenant à une tomate écrasée, avec une flaque près d'une roue qui me parut être du sang, il devait y avoir des blessés graves et peut-être même des morts. Je songeai fugitivement qu'une des victimes pourrait bien atterrir dans mon service à Mission Care, et priai le ciel que cela nous soit épargné, aux uns comme aux autres. Plusieurs véhicules de police étaient encore sur les lieux, et des motards essayaient vainement d'empêcher les curieux de ralentir au niveau de l'accident, mais, c'était plus fort que nous, nous ne pouvions nous empêcher de contempler les dégâts.

— Avancez, cria l'un d'eux, tandis que je jetais un nouveau coup d'œil dans mon rétroviseur.

Aussitôt KC agita les doigts dans ma direction, comme s'il savait que je l'observais, comme s'il n'avait pas cessé de me surveiller, à attendre que nos regards se croisent.

Prise d'une impulsion subite, je baissai ma vitre et fis signe au policier d'approcher.

— Avancez ! répéta-t-il, un ton plus haut, en faisant de grands gestes.

— S'il vous plaît, pouvez-vous m'aider ? On me suit, tentai-je timidement, en essayant de distinguer les traits du motard sous son casque, mais je ne pus apercevoir que ses lunettes de soleil et sa mâchoire crispée.

— Désolé, madame, dit-il sans cesser de scruter les files de voitures, visiblement fermé à mes doléances, je suis obligé de vous demander de circuler.

Je remontai ma vitre en hochant la tête et vis KC dans mon rétroviseur éclater de rire, comme s'il avait compris ma tentative et s'amusait de mon audace. Ou de ma stupidité.

Qu'avais-je espéré ? Vu les circonstances, croyais-je vraiment que le policier m'écouterait et, qui plus est, prendrait mes inquiétudes au sérieux ? Et, dans ce cas, qu'aurait-il pu faire ? Interroger KC sur le vif et provoquer ainsi de nouveaux bouchons ? Et ensuite ? L'aurait-il arrêté ? C'était hautement improbable. Au mieux, il nous aurait embarqués tous les deux au poste. Ça m'aurait fait une belle jambe.

Pardon, monsieur, mais cette personne prétend que vous la suivez.

— Moi ? Terry, avez-vous vraiment dit cela au policier ?

— Vous vous connaissez ?

— Nous sommes amis. Terry m'a invité chez elle pour le repas de Thanksgiving.

— C'est vrai, madame ?

— Oui, mais…

— Pour être franc, monsieur l'agent, elle a un comportement très étrange ces derniers temps. Ses amis sont très inquiets.

Je voyais d'ici le policier hocher la tête d'un air entendu. Cependant, me rappelai-je, KC aurait beau nier, ma plainte serait enregistrée. Ce serait toujours ça de pris. Je rabaissai la vitre et fis à nouveau signe au motard.

— Vous avez un problème, madame ?

Il se pencha vers moi et retira ses lunettes de soleil d'un geste impatient.

Je vis qu'il était jeune, plus jeune que moi et peut-être même que KC. Je compris également à son ton, à sa façon de dire « madame », qu'il aurait du mal à croire qu'un jeune homme comme KC pût perdre son temps à suivre une femme de mon âge. Je passerais pour une enquiquineuse, et, en formulant prématurément mes craintes, je perdrais la crédibilité dont j'aurais besoin par la suite. Non, décidai-je, je n'obtiendrais rien en criant au loup. Et je manquerais Josh, alors qu'il représentait mon seul véritable espoir.

— Y a-t-il des blessés ? demandai-je.

— Je le crains.

Le policier rechaussa ses lunettes et recula.

— Je suis infirmière. Si je peux faire quelque chose…

— C'est déjà réglé. Circulez !

Le trafic devint plus fluide et, le temps d'atteindre Hollywood Boulevard, la situation était redevenue normale. J'avais beau accélérer et changer de file à chaque fois que l'occasion se présentait, je n'arrivais pas à semer KC. Je faillis sortir à Miami Shores. Mais je ne connaissais pas ce quartier et, si je voulais me débarrasser de KC, je ferais mieux de choisir un endroit où je ne risquais pas de me perdre moi-même.

Il était toujours derrière moi lorsque je pris la US 1 en direction du sud. Et brusquement, quelque part entre Coconut Grove et Coral Gables, où habitait Josh, il disparut mystérieusement.

J'épiais mon rétroviseur à chaque feu rouge. Je vis une femme dans une Accord noire parler avec animation au téléphone, une autre dans un monospace crème essayer de calmer une nuée d'enfants qui chahutaient à l'arrière et un homme en BMW verte qui se curait le nez.

KC et son Impala marron s'étaient volatilisés. Mais je n'étais toujours pas rassurée, et je me retournai plusieurs fois sur mon siège pour scruter les alentours. La marque et la couleur de sa voiture me laissaient penser qu'il s'agissait d'un véhicule de location. Une fois de plus, je me demandai quel rôle KC jouait dans les plans d'Alison.

Un coup de klaxon me ramena à la réalité. On me faisait remarquer que le feu était passé au vert. Je continuai à remonter la US 1 sans cesser de surveiller mon rétroviseur mais, apparemment, mes efforts avaient porté leurs fruits.

— Je l'ai semé ! clamai-je triomphalement et mon regard tomba au même moment sur le conducteur de la voiture voisine qui s'enfonçait voluptueusement l'index dans la narine gauche. Magnifique ! m'exclamai-je en entrant dans Coral Gables.

Je dépassai l'imposant complexe géométrique de Paseos, évitai volontairement le célèbre quartier du Miracle Mile, tournai à gauche, puis à droite, puis encore à droite à la recherche de Sunset Place. Je me trompai plusieurs fois et finis par me retrouver à mon point de départ. Je faillis avoir une attaque en voyant une Impala marron s'engager derrière moi. Heureusement, un bref coup d'œil au conducteur grisonnant penché sur son volant suffit à me rassurer. Je poursuivis ma route en souriant de ma paranoïa.

Je finis par trouver la bonne rue, mais j'étais du mauvais côté. Sunset Place, comme beaucoup d'artères du quartier, était plantée de palmiers et bordée de maisons de style espagnol de toutes les couleurs de l'arc-en-ciel. Josh vivait avec ses enfants au 1044, dans une jolie maison blanche au toit couvert de tuiles brunes, et entourée d'un ravissant jardin foisonnant d'impatiens corail et blanc et d'une autre variété de fleurs que je connais bien mais dont le nom m'échappe encore.

Je me garai dans la rue, juste en face de chez lui, et restai quelques minutes à réfléchir à ce que j'allais faire. Comment avais-je pu venir jusqu'ici sans élaborer de plan ? Quelle mouche m'avait piquée de me présenter chez lui, sans y avoir été invitée ni m'être annoncée, et à une heure de l'après-midi, un vendredi ?

Je sentis mon estomac protester lorsque je descendis de la voiture. Au-dessus de moi, de gros nuages gorgés de pluie obscurcissaient le ciel par ailleurs d'un bleu éclatant. Je me demandai si je ne ferais pas mieux de d'abord déjeuner. À moins que Josh ne me propose d'aller manger un morceau au café du coin.

Mais peut-être n'était-il pas seul. Je m'arrêtai au milieu de la chaussée. L'école ne reprenait pas avant lundi. Ses enfants devaient être à la maison. Que leur dirais-je ? *Salut, devinez qui vient dormir ce soir* ?

Et si jamais Josh n'était pas là ? Je remontai sur le trottoir. Sa voiture n'était pas dans l'allée. Il avait très bien pu repartir voir des clients dès son retour de vacances. Ou aller à Delray voir sa mère, réalisai-je avec stupeur. On était vendredi. Ne lui rendait-il pas toujours visite ce jour-là ? Bien sûr qu'il était à Delray ! Quelle idiote j'étais d'avoir fait tout ce trajet alors qu'il m'aurait suffi d'aller travailler comme d'habitude ! Je ne tournais pas rond ! Mais à quoi pensais-je ?

La porte de la maison s'ouvrit brusquement et Josh en personne apparut sur le seuil, beau, bronzé, en chemise à manches courtes et en jean. Il scruta la rue d'un bout à l'autre, contempla le ciel qui se couvrait, et se préparait à rentrer chez lui lorsqu'il m'aperçut.

— Terry ! s'exclama-t-il en traversant la rue à grandes enjambées. C'est vous ?

— Bonjour, Josh.

— Il est arrivé quelque chose à ma mère ? Comment va-t-elle ? Que se passe-t-il ?

Les questions tombaient de sa bouche comme une ligne de dominos.

— Ne vous inquiétez pas. Elle va très bien.

— Je lui ai parlé il y a moins d'une heure, continua-t-il comme s'il ne m'avait pas entendue.

— Josh, votre mère va très bien.

Ses épaules se relâchèrent bien qu'il eût toujours le regard tendu.

— Mais alors que faites-vous ici ?

— Il faut que je vous parle.

— De ma mère ?

Il ne comprenait pas ce que je disais ou quoi ?

— Non, Josh. Votre mère se porte remarquablement bien pour une vieille dame atteinte d'un cancer et d'une maladie de cœur. Elle était légèrement dépressive ces temps-ci, mais c'est normal en période de fêtes. Elle se remettra. Je me demande même si elle ne finira pas par nous enterrer tous.

Il sourit, son front se dérida lentement.

— Eh bien, tant mieux. Je me sentais tellement coupable ces derniers jours.

— C'est idiot, rétorquai-je du ton de ma mère. Je me mordis la langue. Vous n'êtes pas parti longtemps, vous n'avez rien à vous reprocher, ajoutai-je d'une voix plus douce en posant une main sur son bras pour le rassurer.

Il sursauta comme si je l'avais brûlé avec une allumette, s'écarta et toussa dans sa main en jetant un regard inquiet vers la porte ouverte. Se déciderait-il à me faire entrer ou allait-il courir s'enfermer à double tour ?

— Ça vous dirait une tasse de café ?

La soudaine chaleur de son sourire me surprit.

— Avec plaisir.

J'aurais préféré qu'il m'invite à déjeuner mais, comme il avait déjà paru effrayé de me voir débarquer chez lui sans prévenir, je n'osai le proposer, de peur de l'affoler davantage. Nous pourrions aller dîner de bonne heure, me rassurai-je tandis qu'il me faisait entrer dans le hall en marbre rose.

L'intérieur de la maison, étonnamment spacieux, comprenait une grande pièce à vivre qui combinait salon et salle à manger. La cuisine se trouvait sur l'arrière ainsi que deux petites chambres. J'entr'aperçus la suite des parents sur le devant, et sentis mes jambes flageoler en voyant le lit défait.

— Votre maison est ravissante, murmurai-je, en me retenant au canapé en daim tandis que je parcourais d'un œil admiratif les lignes épurées du mobilier minimaliste.

— Comment prenez-vous votre café ?

— Noir.

Je masquai d'un sourire ma déception qu'il ait oublié.

— Je reviens tout de suite. Installez-vous.

Il disparut dans la cuisine.

Je traversai le sol carrelé blanc, agrémenté de tapis au petit point. Cette pièce me surprenait. Elle ne correspondait pas du tout à l'idée que je me faisais de Josh Wylie. Il est vrai que je ne le connaissais guère, mais je m'étais imaginé ses goûts plus proches des miens, faisant passer en priorité le confort sur le style, la tradition sur la mode. Je me souvins alors que c'était la maison qu'il avait partagée avec son ex-femme ; le décor devait correspondre davantage aux idées de celle-ci qu'aux siennes. Il n'avait pas encore eu le temps de changer. Peut-être voulait-il aussi ménager ses enfants.

Les murs blancs étaient nus. Quelques lithographies banales encadraient la table de la salle à manger et une peinture abstraite, qui semblait représenter un bol de fruits, occupait le mur du fond du salon. Je pensais au superbe effet que feraient mes tableaux dans ces pièces, imaginant déjà mes fleurs luxuriantes à la place de la nature morte anémique, et le tableau de la jeune fille au chapeau de soleil au lieu du miroir banal, près de la porte d'entrée.

Pourquoi Alison m'avait-elle offert un cadeau aussi onéreux ? me demandai-je brusquement, et aussitôt une douleur me cisailla le ventre comme si j'avais reçu un coup de poing. Il avait suffi que je baisse ma garde une fraction de seconde pour qu'Alison s'insinue sournoisement dans mon esprit. Allez-vous-en ! m'insurgeai-je. Vous n'êtes pas la bienvenue dans cette maison, je suis en sécurité ici.

Mais l'expérience m'avait prouvé qu'une fois qu'elle avait un pied dans la place, il était difficile de l'expulser. Les images défilaient dans ma mémoire : son apparition sur le pas de ma porte ; son charme magnétique quand elle virevoltait dans le pavillon ; ses cheveux merveilleux étalés sur l'oreiller pendant son sommeil ; le cœur d'Erica autour de son cou ; le collier que je lui avais offert à Noël. Et tous les cadeaux dont elle m'avait comblée, les boucles d'oreilles, le vase tête de femme, le tableau. Quelle extravagance ! L'avait-elle payé ou Denise l'avait-elle simplement soustrait au stock de sa tante ? Et quel rôle cette dernière jouait-elle ? Se connaissaient-elles avant ? Denise Nickson et Erica Hollander seraient-elles deux pièces du puzzle Alison Simms ?

Que tu es bête, ma pauvre fille ! entendis-je grommeler ma mère.

— J'espère que le café est encore bon. Je l'ai fait ce matin, annonça Josh en revenant dans la pièce avec deux tasses fumantes. (Il s'arrêta brutalement en voyant mon expression.) Terry, que vous arrive-t-il ? On dirait que vous avez vu un fantôme.

Je levai les mains et remarquai qu'elles tremblaient. J'ouvris la bouche, mais aucun mot n'en sortit. Les larmes me montèrent aux yeux. Je venais de prendre brusquement conscience des angoisses que j'avais refoulées, des craintes que j'avais étouffées, et de mon effroyable solitude. J'étais lasse d'être courageuse, raisonnable et indépendante. Ce n'était pas dans ma nature, et je n'en pouvais plus. J'avais besoin qu'on me soutienne, qu'on me protège. J'avais besoin de Josh.

Je fis un terrible effort pour ne pas me jeter dans ses bras et ne pas lui avouer combien j'avais besoin de lui, combien je le désirais, je l'aimais. Oui, je l'aimais, m'aperçus-je, le souffle coupé, retenant mes paroles, comme j'avais retenu la fumée de la marijuana.

— Serrez-moi dans vos bras, chuchotai-je d'un ton suppliant.

Immédiatement, je sentis ses bras m'entourer, ses lèvres sur mes cheveux.

— Je suis désolé de ne pas vous avoir appelée.

— Vous étiez loin. (J'essuyai mes larmes et lui tendis les lèvres.) Vous êtes là maintenant.

— Oui, je suis là, dit-il en pressant sa bouche sur la mienne et, tel Clark Gable enlevant Vivien Leigh, il me souleva du sol et m'emporta vers sa chambre, où il me renversa sur son lit et entreprit de me déshabiller fébrilement…

Sauf qu'il ne fit rien de tout cela et ne prononça aucune de ces paroles. Pendant que mon imagination me propulsait jusque sur sa couche, il se dégageait déjà de mon étreinte et reculait prudemment hors d'atteinte.

— Je vous en prie, le suppliai-je, espérant vainement le retenir.

— Terry, écoutez-moi…

— Je suis tellement heureuse que vous soyez rentré. Vous m'avez tellement manqué…

— Oh, mon Dieu, Terry, je vous dois des excuses !

— Des excuses ? Mais pourquoi, voyons ?

Mon Dieu, faites qu'il n'ait rien à se faire pardonner.

— Il s'est passé tant de choses, continua-t-il en se réfugiant de l'autre côté de la table en verre où étaient posés nos cafés.

La vapeur des tasses éleva un écran impalpable entre nous.

— Que voulez-vous dire ? Que s'est-il passé ?

— Je suis vraiment navré si je vous ai induite en erreur.

— Je ne comprends pas. De quoi parlez-vous ?

— J'aurais dû vous le dire plus tôt. Je croyais, en fait, que ma mère l'avait fait.

— Me dire quoi ?

Il baissa la tête, honteux.

— Nous avons repris la vie commune, Jan et moi.

Ses mots me percutèrent les oreilles.

— Quoi ?

— Jan et moi, répéta-t-il, comme s'il croyait que j'avais mal entendu.

— Quand ?

— Juste avant Noël.

— Avant Noël ?

— Je voulais vous le dire.

— Mais vous ne l'avez pas fait.

— Je suis un lâche. C'était plus facile d'annuler nos rendez-vous. Et, pour être honnête, je ne savais comment ça se terminerait avec Jan.

— Que voulez-vous dire ? Vous me gardiez sous le coude, au cas où votre réconciliation échouerait ?

— Je ne voyais pas ça comme ça.

— Et vous le voyiez comment exactement ?

— Les enfants sont tellement contents, reprit-il, après un silence, comme si cela suffisait à tout expliquer.

Je ne sentais plus mes membres et ma tête bourdonnait.

— Thanksgiving ne signifiait donc rien à vos yeux ?

— Si, au contraire. Ce fut magnifique.

— Notre baiser... nos baisers ne rimaient à rien.

— Ils étaient merveilleux.

— Mais sans importance.

Un nouveau silence, plus long que le précédent.

— Terry, je vous en prie, évitons cela.

— Évitons quoi ?

— Je voudrais que nous restions amis.

— On ne se ment pas entre amis.

N'avais-je pas dit la même chose à Alison ?

— Je ne voulais pas vous tromper. Écoutez, j'ai un petit cadeau pour vous. (Il se précipita vers sa chambre et revint quelques secondes plus tard avec un paquet bleu vif.) J'aurais voulu vous le donner plus tôt, dit-il en le laissant tomber entre mes mains.

— Qu'est-ce que c'est ?

— Je voulais encore vous remercier de votre gentillesse envers ma mère.

— Votre mère. (Mon humiliation fut si profonde que je faillis me plier en deux.) Je suppose qu'elle est au courant que vous vivez à nouveau ensemble, Jan et vous ?

— Pourquoi croyez-vous qu'elle soit si déprimée ?

— Elle ne m'a rien dit.

— Elle ne s'en remet pas.

— C'est votre mère. Elle s'y fera.

— Vous n'ouvrez pas votre cadeau ?

Je déchirai le papier sans enthousiasme.

— Un journal !

Je le tournai entre mes mains, en pensant à Alison.

— Je ne sais pas si vous en tenez un.

— Il ne me reste plus qu'à m'y mettre.

— Je suis vraiment navré, Terry. Je ne voulais pas vous faire de peine.

Il s'interrompit et se tourna vers la porte d'entrée.

— Vous attendez du monde ? demandai-je sèchement.

— Jan et les enfants sont allés au centre commercial. Ils ne devraient pas tarder. (Il jeta un regard inquiet à sa montre.)

— Je suppose que votre femme ne serait pas ravie de me trouver ici.

— Cela ne ferait que compliquer les choses.

— Eh bien, je ne voudrais surtout pas vous attirer des ennuis, dis-je en me dirigeant vers la porte. (Avais-je vraiment cru qu'il me protégerait ?)

— Terry !

Je me retournai.

Ne partez pas. J'ai besoin de vous. Je me sortirai de ce pétrin. Je vous aime.

— Vous pourriez parler à ma mère, faire en sorte qu'elle se montre un peu plus compréhensive ? Elle vous aime comme sa fille. Elle vous écoutera.

Je hochai la tête à nouveau. Cette scène aurait frisé le comique si elle n'avait pas été aussi douloureuse.

— Je verrai ce que je peux faire.

— Merci.

— Au revoir, Josh.

— Prenez soin de vous.

— J'essaierai, répondis-je en refermant la porte derrière moi.

24.

— Bon sang, que tu es bête ma pauvre fille ! fulminai-je avec la voix de ma mère. Comment peux-tu être aussi stupide ? N'as-tu donc aucune fierté ? Aucun orgueil ? Tu as quarante ans, pour l'amour du Ciel ! N'as-tu donc rien appris depuis tout ce temps ? Comment peux-tu connaître aussi mal les hommes ? Ha, ha, ha !

J'éclatai de rire sans me soucier des regards à peine discrets que me jetèrent les autres conducteurs lorsque je tapai involontairement sur mon klaxon en martelant mon volant.

— Et s'il n'y avait que les hommes ! Tu ne comprends rien à personne. Tu n'as pas la moindre jugeote. Il suffit qu'on te témoigne un peu de gentillesse, un soupçon d'intérêt, pour que tu te mettes en quatre. Tu ouvres ta maison, tu ouvres ton cœur.

Tu ouvres tes cuisses, continuai-je intérieurement, trop honteuse pour le dire à voix haute, même dans l'espace confiné de ma voiture. Il suffit qu'un homme t'offre un déjeuner minable pour que tu le voies déjà te conduire à l'autel. Que tu es bête, ma pauvre fille ! Tu n'as que ce que tu mérites. C'est normal que tu finisses toujours par te faire avoir. Tu es vraiment trop bête.

Je pensai au lit défait dans la chambre de Josh. Avait-il fait l'amour avec Jan ce matin avant qu'elle ne parte faire les courses ? Les draps froissés portaient-ils encore l'odeur de leurs ébats ?

— Tu es nulle ! (Mes paroles résonnèrent dans l'habitacle en me faisant l'effet d'une gifle.) Les imbéciles de ton espèce ne méritent pas de vivre.

Je regardai dans le rétroviseur et vis les yeux de ma mère. Je n'avais pas besoin d'entendre le son de sa voix pour savoir ce qu'elle pensait. *Comment as-tu pu faire une chose pareille ?* Son regard brûla le mien jusqu'à ce que mes larmes me la cachent. Qu'avais-je besoin de son verdict sans pitié alors que je me condamnais moi-même ?

Que tu es bête, ma pauvre fille ! répétai-je, une fois garée dans mon allée tandis que je sortais mes clés de mon sac. Tu n'as que ce que tu mérites.

Je descendis en scrutant les alentours.

— Venez me chercher, criai-je à la rue déserte, sous les nuages toujours menaçants. La partie est terminée. Je ne joue plus !

Pas de Lincoln en vue. Lance l'avait sans doute laissée au coin de la rue. J'essuyai mes yeux gonflés du revers de la main, courus vers la porte d'entrée et tournai la clé dans la serrure. J'entendis le déclic habituel. La porte s'ouvrit.

J'entrai dans le salon et écartai brutalement l'arbre de Noël qui vacilla et bascula contre le mur. Quelques décorations se décrochèrent et explosèrent au contact du sol. J'aurais dû l'enlever depuis longtemps. J'aurais même dû commencer par ne jamais l'installer. Quelle imbécile ! J'arrachai une pleine poignée de nœuds roses des branches desséchées et les piétinai rageusement. Aller imaginer qu'Alison m'aimait vraiment ! Aller songer que Josh pouvait s'intéresser sérieusement à moi ! Mais qui pourrait vouloir de moi ? Qui voudrait être mon ami, mon amant ?

Ma mère avait raison. Elle avait toujours eu raison. Je n'étais qu'une idiote. Je n'avais que ce que je méritais.

Comment as-tu pu faire une chose pareille ? répéta-t-elle en se glissant à ma suite dans la cuisine.

— Va-t'en ! Je t'en prie, va-t'en. Laisse-moi tranquille ! Tu as fait ton boulot. Je n'ai plus besoin de toi.

Ses têtes de femme en porcelaine me toisaient de leur hauteur en ricanant de ma naïveté, et les reproches de ma mère continuaient à me poursuivre à travers leurs yeux vides et leurs sourires forcés. Je vis avec horreur mon bras balayer l'étagère du bas et les vases s'envoler tel un essaim d'abeilles en colère. Puis ce fut le tour de l'étagère du dessus. Je saisis la tête qu'Alison avait particulièrement admirée à sa première visite, celle qui ressemblait à ma mère avec son regard impérial et sentencieux, celle dont elle avait dit : « On dirait une vraie dame patronnesse qui nous écrase de son mépris. » Je la levai le plus haut possible avant de la fracasser contre le mur de toutes mes forces.

Elle explosa avec un bruit de pétard. J'éclatai de rire en regardant les éclats colorés retomber sur le sol comme des confettis.

— Terry ! appela une voix dans le jardin. Terry ! Que se passe-t-il ? Laissez-moi entrer ! Je vous en prie, laissez-moi entrer !

Je vis la poignée de la porte tourner frénétiquement dans tous les sens. Je pris une profonde inspiration et ouvris.

— Mon Dieu, Terry ! (Alison me dévisagea, atterrée.) Que vous est-il arrivé ? Qu'avez-vous fait ? Mais regardez-vous, vous saignez.

Je portai la main à mon front et sentis un liquide poisseux sur mes doigts.

— Terry, ça ne va pas ? Il est arrivé quelque chose ?

Un son plaintif monta de ma gorge, me remplit la bouche, déborda sur mes lèvres et finit par inonder la pièce. Je tombai à genoux et laissai exploser mon chagrin infini, tandis que les débris de porcelaine me lacéraient les jambes et restaient collés à ma peau comme des chardons.

Alison se précipita pour me prendre et me bercer dans ses bras. Elle embrassa mon front ensanglanté en me suppliant de lui dire ce qui n'allait pas. Je me sentis presque aussitôt reprise sous son charme. Malgré ses mensonges et ses tromperies, malgré tout ce que je savais, je voulais croire qu'elle tenait sincèrement à moi, et que, quoi qu'il arrive, elle me protégerait.

— Je ne suis qu'une folle, murmurai-je.

— Non, non, ne dites pas ça.

— Si.

— Dites-moi ce qui s'est passé. Je vous en prie, Terry. Dites-le-moi.

Je la regardai dans les yeux. À travers mes larmes, je me laissai presque convaincre de sa sincérité. Autant lui raconter mes déboires, décidai-je en tressaillant à la vue de mon sang sur ses lèvres. Elle pourrait en rire avec ses amis plus tard.

— Josh s'est remis avec sa femme.

Je faillis en rire moi-même.

— Oh, Terry, je suis désolée !

— Il vient de me l'annoncer.

— Vous l'avez vu ?

Je lui racontai ma visite pathétique, sachant que KC avait déjà dû l'appeler pour la tenir au courant. Avait-elle guetté impatiemment mon retour derrière sa fenêtre ?

— Le salaud ! s'écria-t-elle en me serrant gentiment l'épaule.

— Non. C'est ma faute.

— Comment ça, votre faute ?

Parce que c'est toujours la mienne, faillis-je répondre.

— Parce que je suis vraiment stupide.

— Si vous êtes stupide, moi, je suis carrément débile.

Je me mis à rire, comme cela m'arrivait souvent avec elle.

— C'est vrai, regardez comment je me conduis avec Lance, pour l'amour du Ciel ! Malgré le mal qu'il m'a fait, malgré toutes mes résolutions de le chasser de ma vie, il suffit qu'il sonne à ma porte pour que je le laisse entrer. Bon sang, c'est tout juste si je ne le tire pas de force ! Et pourtant je sais qu'il ne me réserve rien de bon, qu'il me brisera le cœur tôt ou tard, et qu'il fera tout échouer comme d'habitude.

— Échouer quoi ?

— Tout. Comme il l'a fait avec vous.

Je la sentis se crisper dans mes bras et attendis en me demandant si elle n'allait pas se livrer, tout m'avouer. Elle ne dit rien.

— Où est-il ?

Je tournai la tête vers la porte du jardin, m'attendant presque à le voir.

— Il est parti.

— Où ça ?

Elle secoua la tête, ses cheveux me chatouillèrent la joue.

— Je ne sais pas. Ça m'est égal.

— Vous voulez dire qu'il est rentré à Chicago ?

— Je n'en sais rien. Je suppose qu'il est allé là où Denise l'a emmené.

— Il est avec elle ?

— J'aurais dû la voir venir. (Elle se frappa le front comme pour essayer d'y faire entrer un peu de bon sens.) Tant pis, c'était fini de toute façon. Bon débarras.

Je hochai la tête mais je doutais qu'il fût réellement bien loin.

— Les hommes ! (Elle cracha ce mot comme si c'était une injure.) On n'est pas faits pour vivre ensemble.

— On ne peut pas les tuer, rétorquai-je, reprenant les paroles d'une vieille chanson country.

— Je suis vraiment désolée. Si je pouvais repartir de zéro, recommencer…

— Que feriez-vous ?

— Je ne lui dirais même pas bonjour, ça, c'est certain. Et je prendrais la fuite illico, avant qu'il ne soit trop tard.

— Il n'est jamais trop tard.

— Vous le croyez sincèrement ?

Je haussai les épaules. Je ne savais plus que croire.

— J'ai été tellement stupide !

— C'est Josh qui est stupide, dit-elle en plongeant son regard dans le mien, comme si elle voulait atteindre mon âme. Comment peut-on ne pas vouloir de vous ?

J'étudiai son visage en cherchant une trace d'ironie, mais je ne vis que les larmes envahir ses immenses yeux verts, le tremblement de ses lèvres quand j'essuyai ses pleurs. Et la traînée de sang que laissa mon doigt sur sa joue tandis que je prenais son visage entre mes mains et l'attirai doucement vers le mien.

Je ne sais pas si ce fut l'angoisse, la déception, le chagrin, peut-être une combinaison des trois, qui amenèrent ma bouche si près de la sienne. Je me demandai un bref instant ce que je faisais, puis je fermai mon esprit et mes yeux et lui effleurai les lèvres.

Elle s'écarta brutalement, comme Josh l'avait fait tout à l'heure. Loin de mes bras. Hors de ma portée.

— Non ! Ce n'est pas ce que je voulais dire ! Vous n'avez pas compris.

— Mon Dieu ! balbutiai-je en me levant d'un bond, ma main plaquée sur la bouche. Mon Dieu ! Mon Dieu !

Alison s'était redressée elle aussi.

— Ce n'est pas grave, Terry. Je vous en prie, c'est un malentendu. C'est ma faute.

— Qu'est-ce que j'ai fait ?

Je baissai le regard vers les femmes pulvérisées à mes pieds, les boucles d'oreilles arrachées, les rangs de perles cassés, les fragments de sourire mélangés à des mèches de cheveux. C'est la fin ! pensai-je en voyant mon reflet dans les yeux horrifiés d'Alison, réalisant que nous étions tous irrémédiablement brisés, que rien ne permettrait de reconstituer un seul d'entre nous.

— Je ne peux plus rester ici ! m'écriai-je en courant vers la porte, fuyant le carnage.

— Terry, attendez-moi ! Je viens avec vous.

— Non, je vous en prie. Laissez-moi seule. Laissez-moi !

Et, sans lui laisser le temps de réagir, je sautai dans ma voiture, verrouillai mes portes, démarrai, passai la marche arrière et enfonçai l'accélérateur.

— Terry, je vous en prie, revenez.

Je reculai dans la rue en mordant sur le gazon et faillis renverser Bettye McCoy et ses abominables clébards, deux pâtés de maisons plus loin. Elle me fit un bras d'honneur et me lança une injure mais ce fut la voix de ma mère que j'entendis.

Je passai plus d'une heure à errer dans les rues de Delray, peu à peu réconfortée par la vue de cette petite cité balnéaire qui avait réussi à préserver son pittoresque centre-ville sans se laisser envahir par les tours de bureaux et les affreuses galeries marchandes qui déparaient la plupart des agglomérations de Floride. Je longeai les vieilles maisons du quartier historique de la marina, puis les nouveaux immeubles du front de mer et les luxueuses propriétés, le long de la côte, avant de revenir par les résidences gardées, les maisons de retraite et les country clubs à l'ouest de la ville. Je conduisis jusqu'à en avoir des crampes dans les jambes et les mains soudées au volant. Et, lorsque les nuages sombres crevèrent et inondèrent les routes sous de terribles trombes d'eau, je me garai sur le bas-côté et regardai tranquillement la pluie marteler mon pare-brise. Un calme étrange m'enveloppa telle une couverture douillette. Mes larmes s'arrêtèrent. Mes idées s'éclaircirent. Et ma peur s'envola.

Je savais exactement ce qu'il me restait à faire.

Vingt minutes plus tard, je me garai devant Mission Care, traversai le parking sous le déluge qui ne faiblissait pas et me dirigeai vers la cage d'escalier en secouant mes cheveux mouillés. Je gardai la tête baissée pour que personne ne me reconnaisse. J'étais censée être alitée avec la grippe, et non me balader sous la pluie. En outre, ma visite était privée, pas professionnelle. Personne ne devait savoir que j'étais là.

Je grimpai jusqu'au quatrième étage et m'arrêtai sur le palier afin de reprendre mon souffle, puis je glissai un œil par l'entrebâillement de la porte. La voie était libre. J'avançais prudemment dans le couloir lorsque l'un des médecins du service surgit de la chambre d'un patient et se dirigea droit sur moi. Au lieu de baisser la tête, de faire semblant de ramasser une pièce imaginaire, ou même d'entrer dans la première chambre venue, je souris d'un air timide au jeune interne, prête à lui dire que j'allais nettement mieux et à le remercier de se soucier de ma santé. Mais le sourire absent qu'il me retourna me confirma qu'il ne m'avait pas reconnue, que j'étais aussi anonyme dans mes vêtements de tous les jours que dans mon uniforme d'infirmière. J'aurais pu être n'importe qui.

En fait, je n'étais personne.

Myra Wylie était allongée sur son lit, le regard fixé au plafond, lorsque je poussai sa porte.

— Je vous en prie, laissez-moi, gémit-elle sans regarder qui venait d'entrer.

— Myra, c'est moi, Terry.

— Terry ?

Elle se tourna vers moi et sourit du regard.

— Comment allez-vous aujourd'hui ?

Je m'approchai d'elle et pris la main fragile qu'elle me tendait.

— On m'a dit que vous étiez malade.

— C'est vrai. Mais je vais mieux.

— Moi aussi, maintenant que vous êtes là.

— Le médecin est-il déjà passé vous voir ?

— Il y a juste un instant. Il m'a grondée. Il m'a dit que je devais manger si je voulais garder mes forces.

— Il a raison.

— Je sais. Mais je n'ai guère d'appétit ces temps-ci.

— Même pas pour un morceau de pâte d'amandes ? demandai-je en sortant une petite pomme de la poche de mon pantalon. Je me suis arrêtée à la pâtisserie en venant.

— Par cette pluie !

— Nous en avons connu de pires.

— Vous êtes un amour.

J'ouvris l'emballage, brisai la pomme en deux et plaçai une moitié sur sa langue. Le plaisir illumina le regard de la vieille dame.

— J'ai vu Josh aujourd'hui, annonçai-je.

Aussitôt ses yeux s'assombrirent, comme le ciel.

— Il est venu ?

— Non. Je suis allée à Coral Gables.

— Vous êtes allée là-bas ?

— Oui, chez lui.

Je mis le second morceau dans sa bouche.

— Mais pourquoi ?

— Je voulais le voir.

— J'ai un problème ? Quelque chose que les médecins ne veulent pas me dire ?

— Non, m'empressai-je de la rassurer, comme j'avais rassuré son fils quelques heures plus tôt. Il n'était pas question de vous, mais de moi.

L'inquiétude voila son regard laiteux.

— Vous allez bien ?

— Très bien. Je voulais juste lui parler.

Le regard perplexe, elle attendit que je continue.

— Il m'a appris qu'il revivait avec sa femme.

— Oui.

— Et que cela vous contrariait.

— Je suis sa mère. Si c'est ce qu'il souhaite, je suis contente.

— Ça a l'air.

— Je ne suis qu'une vieille bilieuse. Je ne voudrais pas le voir à nouveau malheureux.

— C'est un grand garçon.

— Grandissent-ils jamais ?

— Depuis quand le savez-vous ?

— En fait, j'ai toujours su qu'ils se remettraient ensemble. Il l'aimait encore, même après le divorce. Et, dès qu'elle a cherché à se réconcilier avec lui, j'ai su que ce n'était plus qu'une question de temps.

Myra tourna la tête d'un côté à l'autre sans arriver à trouver une position confortable.

— Attendez, je vais regonfler vos oreillers.

— Merci, vous êtes un amour.

Elle souleva la tête en souriant.

— Vous auriez dû me le dire, continuai-je en prenant un oreiller pour lui redonner du volume.

— J'en avais l'intention. Mais j'étais gênée après tout ce que je vous avais raconté sur elle. J'espère que vous me comprenez.

— Cela m'aurait évité de me mettre dans une situation très embarrassante.

— Je suis désolée. Je n'en avais aucune idée. Je vous en prie, pardonnez-moi.

J'écartai en souriant quelques fines mèches de cheveux de son front.

— Je vous pardonne.

Puis j'écrasai l'oreiller sur son visage et le maintins plaqué sur son nez et sa bouche jusqu'à ce qu'elle cesse de respirer.

25.

Ça fait vraiment une curieuse sensation de tuer quelqu'un.

Myra Wylie était d'une force étonnante pour une femme aussi frêle. Elle me résista avec une détermination farouche et me frappa aveuglément de ses longs bras squelettiques. Elle chercha même à me planter ses doigts secs et noueux dans la gorge tandis qu'elle bandait son cou contre l'oreiller qui l'étouffait inexorablement. Je m'attendais si peu à une telle ténacité, à un tel instinct de survie face à une mort certaine et peut-être même espérée, que je faillis lâcher prise. Myra en profita pour tourner la tête d'un côté à l'autre et donner des coups de pied frénétiques dans les draps.

Me reprenant aussitôt, je pesai de tout mon poids sur l'oreiller et maintins ma pression jusqu'à ce que ses pieds cessent de s'agiter. Je guettai son dernier râle désespéré et reconnus l'odeur forte de l'urine qui s'écoula de son corps. Puis je comptai lentement jusqu'à cent en attendant que l'immobilité caractéristique de la mort la gagne. Et, à ce moment-là seulement, je retirai l'oreiller de son visage. Je le remis sous sa tête après l'avoir regonflé, puis la recoiffai soigneusement comme elle aimait. Ses cheveux étaient encore moites de sa lutte. Je soufflai doucement sur les mèches de son front pour les sécher et la vis battre des cils sous mon haleine chaude comme si elle voulait m'aguicher. Ses yeux larmoyants me fixaient d'un air stupéfait. Je les fermai avec mes lèvres tout en tendant une main tremblante vers sa bouche exagérément ouverte et crispée, qui semblait encore chercher à insuffler de l'air dans sa carcasse décharnée. Je pétris ses lèvres pour leur donner une expression plus agréable, telle une artiste travaillant la glaise. Je reculai afin de contempler mon œuvre. Elle me rappelait ces grosses bouées qu'on vend pour les piscines quand on les étale par terre avant de les gonfler. Mais j'étais satisfaite de lui voir une expression paisible, heureuse même, comme si la vie l'avait quittée au milieu d'un rêve agréable.

— Au revoir, Myra, lui dis-je du seuil de la chambre. Dormez bien.

Je repris rapidement le couloir vers la sortie, sûre que personne ne me remarquerait. Je souris même à un jeune homme qui allait rendre visite à son père. Et le regard vide qu'il me lança me confirma que j'étais toujours aussi invisible, tel un insaisissable fantôme hantant les couloirs déserts de la clinique, aussi inconsistante qu'un chuchotement dans le vent.

Comment me sentais-je ?

Stimulée, soulagée, peut-être un peu triste. J'avais toujours aimé et admiré Myra. Je l'avais considérée comme une amie jusqu'à ce qu'elle me trahisse en dépit de toute la gentillesse que je lui avais témoignée. Jusqu'à ce que je m'aperçoive qu'elle ne valait pas mieux que ceux qui avaient abusé de moi et trompé ma confiance au fil des années. Et, comme eux, elle était responsable de son propre malheur et n'avait eu que ce qu'elle méritait.

Ne croyez pas que je me plaise à jouer l'artisan du destin. En fait, je n'ai jamais aimé voir les gens mourir même si cela m'arrive fréquemment. C'est sans doute la raison pour laquelle je suis une bonne infirmière, parce que je me soucie réellement des autres, que je veux leur donner le meilleur de moi-même. L'idée de supprimer une existence m'est franchement odieuse. Ma formation médicale m'a conditionnée à faire tout ce qui est possible pour maintenir les gens en vie. Même si l'on peut parfois s'interroger lorsqu'il s'agit de malades réduits à un état végétatif.

Enfin, il ne faut pas rêver. Les infirmières n'ont aucun pouvoir. Même les médecins, dont nous flattons constamment l'ego démesuré et dont nous couvrons régulièrement les erreurs, n'en ont guère plus quand il s'agit de vie et de mort. Contrairement à ce que nous prétendons, nous ne soignons pas, nous assurons juste le gardiennage. Notre tâche se limite à veiller ces pauvres vieillards qui ont dépassé leur date de péremption.

Lance avait raison.

Je me représentai le mari d'Alison, si tant est qu'il le fût, grand, mince, irrémédiablement séduisant, en me demandant s'il était réellement parti. À moins qu'il ne fût toujours à Delray, tapi derrière un palmier aux appendices obscènes, à attendre l'occasion de me sauter dessus.

Trop tard, pensai-je en souriant.

Je descendis calmement les quatre étages et quittai la clinique. Je constatai avec soulagement qu'il ne pleuvait plus et que les nuages laissaient la place à un timide soleil couchant. C'est la *happy hour*[1], songeai-je, en regardant ma montre. Je montai dans ma voiture, prise d'une soudaine envie de m'arrêter boire un verre sur le chemin du retour. Mais il était encore trop tôt pour se réjouir et j'avais encore du pain sur la planche. Il me faudrait toute ma lucidité dans les heures à venir. Pas question de baisser ma garde.

J'entendis hurler une sirène alors que je m'engageais dans les encombrements sur Jog Road ; l'ambulance me

---

1. Heure à laquelle les boissons sont servies à un prix réduit dans les bars. *(N.d.T.)*

doubla sur le bas-côté. Elle se rendait sans doute au Delray Medical Center. Je me demandai combien de temps s'écoulerait avant qu'on ne s'aperçoive que Myra était morte. M'appellerait-on pour m'apprendre la triste nouvelle ? Elle était ma patiente après tout. *Où est ma Terry ?* demandait-elle chaque matin à son réveil, comme si j'étais tenue de rester clouée à son chevet, comme si je n'avais pas le droit d'avoir une vie personnelle.

Où est ma Terry ? Où est ma Terry ?

Tout le monde trouvait ça gentil.

La voilà, votre Terry ! dis-je, les mains crispées sur le volant comme si c'était l'oreiller, et j'appuyai dessus de toutes mes forces. Mon klaxon retentit dans le crépuscule et une demi-douzaine d'autres en profitèrent aussitôt pour polluer l'air à l'unisson. De vrais moutons, pensai-je, en regardant le conducteur devant moi me faire un doigt d'honneur sans même prendre la peine de se retourner.

Pourquoi l'aurait-il fait ? Qu'y avait-il à voir ? J'étais invisible.

Il n'y aurait pas d'autopsie. C'était inutile. La mort de Myra était attendue si ce n'est annoncée. Depuis longtemps. Elle ne présentait rien de surprenant ni de suspect. Une femme de quatre-vingt-sept ans souffrant d'un cancer et d'une maladie de cœur… ce serait une délivrance. Les infirmières marqueraient sa disparition d'un hochement de tête et d'une note brève dans leurs registres. Les médecins inscriraient l'heure de son décès avant de passer au prochain cadavre en puissance. Josh Wylie organiserait tranquillement les obsèques de sa mère. Et, dans quelques semaines, il enverrait probablement au personnel un bouquet de fleurs en remerciement des excellents soins qu'elle avait reçus à Mission Care. Bientôt un autre patient occuperait son lit. Après quatre-vingt-sept ans d'existence, ce serait comme si Myra n'avait jamais vécu.

Une vieille chanson des Beatles, *She loves you, yeah, yeah, yeah !* passa à la radio. Je chantai à tue-tête et découvris, à ma grande surprise, que j'en connaissais toutes les paroles. Je me sentis étrangement exaltée, et même transportée de joie. Les Beatles furent suivis de Neil Diamond, puis Elton John. *Sweet Caroline, Goodbye Yellowbrick Road.* Depuis toujours fan de ces vieux titres, j'en connaissais la moindre parole, le moindre coup de batterie, la moindre pause.

Soldier Boy ! beuglai-je avec les Shirelles. *Oh, my little soldier Boy ! Bam bam bam bam bam. I'll-be-true-to-you.*

Je ne sais pas pourquoi je décidai de ne pas me garer dans mon allée mais derrière mon pâté de maisons. Cherchais-je la voiture de Lance ? Si tel était le cas, je ne la vis pas. Était-il réellement parti ? Étais-je vraiment en sécurité ?

Je me moquai de ma naïveté et scrutai à nouveau la rue avant de descendre de voiture et de veiller à marcher en restant dans l'ombre des palmiers qui claquaient dans le vent comme des castagnettes.

Lorsque j'atteignis la Septième Avenue, je ralentis, rentrai la tête dans les épaules et, le regard baissé, m'approchai de ma maison comme si j'allais la dépasser avant d'obliquer au dernier moment, avec une nonchalance apparente. Je remontai mon allée en courant, ma clé à la main. J'ouvris la porte, la verrouillai ensuite derrière moi, puis je courus à la fenêtre du salon, le cœur martelant ma poitrine. Mon front moite dessina une plaque de buée sur la vitre tandis que j'inspectais anxieusement la rue. Quelqu'un m'épiait-il ?

— Tout va bien, dis-je à voix haute. Tu es en sécurité.

Je hochai la tête comme pour me rassurer davantage et, sans un regard pour le sapin renversé au milieu des décorations brisées, j'entrai dans la cuisine où les débris de vases crissèrent sous mes pas tandis que je m'approchai de la porte du jardin, l'œil fixé sur le petit pavillon derrière ma maison.

Les lumières étaient allumées, Alison devait donc être chez elle. À guetter certainement le retour de ma voiture, afin d'accomplir la phase finale de son plan.

— Non, mais tu t'entends ? m'esclaffai-je. La phase finale de son plan ! répétai-je à voix haute et, cette fois-ci, j'éclatai de rire.

Je me laissai tomber sur une chaise et contemplai les têtes brisées qui jonchaient le sol. La fierté et la joie de ma mère.

— Que vous arrive-t-il, les filles ? Vous n'avez pas la forme ? Je jetai un coup de pied dans le tas et regardai les morceaux s'entrechoquer, une oreille par ici, un nœud par là, un col montant, une main volage. Je ne vois pas de quoi vous vous plaignez, mesdames. Vous aviez déjà le crâne troué.

Je m'extirpai de ma chaise et rassemblai les débris dans le centre de la pièce, d'abord avec les mains puis avec un balai.

Il me fallut une bonne demi-heure pour ramasser les restes de ces dames ; ce n'était pas facile dans l'obscurité. Je vidai ensuite le tout dans la poubelle sous l'évier avant de passer l'aspirateur puis un coup de serpillière. Lorsque j'eus terminé, je m'aperçus que je mourais de faim. Je me préparai donc un sandwich avec un reste de rosbif et le fis descendre avec un grand verre de lait écrémé.

Les femmes ont besoin de calcium, ai-je alors songé. Même celles qui sont invisibles comme moi.

Je retournai à la fenêtre et scrutai à nouveau, dans l'obscurité grandissante, le pavillon qui avait été autrefois ma maison. Un foyer de filles rebelles, murmurai-je en pensant à Erica et à Alison. Pourquoi me laissais-je attirer par ce genre-là ? Qu'avais-je fait de ma raison, de mon bon sens ? Pourquoi prenais-je constamment des risques ? L'expérience ne me servait-elle à rien ?

Je sentais le mépris silencieux de ma mère suinter de la chambre et me brûler le dessus de la tête comme si c'était de l'acide coulant d'une batterie.

Ça ne faisait qu'une idiote de plus avec un trou sur le haut du crâne.

Tu ne comprendras jamais rien. Tu ne vaux pas mieux que les autres, me chuchota la voix de ma mère.

Un mouvement attira mon regard et je me plaquai au mur en voyant Alison écarter les rideaux de son salon pour regarder dehors. Elle scruta l'allée d'un air anxieux. Elle se demandait où j'étais. Quand j'allais rentrer.

Elle s'attarda quelques secondes, puis s'écarta pour reprendre sa veille, cachée par les voilages. Je devais être prudente, raser les murs, ne pas lui laisser deviner que j'étais chez moi avant d'avoir terminé. J'avais encore du pain sur la planche.

Je me dirigeai vers le plan de travail et pris sur les étagères les ingrédients dont j'avais besoin. De la farine à gâteaux, une préparation toute faite de pudding au chocolat, une tasse d'huile, un paquet de noisettes effilées, un quart de tasse de pépites de chocolat, quatre œufs et, dans le frigo, un pot de crème. Le fabuleux gâteau au chocolat de Terry. Le préféré de ma mère. Il y avait des années que je n'en avais pas fait.

Pas depuis le soir de sa mort.

Terry ! l'entendais-je encore crier de la chambre au-dessus, la voix encore forte malgré sa paralysie.

— J'arrive dans une minute, maman.

— Non, maintenant !

— J'arrive.

— Mais qu'est-ce que tu fiches ?

— Me voilà !

Je mélangeai les ingrédients dans un plat creux et pétris le tout à la main de peur qu'Alison n'entende le mixer si jamais elle sortait de chez elle à mon insu. Je ne pouvais pas prendre un tel risque. Puis je cassai les œufs, plongeai ma spatule au milieu et traçai de grands cercles jaunes comme si je peignais sur une toile, créant mon propre chef-d'œuvre.

Une nature morte.

— Terry, pour l'amour du Ciel, qu'est-ce que tu fabriques ?

— J'ai presque fini.

— J'ai besoin du bassin. Je ne tiens plus.

— J'arrive.

J'ajoutai les éclats de noisettes et les pépites, puis je trempai mon doigt dans le plat et le léchai goulûment. Je recommençai, avec deux doigts cette fois, et poussai un grognement de satisfaction.

Qu'est-ce que tu fabriques ? criait ma mère.

Quand j'étais petite, je la regardais souvent faire la cuisine. À chaque fois, je la suppliais de me laisser l'aider. Évidemment, elle refusait sous prétexte que j'en mettrais partout. Mais, un après-midi qu'elle était sortie, je décidai de lui faire une surprise. Je réunis les ingrédients nécessaires et les mélangeai en veillant à éliminer les grumeaux, comme je l'avais vue faire semaine après semaine. Puis je fis cuire le tout à 180°.

Quand ma mère revint à la maison, je lui présentai mon beau gâteau au chocolat. Elle vérifia d'un coup d'œil que le plan de travail et le sol étaient propres, puis s'assit et attendit que je la serve. Je découpai fièrement une belle tranche de gâteau et, frétillante d'impatience, regardai ma mère porter la fourchette à ses lèvres. J'attendais des compliments, une petite tape sur la tête qui me montrent qu'elle était contente. Au lieu de quoi, je vis avec horreur son visage se creuser tandis qu'elle recrachait en hurlant : « Mais qu'est-ce que tu as fait, espèce d'idiote ! Qu'est-ce que tu as fait ? »

J'avais tout simplement utilisé du chocolat amer au lieu du sucré. Une erreur d'attention, d'autant plus pardonnable que j'avais à peine neuf ou dix ans. Sa réaction, plus ma confusion d'avoir fait une aussi grosse bêtise étaient déjà une punition suffisante. Mais je savais qu'elle n'en resterait pas là. Comme d'habitude.

Je revois encore mon corps se crisper dans l'attente du coup qui me dévisserait la tête et me ferait tinter les oreilles. Mais rien n'arriva. Je n'eus droit qu'à un silence angoissant et à un sourire déconcertant. Ma mère m'ordonna simplement de m'asseoir en indiquant la chaise à côté d'elle. Puis elle prit le couteau, me coupa une tranche identique à la sienne, la posa devant moi et attendit que je la goûte.

Je revois encore mes mains trembler tandis que je mordais dans le gâteau. Son amertume se combina au sel des larmes qui roulaient sur mes joues et s'insinuaient entre mes lèvres.

Elle me le fit manger entièrement.

Elle ne m'arrêta que lorsque je me mis à vomir sur le sol et, encore, c'était pour que je nettoie.

Terry, bon sang, mais qu'est-ce que tu fabriques ?

— J'arrive, maman.

Après un nouveau coup d'œil au pavillon, je réglai le four et graissai un plat. Je vidai la pâte dedans puis ajoutai mon ingrédient secret.

Qu'est-ce que tu fichais ? Passe-moi le bassin.

— Il est juste à côté de toi. Inutile de t'énerver.

— Ça fait trois quarts d'heure que je t'appelle.

— Je suis désolée. Je te préparais un gâteau.

— Quel genre de gâteau ?

— Au chocolat. Ton préféré.

Quand le thermostat indiqua 180°, je mis ma préparation au four et léchai le plat vide.

Tu ne me laissais jamais lécher le plat, maman. Pourtant c'est le meilleur. Je suis toujours passée à côté de ce qui était bon.

— Je sais que tu m'en veux.

— Non.

— Si. Tu m'en veux de la vie que tu as menée, de ne pas t'être mariée, de ne pas avoir eu d'enfants. Cette histoire avec Roger Stillman…

— C'est du passé, maman. Je n'y pense plus.

— C'est vrai ? Sincèrement ?

Je hochai la tête, coupai un morceau de gâteau et le portai à ses lèvres.

Je n'ai jamais agi que pour ton bien.

— Je le sais, voyons.

— Je n'ai jamais voulu te faire du mal.

— Je sais.

— J'ai été élevée ainsi. Ma mère était pareille avec moi.

— Tu as été une bonne mère.

— J'ai commis beaucoup d'erreurs.

— *Nous en commettons tous.*

— *Me pardonnes-tu ?*

— *Bien sûr que je te pardonne.* J'embrassai son front desséché. *Tu es ma mère. Je t'aime.*

Elle chuchota des paroles inintelligibles, peut-être « Je t'aime », je ne sais pas. De toute façon, c'était un mensonge. Bon sang, elle n'avait jamais cessé de me mentir ! Elle ne m'avait jamais aimée. Et la seule chose qu'elle regrettait, c'était de ne pas me voir allongée à sa place sur ce lit. Je poussai un autre morceau de gâteau dans sa bouche stupide et avide.

Mes rêveries furent brutalement interrompues par quelqu'un qui frappait à la porte du pavillon. Je me précipitai à la fenêtre et vis Alison ouvrir la porte. La lumière de l'intérieur éclaira une silhouette que je reconnus aussitôt.

— KC ! s'exclama Alison. Entre.

Elle jeta un regard furtif dans le jardin avant de refermer la porte derrière lui.

Regarde la crapule que tu as amenée chez moi, entendis-je ma mère rugir.

— *Chez moi,* corrigeai-je. *Tu es morte, ne l'oublie pas.*

Grâce à mon fabuleux gâteau au chocolat et à ton oreiller préféré.

Tes papilles t'ont laissé tomber cette fois-ci, hein, maman ? Qu'on ne vienne pas me dire que le Percodan se sent dans le chocolat.

Humant l'arôme du gâteau qui cuisait, je jetai un bref coup d'œil sur le four puis ramenai mon regard vers le pavillon juste au moment où KC ressortait, suivi d'Alison.

— Terry ne devrait pas tarder à rentrer, dit-elle. Je ne veux pas m'absenter trop longtemps.

Je courus vers le devant de la maison et les aperçus par la fenêtre du salon qui descendaient la rue d'un bon pas, côte à côte. Allaient-ils retrouver Lance et Denise ? Dans combien de temps reviendraient-ils ? Et le copain motard d'Erica serait-il avec eux ?

Je n'avais pas de temps à perdre. J'attrapai le double de la clé du pavillon, tirai délicatement le long couteau de boucher de son socle en bois, ouvris la porte du jardin et sortis dans la nuit frémissante de chuchotements et de mensonges.

26.

Je ne sais pas exactement ce que je cherchais ou, plus exactement, ce que je pensais découvrir.

Peut-être voulais-je simplement m'assurer que Lance était bien parti. Ou peut-être cherchais-je le journal d'Alison, quelque chose à apporter à la police, une preuve indéniable que ma vie était en danger. Je ne sais pas. Debout au milieu de son salon brillamment éclairé, les mains tremblantes, les genoux s'entrechoquant, je n'avais pas la moindre idée de ce que j'allais faire.

J'ignorais dans combien de temps Alison et KC reviendraient. Et comment savoir si Lance n'était pas tapi dans la chambre à épier le moindre de mes mouvements ? N'avais-je pas caché ma voiture au coin de la rue ? Il avait pu en faire autant.

Je ne relevai cependant aucun signe de sa présence : pas de vêtement abandonné sur le sol ; pas de creux révélateurs sur les sièges ; pas d'odeur masculine mêlée à celle du talc et de la fraise. Je m'avançai vers la chambre sur la pointe des pieds, les doigts crispés sur le manche du couteau, la lame saillant de mon corps comme une épine sur la tige d'une rose géante.

Rien dans la chambre n'indiquait non plus que Lance pût encore vivre ici. Pas de chemises dans les tiroirs, pas de valise dans le placard, pas de nécessaire à raser dans l'armoire à pharmacie. Je vérifiai même sous le lit.

— Rien, dis-je à mon reflet dans la lame scintillante.

Était-il réellement parti, avait-il suivi Denise, comme Alison l'avait prétendu ?

Dans ce cas, pourquoi KC traînait-il encore dans les parages ? Quel lien avait-il avec Alison ?

Je posai le couteau sur la commode en rotin blanc, et le regardai vaciller au rythme des tiroirs que j'ouvrais l'un après l'autre. Ils ne contenaient que quelques soutiens-gorge pigeonnants de Victoria's Secret, une demi-douzaine de slips, plusieurs strings à l'aspect inconfortable, et un pyjama en coton jaune décoré d'images de *I Love Lucy.*

Où était passé son journal ? J'y trouverais sans doute l'explication que je cherchais.

Ce n'est qu'après avoir fouillé les tiroirs à plusieurs reprises que je l'aperçus sur la table de nuit.

— Que tu es bête ! dis-je de la voix de ma mère. Il était juste sous ton nez. Ouvre les yeux.

Je le pris et le feuilletai afin de lire ce qu'Alison y avait écrit en dernier.

Tout s'écroule, lus-je.

Au même moment, comme par hasard, j'entendis des coups sourds venir de la rue, suivis par des appels encore plus sonores.

— Terry ! Terry, je sais que vous êtes là. Je vous en prie, ouvrez-moi !

Je laissai tomber le journal sur le lit, courus à la fenêtre sur le côté et vis Alison surgir de l'avant de la maison et courir vers la porte du jardin, KC sur ses talons.

— Terry ! reprit-elle de plus belle en frappant le battant du plat de la main. Terry, je vous en supplie. Ouvrez !

— Elle n'est pas là, dit KC.

— Si, elle est là. Terry, s'il vous plaît. Ouvrez-moi !

Soudain, elle pivota vers le pavillon. M'avait-elle vue l'espionner derrière la fenêtre ? Je tournai sur moi-même sans savoir où aller.

J'étais coincée.

Je me précipitai vers le placard et ne vis qu'au dernier moment le journal que j'avais jeté sur son lit. Je retournai le remettre à sa place, puis revins en courant me cacher dans la penderie. Je tirai la porte sur moi au moment où Alison tournait la clé dans la serrure de l'entrée.

C'est alors, les doigts crispés sur la poignée, que je m'aperçus que j'avais oublié l'énorme couteau sur la commode. *Que tu es bête, ma pauvre fille !* chuchota ma mère derrière moi. *Tu peux être sûre qu'elle le verra !*

— Peut-être que ce n'était pas sa voiture, dit KC dans la pièce à côté. Il y a beaucoup de Nissan noires.

— Si, c'était bien la sienne, insista Alison, d'un ton ennuyé. Mais pourquoi est-elle allée se garer au coin de la rue et pas devant chez elle ?

— Elle est peut-être allée rendre visite à une amie ?

— Elle ne fréquente personne. Je suis sa seule amie.

— Tu ne trouves pas que c'est louche ?

Il y eut un long silence pendant lequel on aurait dit que nous retenions tous notre souffle.

— Où veux-tu en venir ?

Je les entendais tourner dans la pièce à côté. Combien de temps me restait-il avant que l'un d'eux entre dans la chambre et découvre le couteau ? Combien de temps avant qu'Alison ne vienne s'assurer qu'il n'y avait pas de croque-mitaines dans le placard ?

— Écoute, Alison, il faut que je t'avoue quelque chose.

— Quoi ?

Un nouveau silence, encore plus long que le premier.

— Je n'ai pas été très honnête avec toi.

— Bienvenue au club, marmonna-t-elle. Écoute, à la réflexion, je ne suis pas sûre d'avoir envie de parler de ça maintenant.

— Si, il faut que tu m'écoutes.

— J'ai besoin d'aller à la salle de bains.

Doux Jésus ! pensai-je en bondissant du placard comme un yo-yo au bout de son fil. J'attrapai si brutalement le couteau que je m'entaillai la paume. Je regagnai ma cachette et refermai la porte juste au moment où Alison entrait dans la chambre.

Je suçai le sang qui coulait de ma main en me retenant de hurler. J'entendis alors Alison marmonner dans la salle de bains.

— Mais, bon sang, qu'est-ce qui se passe ? Mais qu'est-ce qui se passe ? répétait-elle.

Elle tira la chasse, se lava les mains, revint dans la chambre et s'arrêta, comme si elle réfléchissait. À moins qu'elle n'eût aperçu quelque chose de suspect ? Du sang sur la commode ? Une empreinte suspecte sur la moquette ? Aurais-je remis son journal à l'envers ? Je levai mon couteau, prête à tout.

— Alison ? appela KC depuis le salon ? Ça va ?

— Je n'en sais rien. (Elle poussa un soupir résigné.) Que voulais-tu me dire ?

— Tu devrais t'asseoir.

Sa voix s'était rapprochée. Il devait se tenir sur le seuil de la chambre.

Alison se laissa tomber docilement sur son lit.

— Je sens que ça ne va pas me plaire.

— Pour commencer, je ne m'appelle pas KC.

— Ah bon, dit-elle d'un ton plus affirmatif qu'interrogatif.

— Je m'appelle Charlie. Charlie Kentish.

Charlie Kentish ? Où avais-je déjà entendu ce nom ?

— Charlie Kentish, répéta-t-elle, comme si elle cherchait, elle aussi. Pas KC, l'abréviation de Kenneth Charles.

— Non.

— Pas étonnant que personne ne t'appelle comme ça, ironisa-t-elle. Je ne comprends pas, continua-t-elle presque dans le même souffle. Pourquoi m'as-tu menti ?

— J'hésitais à te faire confiance.

— Pourquoi ?

Il dut hausser les épaules.

— Je ne sais pas par où commencer.

— Alors, te fatigue pas.

J'entendis Alison sauter sur ses pieds et faire les cent pas devant son lit.

— Je me moque de savoir qui tu es ou ce que tu as à me dire ! Il vaut mieux que tu t'en ailles et qu'on reprenne notre vie, chacun de notre côté. Tu ne crois pas que ça serait une bonne idée ?

— Seulement si tu viens avec moi.

— Quoi ?

— Tu es en danger ici.

— Moi, en danger ? (Elle éclata de rire.) Tu es complètement fou !

— Je t'en prie, écoute-moi…

— Non ! Tu vas finir par me faire peur. Va-t'en !

— Ce n'est pas de moi que tu devrais te méfier.

— Écoute, KC, ou Charlie, ou peu importe qui tu es…

— Je m'appelle Charlie Kentish.

Charlie Kentish. Mais, bon sang, pourquoi ce nom me semblait-il si familier ?

— Je m'en fiche. Pars ou j'appelle la police.

— Je suis le fiancé d'Erica Hollander.

— Quoi ?

— La jeune fille qui vivait ici avant toi.

— Je sais.

Voilà donc d'où je connaissais son nom. Bien sûr. Charlie Kentish. Le fiancé d'Erica, celui dont elle n'arrêtait pas de parler. Charlie par-ci, Charlie par-là. Charlie est tellement beau. Charlie est tellement intelligent. Charlie a décroché un super-job au Japon pour un an. Et nous nous marierons dès son retour, Charlie et moi.

— Ta chère fiancée s'est enfuie en pleine nuit en devant plusieurs mois de loyer à Terry, dit Alison.

— Elle n'est allée nulle part.

— Que veux-tu dire ?

— Simplement qu'elle n'est allée nulle part !

— Qu'est-ce que tu veux dire ? Explique-toi.

— J'espérais que ce serait toi qui m'expliquerais.

— Comment ça ? Où veux-tu en venir ?

— Peut-être que si tu voulais bien arrêter de tourner en rond et t'asseoir…

— Je n'en ai aucune envie.

— Je t'en prie, écoute-moi.

— Et ensuite, tu partiras ?

— Si tu le souhaites.

J'entendis le lit grincer pendant qu'Alison se rasseyait.

— Je t'écoute, dit-elle d'un ton qui laissait entendre qu'elle s'en serait volontiers dispensée.

— Nous vivions ensemble, Erica et moi, depuis six mois, lorsqu'on m'a proposé un super-job au Japon. Nous avons décidé qu'elle resterait là, qu'elle prendrait un logement moins cher et que nous ferions des économies pour pouvoir nous marier dès mon retour.

— Je croyais que tu étais du Texas.

— Oui, à l'origine, mais je m'étais installé ici après mes études.

— D'accord. Donc tu es parti au Japon.

— Et Erica m'a écrit par e-mail qu'elle avait trouvé un appartement adorable, un petit pavillon derrière une maison qui appartenait à une infirmière. Elle était ravie.

— Je n'en doute pas.

— Tout semblait parfait. Erica m'envoyait des messages enthousiastes me racontant que Terry était merveilleuse, qu'elle n'arrêtait pas de l'inviter à dîner, qu'elle la couvrait de petites attentions. Comme la mère d'Erica était morte deux ans avant, et que son père s'était remarié et vivait désormais en Arizona, j'étais ravi qu'elle soit tombée sur une femme aussi gentille.

— Pour pouvoir profiter d'elle.

— Ce n'était pas son genre. Erica était une fille adorable… (Sa voix se brisa.) Et puis les choses ont commencé à changer.

— Que veux-tu dire ?

— Ses lettres sont devenues de moins en moins positives. Elle m'écrivit que Terry avait un comportement bizarre, qu'elle faisait une fixation sur un motard qu'Erica avait salué un jour au restaurant, qu'elle devenait parano.

— Comment ça ? De quelle manière ?

— Elle ne m'a pas donné davantage de détails. Elle m'a juste écrit qu'elle se sentait de plus en plus mal à l'aise avec Terry, qu'elle craignait de devoir chercher un autre logement.

— Et elle s'est donc sauvée en pleine nuit ?

— Non. Comme je devais rentrer quelques mois plus tard, nous avons décidé qu'il valait mieux qu'elle reste jusqu'à mon retour à Delray et que nous chercherions un nouvel appartement ensemble. Et, du jour au lendemain, je n'ai plus reçu d'e-mails. J'ai essayé de la joindre sur son portable, sans jamais obtenir de réponse. Alors, j'ai appelé Terry. Elle m'a dit qu'Erica avait déménagé.

— Tu ne l'as pas crue ?

— Ça m'a paru bizarre qu'Erica soit partie sans me prévenir, et surtout sans laisser d'adresse.

— Terry m'a dit qu'elle fréquentait des gens douteux.

— Impossible.

— Qu'elle avait rencontré quelqu'un d'autre.

— Je n'y crois pas.

— Ça arrive.

— Sans doute. Mais je suis sûr que ce n'était pas ça.

— As-tu vérifié auprès de son employeur ?

— Erica n'avait pas d'employeur attitré. Elle travaillait pour une boîte d'intérim. Ils n'avaient plus de ses nouvelles depuis plusieurs semaines.

— Es-tu allé voir la police ?

— Je les ai appelés du Japon. Ils ne pouvaient pas faire grand-chose. Ils ont contacté Terry. Elle leur a raconté la même histoire qu'à moi.

— Et tu refuses toujours de la croire.

— Parce que c'est faux.

— Es-tu retourné les voir, une fois rentré du Japon ?

— Dès que je suis descendu de l'avion. Ils ont réagi comme toi. Elle a trouvé quelqu'un d'autre, mec. Laisse tomber.

— Mais tu ne veux pas abandonner.

— Pas tant que je n'aurai pas découvert ce qui lui est arrivé.

— Et tu penses que Terry est impliquée dans sa disparition ? Et moi aussi ?

— Je l'ai cru au début.

— Au début ?

— Quand tu as emménagé ici.

Je sentis presque l'étonnement d'Alison.

— J'observais la maison depuis déjà un mois quand tu t'es installée. Je t'ai alors suivie. Et, quand tu as déniché ce boulot à la galerie, j'ai commencé à te tourner autour. J'ai failli avoir une attaque quand je t'ai vue porter le collier d'Erica. C'est moi qui le lui avais offert.

— Je l'ai trouvé sous le lit.

— Je te crois. Mais, au début, j'étais perplexe. Je devais découvrir jusqu'où tu étais impliquée, ce que tu savais. J'ai essayé de te draguer, mais ça ne t'intéressait pas, alors je me suis rabattu sur Denise et j'ai réussi à la convaincre de m'amener le soir de Thanksgiving. J'ai vite compris que tu n'étais pour rien dans la disparition d'Erica. Mais plus j'observais Terry, plus j'étais convaincu qu'elle, oui.

— Et pourquoi ?

— Parce qu'elle a vraiment quelque chose de bizarre.

— Ne sois pas ridicule.

— Ça fait des mois que je l'observe et que je l'appelle. Je la file en voiture, j'essaie de l'effrayer, de la déstabiliser. Et elle commence à craquer, je le sens.

Je ne m'étais donc pas trompée. On m'espionnait vraiment. Et ça ne datait pas d'aujourd'hui. C'était donc KC, la silhouette tapie dans l'ombre, la voix anonyme et pourtant étrangement familière qui m'appelait au téléphone. Avec cette subtile pointe d'accent texan qu'il ne pouvait totalement déguiser. Comment avais-je fait pour ne pas le reconnaître plus tôt ?

— Tu la harcèles depuis des mois et ça te surprend qu'elle agisse bizarrement ?

— Terry sait ce qui est arrivé à Erica. Bon sang, c'est elle la responsable !

— Tu as terminé ? Alors, va-t'en.

— Tu n'as donc rien écouté ?

— Tu ne m'as rien prouvé. Rien du tout. Ta petite amie s'est envolée. Je suis désolée. Je sais que c'est dur de se faire larguer. Mais tes insinuations sont odieuses. J'en ai assez entendu, merci. Va-t'en maintenant.

Il y eut une seconde de silence, puis un bruit de pas se dirigeant à contrecœur vers la porte d'entrée.

— Attends ! cria Alison et je retins mon souffle, penchée en avant, la tête contre la porte du placard. (Elle fit le tour du lit, ouvrit le tiroir de la table de chevet.)

— Tu dis que c'est toi qui le lui as offert. Alors reprends-le.

Je m'imaginai Alison lui tendant le petit collier d'Erica.

— Viens avec moi. Tu es en danger ici.

— Ne t'inquiète pas pour moi. Tout ira bien.

J'entendis la porte d'entrée s'ouvrir tandis que je me glissais hors du placard et frôlais la commode en rotin blanc où ma main laissa une traînée de sang.

— Sois prudente, dit le prétendu KC à la jeune femme qui se faisait passer pour Alison Simms.

Et il partit.

27.

Je ne sais pas combien de temps je restai ainsi, le souffle bloqué dans ma gorge, ma main douloureuse sous la pression du manche du couteau, appliqué tel un fer rouge sur ma plaie. Pourrais-je le brandir contre Alison, ma vie dût-elle en dépendre ?

— Mais, bon sang, que se passe-t-il ? s'exclama-t-elle soudain, et je fis un pas en avant en levant machinalement mon arme au-dessus de ma tête. Le sang ruissela le long de mon bras en y dessinant une veine rouge.

Mais ce n'était pas à moi qu'elle s'adressait et elle courait déjà dans le jardin en direction de la porte de ma cuisine quand je sortis de l'ombre, encore sous le choc.

— Terry ! cria-t-elle en tambourinant sur la porte. Terry, ouvrez ! Je sais que vous êtes là.

Je la regardai reculer et lever les yeux vers la fenêtre de ma chambre.

— Terry !

N'obtenant aucune réponse, elle baissa la tête, découragée.

Qu'allait-elle faire maintenant ? me demandai-je en inspirant péniblement.

Elle resta immobile pendant un temps qui me parut abominablement long. Elle devait réfléchir. Comme moi. Finalement, elle décida d'aller frapper une dernière fois à la porte d'entrée et disparut de mon champ de vision.

Je poussai la porte du pavillon et courus dans la nuit. La brise glaciale me piqua la gorge. Et, pendant qu'Alison frappait à l'avant de la maison, j'entrai par la porte du jardin.

Aussitôt l'arôme du gâteau au chocolat fraîchement cuit s'enroula autour de ma tête tel le voile d'une mariée. Je glissai le maudit couteau de boucher dans son socle, puis enveloppai ma blessure d'un torchon pendant qu'Alison revenait vers la cuisine. Elle écarquilla les yeux de stupéfaction lorsque j'allumai d'un coup sec et ouvris la porte pour la faire entrer.

— Terry ? Que vous arrive-t-il ? Où étiez-vous passée ? J'étais morte d'inquiétude.

— J'ai fait une petite sieste, répondis-je d'une voix ensommeillée, qui n'était pas tout à fait la mienne. (Que diable, KC n'était pas le seul à savoir déguiser sa voix !)

— Est-ce que ça va ?

— Oui, parfaitement, dis-je en chassant ses inquiétudes d'un geste de la main.

— Mon Dieu, qu'est-ce que vous vous êtes fait à la main ?

Je regardai ma blessure comme si je la voyais pour la première fois. Le sang avait déjà traversé le tissu.

— Je me suis coupée. Ce n'est rien.

— Non, non, ça m'a l'air sérieux. Faites-moi voir.

Elle déroula le torchon sans me laisser le temps de protester.

— Oh, mon Dieu ! C'est affreux. Vous devriez aller à l'hôpital.

— Alison, c'est juste une petite coupure.

— Pas du tout. Il faut faire des points de suture. (Elle me tira vers l'évier, fit couler l'eau froide et amena ma main dessous.) Ça fait longtemps que ça saigne comme ça ?

— Non.

Je tressaillis lorsque l'eau toucha ma paume et dévoila la mince entaille blanche. Ma ligne de vie est coupée, songeai-je en regardant le sang qui continuait à couler.

— Qu'est-ce que ça sent ? (Elle se tourna vers le four.)

— Le fabuleux gâteau au chocolat de Terry, dis-je en haussant les épaules.

Elle fronça les sourcils.

— Je ne comprends pas. Quand avez-vous trouvé le temps de le faire ? Je vous attends depuis des heures. Quand êtes-vous rentrée ? Et que fait votre voiture garée au coin de la rue ?

Ses questions fusaient aussi vite qu'elles lui venaient à l'idée, et s'empilaient les unes sur les autres, comme des crêpes. Alison referma le robinet, prit quelques feuilles d'essuie-tout sur le rouleau accroché au mur et en tamponna le creux de ma main.

— Dites-moi ce qui se passe, Terry.

Je secouai la tête en essayant de rassembler mes idées et de mettre de l'ordre dans mes mensonges.

— Je n'ai pas grand-chose à raconter.

— Dites-moi déjà ce que vous avez fait quand vous êtes partie d'ici. Où êtes-vous allée ?

Elle n'avait pas besoin d'en dire plus, ni de mentionner le baiser avorté.

Je remarquai un petit cercle rouge qui imprégnait peu à peu le milieu des serviettes en papier, comme le sang des règles, songeai-je en le regardant s'étaler et foncer.

— Je suis tellement embarrassée, murmurai-je tandis qu'elle me conduisait vers une chaise. Je ne sais pas ce qui m'a pris tout à l'heure.

— C'est ma faute, m'interrompit-elle aussitôt en s'asseyant à côté de moi. Je vous ai induite en erreur.

— Je n'ai jamais fait une chose pareille de ma vie.

— Je sais. Josh vous a perturbée.

— Oui. J'étais tellement bouleversée en partant d'ici que j'ai roulé droit devant moi, sans savoir où j'allais, en essayant juste de reprendre mes esprits.

— Et vous vous êtes garée au coin de la rue parce que vous ne vouliez pas que je sache que vous étiez rentrée, affirma-t-elle tranquillement, d'une voix rongée de remords.

— J'étais très secouée. J'ai pensé qu'il valait mieux éviter de nous revoir pendant un moment.

— Je me suis fait un sang d'encre.

— Je suis désolée.

— Non, il ne faut pas.

Je regardai autour de moi. La cuisine paraissait vide, nue, sans le regard des têtes de femme.

— Cuisiner m'a toujours fait le plus grand bien. (Je tournai les yeux vers le four.) Alors j'ai eu envie de faire un gâteau. Je ne sais pas. Ça m'a paru une bonne idée. (Je souris.) Vous aimez le gâteau au chocolat, n'est-ce pas ?

— C'est une question purement rhétorique, n'est-ce pas ?

Je lui tapotai la main. Elle était glacée.

— Il devrait être bientôt cuit.

— C'est en le préparant que vous vous êtes coupée ?

Instantanément un mensonge se tortilla sur le bout de ma langue comme un ver au bout d'un hameçon.

— Un accident stupide. Je me suis coupée sur l'épluche-légumes en fouillant dans le tiroir.

Alison plaqua sa main contre sa poitrine en faisant la grimace.

— Ouille, ça doit faire mal.

— Ça va déjà mieux. Le gâteau devrait être prêt maintenant. Vous en voulez un morceau ?

— Ne faudrait-il pas le laisser refroidir un moment ?

— Non, il est meilleur chaud.

Je me levai de mon siège et ouvris la porte du four de la main gauche. Une bouffée de chaleur me sauta au visage pendant que je me penchais et la riche odeur du chocolat m'enveloppa. Je me tournai pour prendre mes maniques sur le comptoir.

— Laissez-moi faire, proposa Alison en les enfilant. (Elle sortit le gâteau et le posa sur un dessous-de-plat.) Il a l'air délicieux. Voulez-vous que je fasse du café ?

— Excellente idée.

— Asseyez-vous. Ménagez votre main. Mettez-la plus haut que votre cœur. (Elle leva les yeux au ciel.) Écoutez-moi ! Vous êtes infirmière et c'est moi qui vous dis ce qu'il faut faire !

Elle laissa échapper un rire où perçait son soulagement. Elle était rassurée que je fournisse une explication raisonnable à tout, que je n'aie pas l'air de lui en vouloir et que les choses semblent revenir à la normale.

Semblent, pensai-je en me rasseyant. Joli mot.

Je la regardai en souriant préparer le café. C'était surprenant de voir l'aisance avec laquelle elle s'affairait dans ma cuisine, parmi mes affaires. Elle savait, sans me l'avoir demandé, que je rangeais le café dans le freezer et le sucre dans le placard, à gauche de l'évier.

— Il y a de la crème fouettée dans le réfrigérateur, lui dis-je tandis qu'elle mesurait le café et versait de l'eau dans la cafetière électrique.

— Vous êtes stupéfiante, me dit-elle. On dirait que vous anticipez tout.

— Parfois c'est vraiment payant.

— J'aimerais être comme ça. J'agis toujours par impulsion.

— Ça peut être dangereux.

— Mais dites-moi...

Elle marqua une pause. Son regard balaya le sol puis les étagères vides. Un sourire espiègle éclaira son visage.

— Casser toutes ces têtes, ça n'était pas un peu impulsif, par hasard ?

— Oui, c'est vrai, gloussai-je.

— Nous nous ressemblons peut-être plus que vous ne le croyez.

— Peut-être.

Je soutins son regard et, pendant un instant, aucune de nous ne bougea, comme défiant l'autre de baisser les yeux. Bien sûr, ce fut moi qui cédai la première.

— Que diriez-vous de goûter ce gâteau ?

— Ne bougez pas. Gardez la main en l'air. Je m'occupe de tout.

Elle prit deux assiettes à dessert dans le placard, deux tasses et deux soucoupes et les posa sur la table avec quelques serviettes en papier, du sucre et le pot de crème fouettée. Puis elle se retourna vers le comptoir pour prendre un couteau.

— Vous vous souvenez de la première fois que je suis venue chez vous, quand j'ai pris ce monstre ? demanda-t-elle en tirant l'énorme couteau de boucher et je sentis mon souffle se bloquer dans ma gorge. Et que vous m'avez dit : « Oh ! là ! là ! Il est peut-être un peu gros, non ! » Oh ! là ! là ! répéta-t-elle en regardant, bouche bée, la lame tachée. Qu'est-ce que c'est ? Du sang ? On dirait qu'il y en a aussi sur le manche.

— Vous avez trop d'imagination.

Je me levai d'un bond et lui pris le couteau des mains puis le jetai dans l'évier et l'aspergeai d'eau chaude.

— Qu'est-ce que c'est ?

— Rien de plus que de la confiture de fraises.

— De la confiture ? Sur le manche aussi ?

— Vous me coupez une tranche de gâteau ou quoi ? demandai-je d'un ton impatient.

Elle saisit un autre couteau et commença à couper.

— Oh, non, il s'émiette ! Vous êtes sûre qu'il ne faudrait pas attendre un peu ?

— C'est parfait.

Elle glissa un gros morceau sur une assiette.

— Donnez-moi la moitié de ça.

— Vous êtes sûre ?

— Je pourrais toujours en reprendre.

— N'y comptez pas.

Alison se rassit et prit avidement une première bouchée.

Les miettes se collèrent autour de ses lèvres et lui dessinèrent une bouche de clown. Elle se lécha les babines en claquant la langue. Une langue de serpent, songeai-je en la regardant déglutir.

— C'est le meilleur gâteau que vous ayez jamais fait. Le meilleur. (Elle avala une autre bouchée.) Vous m'apprendrez la recette ?

— Il n'y a rien de plus facile.

— Ne vous inquiétez pas. Je saurai compliquer les choses d'une manière ou d'une autre. (Elle laissa échapper un petit gloussement gêné et finit rapidement son assiette.) Il est vraiment super-bon. Pourquoi vous n'en prenez pas ?

— Je préfère attendre le café.

— Il n'est pas encore prêt, remarqua-t-elle en regardant la cafetière. L'eau ne bout jamais tant qu'on la regarde, me rappela-t-elle en détournant les yeux. C'est vous qui me l'avez dit.

— Vous vous souvenez de tout ce que je dis ?

— J'essaie.

— Pourquoi ? demandai-je, sincèrement intéressée.

— Parce que je vous trouve intelligente. Et je vous admire. (Elle s'arrêta comme si elle voulait ajouter autre chose mais se ravisa finalement.) Puis-je avoir un autre morceau ? Je n'ai pas le courage d'attendre le café.

— Je vous en prie. Essayez avec de la crème.

Elle se servit un morceau encore plus gros et versa une énorme cuillerée de crème par-dessus.

— C'est divin. Il faut que vous goûtiez ça, dit-elle en me tendant sa fourchette.

Je secouai la tête en montrant la cafetière du doigt.

— Vous avez une sacrée volonté.

— Ce ne sera plus long. (Je la regardai dévorer la deuxième part. Un vrai broyeur humain, songeai-je avec une certaine considération.) Prête pour un troisième morceau ?

— Vous plaisantez ? Une bouchée de plus et vous aurez encore une tête de femme qui explosera dans cette cuisine. (Elle hésita.) Quoique, j'ai l'impression que j'aurais peut-être une toute petite place. Avec mon café.

Elle rit. Elle baissa les yeux et les ferma.

— Ça me manquera, murmura-t-elle en se balançant.

Je me penchai, croyant qu'elle allait tomber, tout en me disant que même un sédatif puissant comme le Percodan ne pouvait déjà agir.

Mais, au lieu de basculer, Alison se redressa sur son siège, et écarquilla les yeux, comme si elle se réveillait d'un cauchemar.

— Je vous en prie, ne me demandez pas de partir.

— Quoi ?

— Je sais que vous avez déjà reloué le pavillon à une autre infirmière, mais, je vous en supplie, donnez-moi une seconde chance ! Je vous promets de ne pas la gâcher, cette fois. Je ferai tout ce que vous voudrez. J'obéirai à vos règles... C'est promis.

Elle semblait si sincère que je faillis la croire. Malgré tout ce qui s'était passé, je m'aperçus que je rêvais de lui faire à nouveau confiance.

— Et Lance ?

— Lance ? C'est fini. Il est parti.

— Qu'est-ce qui me prouve qu'il ne reviendra pas ?

— Je vous en donne ma parole.

— Vous m'avez déjà menti.

— Je sais. Et je le regrette profondément. C'était stupide. Enfin, j'étais surtout stupide de croire que Lance changerait, que les choses se dérouleraient différemment cette fois-ci.

— Et la prochaine fois.

— Il n'y aura pas de prochaine fois. Lance sait qu'il est allé trop loin, qu'il a franchi la limite en s'en prenant à vous.

— Qu'est-ce que j'ai de différent des autres ?

Elle réfléchit, leva les yeux, les rabaissa comme si elle cherchait ses mots.

— Il savait que je tenais à vous.

— Et pourquoi ?

— Parce que.

Alison se leva d'un bond et se rattrapa à la table.

— Alison ? Ça va ?

— Oui. C'était juste un vertige. J'ai dû me lever trop vite.

— Et maintenant ? Ça tourne encore ?

Elle secoua la tête, comme si elle n'en était pas sûre.

— Non, je crois que ça va. Mais ça m'a fait drôle.

— Prenez du café. C'est un excellent antidote contre les étourdissements.

— C'est vrai ?

— Je suis infirmière, n'oubliez pas.

Elle sourit.

— Le café arrive tout de suite.

Elle remplit les deux tasses, puis ajouta trois grosses cuillerées de sucre et une bonne dose de crème dans la sienne.

— Santé, dis-je en trinquant avec elle.

— À nous.

— À nous, acquiesçai-je en la regardant boire une longue gorgée.

Elle fit une grimace, et reposa sa tasse dans la soucoupe.

— Il est un peu amer.

Je goûtai le mien.

— Je le trouve bon.

— Je l'ai fait trop fort.

— Peut-être n'y a-t-il pas assez de sucre, la taquinai-je.

Elle ajouta une cuillerée de sucre et goûta à nouveau.

— Non. C'est pareil.

Elle porta une main à sa tête.

— Alison, ça ne va pas ?

— Je ne sais pas. Je me sens bizarre.

— Buvez encore du café. Ça vous fera du bien.

Elle le but d'une traite, comme si c'était de la tequila. Puis elle prit une profonde inspiration.

— Vous ne trouvez pas qu'il fait chaud ?

— Non, pas vraiment.

— Oh, mon Dieu, j'espère que je ne vais pas avoir une migraine !

— C'est comme ça qu'elles débutent, d'habitude ?

— Non. J'ai d'abord l'impression d'avoir la vue qui se rétrécit comme dans un tunnel et ça déclenche, tout de suite après, un affreux mal de tête.

Je me levai de mon siège et fis semblant de fouiller dans un tiroir.

— Il me reste quelques comprimés de l'autre jour. Prenez-en deux. Par précaution.

Je lui tendis deux petites pilules blanches et remis le flacon de Percodan dans le tiroir.

Elle les avala sans même les regarder.

— Qu'est-ce que vous en pensez ?

— Vous devriez vite vous sentir mieux, répondis-je en remarquant qu'elle commençait à transpirer.

— Non, je parlais du pavillon.

— Vous pouvez rester aussi longtemps que vous voudrez.

Les larmes lui montèrent aussitôt aux yeux.

— C'est vrai. Vous parlez sérieusement ?

— Absolument.

— Vous ne me jetez plus dehors ?

— Comment le pourrais-je ? Vous êtes ici chez vous.

Elle plaqua sa main sur sa bouche pour ne pas crier de joie.

— Oh, merci. Merci beaucoup. Vous ne le regretterez pas. Je vous le promets.

— À condition que vous ne me mentiez plus jamais.

— Je vous le promets.

— Bien. Parce que les mensonges ruinent la confiance, et sans confiance…

— Vous avez raison. Vous avez parfaitement raison.

Elle se passa une main dans les cheveux, tourna la tête d'un côté à l'autre, s'humecta les lèvres avec la langue.

— Vous ne vous sentez pas bien, Alison ? Vous voulez vous allonger ?

— Non, ça va aller.

— Qu'est-ce que KC est venu faire ici, tout à l'heure ? glissai-je subrepticement alors qu'elle avait de plus en plus de mal à fixer son regard.

— Quoi ?

— Plus de mensonges, Alison. Vous me l'avez promis.

— Plus de mensonges, bredouilla-t-elle.

— Qu'est-ce qu'il venait faire ici ?

Elle secoua la tête, porta les mains à ses tempes, comme si elle voulait empêcher sa tête de vaciller ou même de se décrocher.

— Il ne s'appelle pas KC.

— Non ?

— Non. Il s'appelle Charlie. Charlie Machin Chose. Je ne me souviens plus. C'est le fiancé d'Erica Hollander.

— Le fiancé d'Erica. Mais qu'est-ce qu'il fichait là ?

— Je ne sais pas. Il m'a raconté une histoire invraisemblable.

— Quoi donc ?

— Un truc insensé. (Elle voulut rire mais le son s'étrangla dans sa gorge.) Il prétend qu'elle n'est pas partie, qu'elle n'est jamais allée nulle part. Et le plus ridicule, c'est qu'il est persuadé que vous savez où elle est.

— Ce n'est peut-être pas si ridicule que ça.

— Quoi ? Qu'est-ce que vous dites ?

— Peut-être que je sais où elle est.

— C'est vrai ?

Alison essaya de se lever, vacilla et retomba sur sa chaise.

— Vous seriez bien mieux si vous vous allongiez. Allons au salon.

Je l'aidai à se mettre debout, passai son long bras pardessus mon épaule et l'entraînai hors de la cuisine. Le frottement de ses pieds sur le sol me fit penser à un chuchotement.

— Qu'est-il arrivé au sapin ? demanda-t-elle en entrant dans la pièce.

— Juste un petit accident.

Je la conduisis au canapé, m'assis à côté d'elle et pris ses jambes sur mes genoux.

— Vous allez me faire un massage ? demanda-t-elle avec un sourire incertain.

— Peut-être plus tard.

— Je me sens tellement bizarre. C'est sans doute les comprimés.

— Et le gâteau, dis-je en lui ôtant ses sandales pour lui masser les pieds comme elle aimait. Et le café.

Elle me lança un regard interrogateur.

— Vous avez mis quatre cuillerées de sucre cette fois-ci, je crois. Ce n'est pas bien, Alison. Le sucre est un poison pour l'organisme.

— Je ne comprends pas. (Pour la première fois, un éclair de frayeur traversa ses jolis yeux verts.) Qu'est-ce que vous voulez dire ?

— Vous croyiez m'avoir, n'est-ce pas, Alison ? Vous pensiez qu'il vous suffisait de me sourire et de me couvrir de compliments idiots pour que je retombe sous votre charme. Mais ça ne marche plus. Cette fois, c'est moi qui envoûte. Avec le gâteau magique de Terry, le sucre magique de Terry, les comprimés magiques de Terry.

— Qu'est-ce que vous racontez ? Qu'est-ce que vous m'avez fait ?

— Qui êtes-vous ?

— Quoi !

— Qui êtes-vous ?

— Vous le savez. Je suis Alison.

— Alison Simms ? J'en doute, ajoutai-je sans lui laisser le temps de répondre. Il n'existe aucune Alison Simms. (Elle tressaillit comme si j'avais levé la main pour la frapper.) Tout comme il n'existait aucun KC.

— Mais je l'ignorais pour KC. Je n'étais pas au courant.

— Pas plus qu'il n'existe de Rita Bishop.

Elle se frotta la bouche, le cou, les cheveux.

— Qui ?

— Votre amie de Chicago. Celle que vous cherchiez à Mission Care quand vous êtes tombée sur mon annonce.

— Oh, mon Dieu !

— Si on jouait à notre petit jeu. Trois mots pour décrire Alison.

— Terry, je vous en prie. Vous ne comprenez pas.

— Laissez-moi réfléchir. Oh, ça y est : menteuse, menteuse, menteuse.

— Mais je n'ai pas menti. Je vous en prie, je n'ai pas menti.

— Vous n'avez fait que ça depuis le moment où je vous ai rencontrée. J'ai lu votre journal, Alison.

— Vous l'avez lu, alors vous savez...

— Je sais que vous n'êtes pas venue ici par hasard. Je sais que ça fait des mois que vous complotez avec Lance de vous débarrasser de moi.

— Mais pas du tout ! (Alison retira ses jambes de mes genoux et voulut se lever. Elle vacilla.) Oh, mon Dieu ! Mais que m'arrive-t-il ?

— Qui êtes-vous, Alison ? Qui êtes-vous vraiment ?

— Je vous en prie, aidez-moi !

— Aide-toi, le Ciel t'aidera ! répondis-je sèchement, de la voix de ma mère.

— C'est un affreux malentendu. S'il vous plaît. Emmenez-moi à l'hôpital. Je vous promets de tout vous dire dès que je me sentirai mieux.

— Faites-le maintenant.

Je la repoussai dans les coussins moelleux remplis de plumes qui faillirent l'engloutir sous leurs jolies fleurs rose et mauve. Je m'installai sur le fauteuil rayé juste en face d'elle et attendis.

— Dites-moi la vérité. Sans rien oublier.

28.

— Puis-je avoir un verre d'eau ?

— Plus tard. Quand vous m'aurez tout dit.

— Je ne sais pas par où commencer.

Son visage ruisselait de larmes. Il avait pris un teint de cendre.

— Commencez par me dire qui vous êtes. Votre nom.

— Je m'appelle Alison.

— Mais pas Simms ?

— Pas Simms, répéta-t-elle d'une voix faible. Sinukoff. Elle s'anima. Ce nom ne vous rappelle rien ?

— Il devrait ?

Elle haussa les épaules.

— Je me demandais si vous le connaissiez.

— Non, pas du tout.

— Je l'ignorais. Je ne pouvais pas prendre de risque.

— Quel risque ?

— Je ne voulais pas faire une autre bêtise.

— Mais de quoi parlez-vous ? Quelle bêtise ?

Sa tête roula sur ses épaules et oscilla dangereusement comme si elle allait tomber.

— Je suis tellement fatiguée.

— Pourquoi êtes-vous venue en Floride, Alison ? Que cherchiez-vous ?

— Vous.

— Ça, je le sais. Mais pourquoi ? Je ne suis pas riche. Je ne suis pas célèbre. Je n'ai rien qui puisse vous intéresser.

Elle réussit à immobiliser sa tête et me regarda fixement.

— Oh que si !

— Alors là, je demande une explication !

Ses yeux papillotèrent et se fermèrent et je crus un instant qu'elle avait succombé aux sédatifs, mais elle reprit la parole, lentement au début, péniblement, comme si elle avait du mal à suivre le fil de ses idées.

— Je vous ai cherchée longtemps avant de me décider à engager un détective privé. Le premier était nul, alors j'en ai changé. Le second m'a dit que vous travailliez dans une clinique privée de Delray. J'ai voulu aller juger par moi-même. Et c'est comme ça que je suis tombée sur votre annonce, au bureau des infirmières. Je n'en revenais pas de ma chance. J'ai inventé l'histoire de Rita Bishop en pensant que ça nous permettrait de mieux nous connaître avant...

— Avant quoi ?

— Avant de tout vous dire.

— Mais me dire quoi, bon sang ?

— Vous ne le savez pas ?

— Mais quoi ?

— Je ne comprends pas. Vous avez dit que vous aviez lu mon journal.

— Mais quoi ? répétai-je, la voix rauque.

Ses yeux se rivèrent sur les miens et s'écarquillèrent brusquement comme si elle me voyait pour la première fois.

— Mais que vous êtes ma mère !

Pendant un instant, je ne sus si je devais rire ou pleurer, et je fis donc les deux. Un son bizarre s'échappa de ma gorge. Je me levai d'un bond et me mis à faire les cent pas devant elle.

— Mais qu'est-ce que vous racontez ? C'est impossible ! De quoi parlez-vous ?

— Je suis votre fille, dit-elle, pleurant de plus belle.

— Vous êtes folle ! Votre mère habite Chicago.

— Je ne suis pas de Chicago. Je suis de Baltimore, comme vous.

— Vous mentez !

— J'ai été adoptée par John et Carole Sinukoff quand j'étais bébé. Vous les connaissiez ?

Je secouai la tête vigoureusement tandis que des images lointaines me traversaient l'esprit par saccades comme des lumières stroboscopiques. Je m'abritai les yeux, cherchant désespérément à tenir ces souvenirs indésirables à distance.

— Ils avaient déjà un fils, mais ils ne pouvaient plus avoir d'enfant, et, comme ils voulaient une fille, ils m'ont adoptée. Quelle erreur ! reconnut-elle en humectant ses lèvres. J'étais odieuse. Je ne me suis jamais sentie de la famille. J'étais tellement différente d'eux. Et mon noble frère n'arrêtait pas de me rappeler que j'étais une étrangère, ce qui n'arrangeait rien. Un Noël, alors qu'il était rentré de Brown pour les vacances, il m'a raconté que ma mère était une dévergondée de quatorze ans qui ne pensait qu'à écarter les cuisses.

— Oh, mon Dieu !

— Je lui ai donné un coup de pied bien placé. Il a dû avoir du mal à les écarter après ça.

Elle gloussa mais son rire s'étrangla dans sa gorge.

— Ce que vous dites est impossible.

Ma tête tournait autant que la sienne. Des images du passé assaillaient les défenses que j'avais élevées plus de vingt ans auparavant : Roger Stillman me pénétrant maladroitement sur la banquette arrière de sa voiture, mes yeux qui scrutaient frénétiquement mon slip, jour après jour, dans l'attente de règles qui refusaient obstinément de venir ; mon ventre d'enfant qui se distendait chaque jour davantage et que j'essayais de cacher sous des tenues de plus en plus vagues.

— C'est impossible, répétai-je d'un ton catégorique, repoussant désespérément ces horribles souvenirs. Faites le compte. J'ai quarante ans. Vous en avez vingt-huit. Je vous aurais eue à douze...

— Je n'ai pas vingt-huit ans. Seulement vingt-cinq. J'en aurai vingt-six...

Le 9 février, articulai-je silencieusement en même temps qu'elle. Je plaquai mes mains sur mes oreilles pour ne plus entendre sa voix.

— Je craignais, en vous disant mon âge réel, que vous ne découvriez la vérité avant d'avoir appris à me connaître. Je ne savais pas comment vous réagiriez en me voyant réapparaître dans votre vie. Je voulais tellement vous plaire. Non, c'est un mensonge, corrigea-t-elle aussitôt. J'attendais davantage encore. Je voulais que vous m'aimiez. Pour que vous ne puissiez plus jamais m'abandonner.

Je me laissai retomber sur mon fauteuil. Elle était folle, bien sûr. Même s'il y avait une part de vérité dans ce qu'elle racontait, elle ne pouvait être ma fille. Elle était si grande, si belle. Exactement comme Roger Stillman.

— C'est impossible. Je suis désolée. Vous vous trompez.

— Non. Pas cette fois-ci. Le premier détective que j'ai engagé a découvert une femme qui vous ressemblait à Hagerstown. Je m'y suis précipitée mais c'était une erreur. Ensuite, quand on vous a trouvée, Lance a dit que j'étais cinglée de venir jusqu'ici, que j'allais encore me faire du mal, mais je voulais absolument vous voir. Et, à la seconde où je vous ai aperçue, j'ai su que vous étiez ma mère. Même avant que vous me parliez de Roger Stillman, je savais que vous étiez ma mère.

— Écoutez, je suis désolée mais vous vous trompez.

— Non, non. J'ai raison. Et vous le savez.

— Tout ce que je sais, c'est que vous êtes une idiote, ma pauvre fille ! m'entendis-je hurler.

Que tu es bête, ma pauvre fille ! tonna la voix de ma mère.

— Non, je vous en prie, ne dites pas ça !

Comment as-tu pu faire une chose pareille ? Comment as-tu pu te laisser engrosser par ce minable ?

— Je m'occuperai du bébé, maman. Je te promets de bien m'en occuper.

— Ne va pas imaginer une seconde que j'accepterai un bâtard chez moi. Je le noierai dans un seau comme j'ai noyé ces satanés chatons !

— Terry, murmura Alison. Terry, je ne me sens pas bien.

Je me précipitai à côté d'elle et la pris dans mes bras.

— Tout va bien, Alison. Ne vous inquiétez pas. Vous n'allez pas vomir. Je sais que vous détestez ça.

— Je vous en prie, emmenez-moi à l'hôpital.

— Plus tard, mon ange. Dès que vous aurez fait un petit somme.

— Je ne veux pas dormir.

— Chut ! Ne résistez pas, ma chérie. Ce sera bientôt terminé.

— Non ! Oh, mon Dieu, non ! Je vous en prie, aidez-moi !

Nous entendîmes alors un bruit et, d'un même mouvement, nos têtes se tournèrent vers la cuisine.

Quelqu'un tambourinait à la porte du jardin en la secouant violemment.

— Alison ! cria une voix au-dessus du tumulte. Alison, tu es là ?

— KC ! s'exclama Alison d'une voix à peine audible. Je suis là. Oh, mon Dieu ! Au secours ! Je suis là !

— Terry ! hurla KC. Terry, ouvrez cette porte immédiatement ou j'appelle la police !

— Une minute ! lançai-je d'une voix calme en m'extirpant gentiment des bras d'Alison. (Elle bascula sur le canapé avec un grognement, assommée par le somnifère.) Je courus vers la porte du jardin. J'arrive. Ne vous énervez pas !

Il m'écarta brutalement de son passage.

— Où est-elle ? Que lui avez-vous fait ?

— De qui parlons-nous ? D'Alison ou d'Erica ?

Mais KC était déjà dans le salon.

— Alison ! Seigneur ! Qu'est-ce que cette folle t'a fait ?

J'allai doucement prendre le grand couteau de boucher qui trempait dans l'évier. Il se logea au creux de ma main comme si c'était sa place. Je le serrai et sentis ma plaie se rouvrir sous le manche mouillé. Puis je retournai dans le salon et regardai, cachée derrière les branches du sapin, KC tenter de remettre Alison debout.

— Tu peux marcher ?

— Je ne sais pas.

— Mets tes bras autour de mon cou. Je vais te porter.

Comment décrire ce qui s'est ensuite passé ?

C'était comme si j'avais tenu le rôle principal dans une pièce. Non, pas dans une pièce. Plutôt dans un ballet, rempli de mouvements grandioses et de gestes exagérés, soigneusement calculés et chorégraphiés. Alison leva les bras, moi aussi. KC se pencha pour la soulever, je me courbai à mon tour. Quand il s'avança d'un pas chancelant dans la pièce, je m'envolai avec une grâce impitoyable. Et, au moment où Alison laissa aller sa tête contre son épaule, je plongeai la lame de trente centimètres dans le dos du garçon avec une telle force que le manche me sauta des mains.

KC tituba en avant et lâcha Alison qui s'écroula à ses pieds avec un bruit sourd. Il pivota lentement sur lui-même tandis que ses mains, agitées au contraire de mouvements frénétiques, cherchaient à atteindre la lame plantée dans son dos. Et, tandis que les cris d'Alison montaient crescendo, KC, en équilibre sur la pointe des pieds, tendit les bras vers moi comme s'il m'invitait à valser une dernière fois. Je déclinai son invitation muette, reculai d'un pas, et le regardai s'effondrer à mes pieds, son regard incrédule déjà voilé par l'approche de la mort. Sa tête manqua de peu le socle du sapin renversé.

Je mis quelques secondes à m'apercevoir qu'Alison avait cessé de crier, qu'elle n'était plus allongée par terre, qu'elle avait trouvé, Dieu sait comment, la force d'atteindre la porte d'entrée. Qu'elle ait réussi à l'ouvrir et à descendre les marches du perron avant que je ne la rattrape témoigne de son incroyable détermination et de son courage.

L'instinct de survie, la volonté de vivre, m'étonneront toujours.

Myra Wylie m'avait stupéfiée, elle aussi. Seule Erica Hollander s'en était allée paisiblement. Elle s'était endormie quelques minutes à peine après avoir avalé le petit en-cas que je lui avais préparé. Et, quand je l'avais ensuite étouffée avec un oreiller, elle n'avait opposé que très peu de résistance.

— Non, hurla Alison, alors que je l'attrapais par le bras.

— Alison, je vous en prie. Ne faites pas de scandale !

— Non ! Ne me touchez pas. Laissez-moi tranquille !

— Rentrez, Alison !

Je lui saisis le coude et plantai mes doigts dans sa chair.

— Non !

Elle se dégagea avec une telle force qu'elle faillit me faire tomber. Elle traversa la moitié du jardin lorsque, soudain, ses jambes se dérobèrent et elle s'effondra telle une poupée de chiffon. Mais elle refusa de s'avouer vaincue et continua à ramper vers le trottoir.

C'est alors que j'entendis des aboiements suivis immédiatement par un cliquetis de talons sur le bitume. Je me précipitai pour relever Alison et Bettye McCoy apparut, vêtue d'un corsaire panthère et suivie de ses deux crétins de chiens.

— Au secours ! cria Alison en la voyant surgir du coin de la rue. Aidez-moi !

Mais ses appels furent noyés par les jappements furieux des chiens.

— Tout va bien ! dis-je à la caricature d'Alice au pays des merveilles. Elle a juste un peu trop bu.

Bettye McCoy rejeta sa crinière en arrière d'un geste dédaigneux, prit ses deux chiens dans ses bras et traversa la chaussée.

— Non, je vous en prie ! cria Alison. Ne me laissez pas ! Aidez-moi !

— Vous vous sentirez mieux après une bonne nuit de sommeil, déclarai-je d'une voix forte au cas où l'on m'entendrait.

— Je vous en prie ! supplia encore Alison devant la rue maintenant déserte. Je vous en prie, ne partez pas !

— Je suis là, ma chérie, dis-je en la prenant dans mes bras pour la ramener vers la maison. Je ne vais nulle part.

Quand nous atteignîmes la porte, elle cessa de se débattre. Était-ce l'effet de la drogue, ou avait-elle compris que c'était inutile, je l'ignore. Elle poussa seulement un soupir et s'écroula dans mes bras. J'entrai en la portant, tel un jeune marié faisant franchir amoureusement le seuil à sa nouvelle épousée.

Cela se fait-il encore ? Je ne sais pas. Je doute d'avoir jamais l'occasion de le découvrir. C'est trop tard pour moi. Et pour Alison aussi. Dommage, j'aurais fait une bonne épouse. C'était tout ce que je demandais. Aimer quelqu'un, être aimée en retour, fonder un foyer, une famille. Avoir un enfant à qui j'aurais pu donner toute la tendresse qui m'avait été refusée. Une fille.

J'ai toujours rêvé d'avoir une fille.

Je portai Alison vers le canapé et la berçai dans mes bras. *Tou-ra-lou-ra-lou-ra,* chantonnai-je tendrement. *Tou-ra-lou-ra-li...*

Alison leva lentement les yeux vers moi. Elle ouvrit la bouche. Un chuchotement me parvint. Je crus entendre le mot *maman.*

29.

Bien sûr, je n'ai jamais cru une seconde qu'Alison était ma fille.

Elle avait sans doute entendu parler de ma triste histoire chez les Sinukoff. Ce nom me paraît vaguement familier. C'étaient peut-être des voisins. Allez savoir. Baltimore est une grande ville. On ne connaît pas tout le monde même si ma mère prétendait que la cité entière était au courant de mon infortune. Elle se prétendait la risée de tous, et répétait qu'elle n'aurait jamais plus le courage de paraître en public.

Voilà pourquoi nous étions venus vivre en Floride. Pas à cause du travail de mon père. À cause de moi.

J'étais restée au lycée tant que ma grossesse ne se voyait pas puis on m'avait demandé de partir. Aucune sanction ne fut prise contre Roger Stillman. Mon déshonneur ne fit qu'ajouter à son prestige et il put continuer ses études et passer ses diplômes comme les autres.

J'endurai presque vingt heures de douleurs avant que ma mère n'autorise mon père à m'emmener à l'hôpital. Et je subis encore dix heures de travail avant que le bébé, d'un poids impressionnant de huit livres et demie, naisse enfin.

Je n'eus jamais l'occasion de prendre ma fille dans mes bras. Ni même de la voir. Ma mère y veilla.

Bien sûr, elle avait raison. Que pouvait-elle faire d'autre ? Je n'avais que quatorze ans après tout, j'étais encore moi-même un bébé. Que connaissais-je de la vie, de la charge que représentait une autre existence ? Il aurait été ridicule que je garde cet enfant. Je l'aurais regretté toute ma vie.

Qui sait ? Peut-être pas. Je me suis souvent demandé si j'aurais fait une si mauvaise mère. J'avais secrètement aimé ce petit être qui grandissait en moi dès la première seconde où je l'avais senti bouger. Je lui parlais quand j'étais seule à la maison, je lui chantais des berceuses, enfermée dans ma chambre, je lui promettais de ne jamais m'énerver, de ne jamais le frapper ni le bousculer d'aucune manière mais de le couvrir de baisers et je lui répétais, jour après jour, que je l'aimais. Je m'occuperai de toi, lui jurais-je quand personne ne m'entendait.

Mais ma fille m'avait été arrachée sans que j'aie pu voir son petit visage et j'avais passé ma vie entière à m'occuper des autres au lieu de m'occuper d'elle.

Bien sûr qu'Alison n'était pas ma fille.

Quelqu'un de Baltimore, peut-être son frère aîné, avait dû lui parler de la dévergondée de quatorze ans qui ne pensait qu'à écarter les cuisses. Puis, elle avait imaginé ce scénario avec ses amis pour s'immiscer dans ma vie. *Je voulais vous plaire. Non. Je voulais que vous m'aimiez,* m'avait-elle avoué peu avant de mourir.

Elle me manque terriblement, évidemment. Je pense souvent à elle et toujours avec une grande affection, avec amour même. Elle a obtenu ce qu'elle voulait, finalement.

Elle n'a pas souffert. Elle s'est simplement endormie dans mes bras. Le reste fut facile. Elle était tellement droguée qu'elle n'a même pas dû sentir l'oreiller que j'ai plaqué sur son visage pendant deux bonnes minutes. Ensuite, je lui ai mis sa jolie robe bleue, celle qu'elle portait le jour où nous nous sommes connues, puis je l'ai enterrée à côté d'Erica. Les fleurs sont particulièrement belles dans cette partie du jardin et je pense que l'endroit lui aurait plu.

Pour KC, ce fut une autre histoire. Je n'avais jamais tué d'homme auparavant, je ne m'étais jamais servie d'un couteau, je n'avais jamais dû recourir à une telle brutalité. Je mis des jours à oublier la vibration du manche dans ma main ; des semaines avant que j'arrive à éliminer toutes les taches de sang sur le sol du salon. Évidemment, j'ai dû jeter le tapis. Il était fichu. Alison avait raison, ce n'était pas raisonnable de mettre un tapis blanc dans un salon. En tout cas, il était temps d'en changer.

Je ne voulais pas que KC souille mon jardin. J'ai donc attendu le milieu de la nuit pour le fourrer dans le coffre de ma voiture et aller le jeter dans les Everglades, à un endroit particulièrement marécageux. Je suis sûre que les alligators ont apprécié cette petite attention.

Il y a trois mois qu'Alison est morte. La saison est pratiquement terminée. Il y a de moins en moins de voitures sur les routes, de touristes dans les rues, de files d'attente devant les cinémas. Il est plus facile d'aller au restaurant. Bettye McCoy balade toujours ses idiots de chiens et, comme le fond de mon jardin semblait particulièrement les attirer, j'ai mis une petite barrière pour les empêcher de venir gratter. Cela devrait suffire. Si jamais ils s'aventurent encore sur ma pelouse, ce n'est pas à gentils coups de balai que je les chasserai.

Je me demande parfois ce qui se passerait si Lance et Denise revenaient voir Alison. Mais, jusqu'à présent, ils n'ont donné aucun signe de vie. Alison disait probablement la vérité. Ils ont dû partir ensemble. Ses relations avec son ex-mari étaient bel et bien terminées. Je l'espère. Quoi qu'il en soit, je reste sur mes gardes.

Mon travail à la clinique se poursuit comme avant. Le lit de Myra est maintenant occupé par un vieux monsieur atteint d'un parkinson avancé. Je m'occupe très bien de lui. Sa famille m'apprécie énormément.

À propos, j'avais raison pour Josh. Il a effectivement envoyé des fleurs quelques semaines après l'enterrement de sa mère, accompagnées d'une carte également signée par sa femme. Le mot de remerciements était adressé à tout le personnel du service, sans mentionner personne en particulier.

Le journal qu'il m'a offert s'est révélé fort utile, en fin de compte. C'est agréable de noter ses pensées, comme je le fais maintenant. Ça me permet de mettre les choses au clair.

Et qui sait ? Peut-être qu'un jour je trouverai le véritable amour. Ce n'est pas parce que Josh m'a déçue que je dois renoncer à découvrir l'âme sœur. Ce n'est pas trop tard. Je n'ai que quarante ans. Je suis encore séduisante. Je pourrais rencontrer quelqu'un demain, me marier, avoir la famille dont j'ai toujours rêvé. Beaucoup de femmes de quarante ans ont encore des bébés. C'est possible. Je le souhaite de tout mon cœur.

Et voilà. La vie continue, comme on dit.

On, on, c'est qui ce on ? entends-je Alison demander, sa voix jamais très éloignée de mon oreille.

Je me retourne. Elle est juste à côté de moi.

Décrivez votre vie depuis que je ne suis plus là, me taquine-t-elle. *En trois mots.*

— Morne. Ennuyeuse. Mon regard parcourt les étagères vides ; le moment est sans doute venu de reconstituer ma collection. Et solitaire, conclus-je, en refoulant mes larmes.

Je regarde par la fenêtre le petit pavillon vide derrière la maison. Il est inoccupé depuis trois mois et commence à prendre un air abandonné. Lui aussi a besoin qu'on prenne soin de lui. Quelqu'un qui l'appréciera et lui témoignera l'amour et le respect qu'il mérite. Après les débâcles d'Erica et d'Alison, je ne suis pas certaine qu'une telle personne existe. Mais le moment est peut-être venu de la chercher. Oui, je mettrai une annonce dans le journal du week-end. Il est temps d'enterrer les chuchotements et les mensonges du passé, temps de repartir de zéro.

— Zéro, dis-je avec la voix d'Alison. Joli mot !

Remerciements

Comme toujours, je tiens à remercier tout spécialement Owen Laster, Beverley Slopen et Larry Mirkin, aussi bons conseillers qu'amis précieux. Merci à Emily Bestler, mon éditrice de rêve, et à son assistante, Sarah Branham, pour leur aide et leur gentillesse pendant l'écriture de ce roman. Je suis redevable également à Judith Curr, Louise Burke, Cathy Gruhn, Stephen Boldt et à tous les gens merveilleux d'Atria et de Pocket qui se donnent tant de mal pour le succès de mes livres.

J'aurais eu beaucoup de peine à écrire ce roman sans l'aide de Donna et Jack Frysinger, qui n'ont compté ni leur temps ni leur peine chaque fois qu'il me fallait mettre en scène la charmante station balnéaire de Delray. J'espère vous revoir bientôt.

Toute ma tendresse à Warren, Shannon, Annie, Renee, Aurora et Rosie, ainsi qu'à mes amis de Toronto et de Palm Beach. Merci de votre patience, de votre fidélité et du piment que vous apportez à ma vie (ce qui est particulièrement important pour un écrivain). Note à l'attention d'Annie : tu pourrais en donner un peu moins...

Et, pour finir, je voudrais témoigner ma profonde gratitude aux lecteurs qui m'envoient de merveilleux messages sur mon site Internet. Je n'ai pas le temps de répondre personnellement à chacun d'entre vous, mais sachez que vos lettres me touchent profondément et me soutiennent quotidiennement. Merci.

Transcontinental
IMPRESSION
IMPRIMERIE GAGNÉ